L'ÉTÉ DE TOUTES LES AUDACES

DU MÊME AUTEUR

La Confidente, Lattès, 1997.
Trahison conjugale, Lattès, 1998.
Trois vœux, Lattès, 1999.
La Route de la côte, Lattès, 2000.
Le Refuge du lac, Lattès, 2001.
Le Vignoble, Lattès, 2002.
La Fille d'à côté, Lattès, 2003.
Les Fautes du passé, Lattès, 2004.
Fidélités, Lattès, 2005.
Bain de minuit sous les étoiles, Lattès, 2006.

www.editions-jclattes.fr

Barbara Delinsky

L'ÉTÉ DE TOUTES LES AUDACES

Roman

Traduit de l'anglais par Marie Boudewyn

JC Lattès
17, rue Jacob 75006 Paris

Titre de l'édition originale
THE SUMMER I DARED
publiée par Scribner, New York

Pour l'éditeur, le principe est d'utiliser des papiers composés de fibres naturelles, renouvelables, recyclables et fabriquées à partir de bois issus de forêts qui adoptent un système d'aménagement durable.

En outre, l'éditeur attend de ses fournisseurs de papier qu'ils s'inscrivent dans une démarche de certification environnementale reconnue.

ISBN : 978-2-7096-2551-7

Première édition mai 2007.

Prologue

L'*Amelia Celeste* était à l'origine un bateau de pêche au homard. Cette noble dame d'acajou et de chêne pouvait s'enorgueillir d'une longueur de trente-huit pieds, depuis la gracieuse courbe ascendante de sa proue jusqu'à sa poupe, en passant par l'avant-pont puis la timonerie. Comme tous les pêcheurs de homards du Maine, Matthew Crane se sentait aussi attaché à son bateau qu'à sa femme : il chérissait l'*Amelia Celeste* presque autant que son homonyme de chair et de sang avec laquelle il avait été marié pendant quarante ans. Douze longues années encore après sa mort, il déposait sur sa tombe une douzaine de roses à longue tige, chaque vendredi.

Matthew pouvait se le permettre. Son grand-père avait fait fortune en exploitant à la fois les vastes forêts au nord de l'État du Maine et les îles boisées qu'abritait son golfe. Il avait fait bâtir sa maison de famille sur l'une de ces îles toujours vertes baptisée Big Sawyer. Deux générations plus tard, les descendants de Crane se répartissaient à égalité entre les pêcheurs et les artistes formant le gros des habitants à l'année.

Matthew exerçait le métier de pêcheur. Il avait su rester très simple malgré la fortune dont disposait sa famille. Depuis l'âge de seize ans, son plus grand plaisir consistait à sortir dès l'aube relever des casiers à homards dans les eaux fertiles de la baie de Penobscot. En véritable puriste, il se servait encore de casiers en bois à l'époque où les pêcheurs du voisinage préféraient le treillis métallique. De même, il aurait préféré mourir que d'échanger son bateau en bois contre un nouveau en fibre de verre, plus léger et plus rapide. Matthew n'avait pas besoin d'aller vite. Toute son existence reposait sur la conviction que le résultat compte moins que le chemin parcouru pour y parvenir. L'idée de gagner quelques milles nautiques grâce à un bateau plus léger ne le tentait pas. La stabilité de l'*Amelia Celeste* valait de l'or sur une mer susceptible de changer en quelques minutes et de renverser sans prévenir deux hommes occupés à hisser par-dessus bord des casiers chargés de homards. Sans compter le bruit. Le bois joue un rôle d'isolant naturel. L'*Amelia Celeste* faisait moins de bruit que n'importe quel autre bateau en fibre de verre, ce qui permettait à Matthew d'entendre les mouettes et les cormorans, le vent et les vagues qui l'apaisaient tant.

À l'âge de soixante-cinq ans, Matthew dut renoncer à pêcher à cause de l'arthrite qui lui déformait les mains. Il équipa son bateau d'un moteur et de réservoirs neufs, consolida les parois de la timonerie en prévision du vent, polit encore un peu plus l'acajou, installa un mécanisme de désembuage sur la vitre centrale et des sièges pour les passagers à l'arrière et remit à flot l'*Amelia Celeste*, cette fois-ci en tant que bac.

Matthew le conduisit lui-même les premières années après sa transformation. Il effectuait trois liaisons quotidiennes avec le continent : la première tôt le matin, la deuxième aux environs de midi et la dernière en fin de journée. Il ne transportait pas de voitures : le ferry géré par l'État du Maine s'en chargeait. Il n'affichait pas non plus d'horaires car il s'adaptait aux éventuels besoins des habitants de l'île. Il demandait un tarif symbolique qu'il ne se souciait pas vraiment de collecter. Il s'agissait pour lui d'un passe-temps, non d'un travail. Il ne désirait qu'une chose : rester à bord de son bateau chéri dans cette baie qu'il aimait tant. S'il facilitait la vie du voisinage pendant les mois d'hiver où la rigueur du climat contraignait à un isolement des plus rigoureux, alors tant mieux.

Pourtant, en ce jeudi soir du début de juin, lorsque sa petite affaire tourna au tragique, Matthew, à son grand regret, n'était pas à la barre de l'*Amelia Celeste*. C'est Greg Hornsby qui le pilotait, un de ses cousins beaucoup plus jeune que lui mais non moins aguerri puisqu'il avait passé la majeure partie des quarante années de sa vie sur l'eau. Ni le manque d'expérience ni un quelconque défaut de compétence n'expliquaient la catastrophe. Pas plus qu'une défaillance des appareils électroniques. En tant que homardier, l'*Amelia Celeste* était équipé d'une radio multibande, de détecteurs de bancs de poissons et de radars. En tant que bac transportant des passagers, il possédait un système de navigation guidée par satellite dernier cri et tout ce qui s'ensuit. Pourtant son équipement ne lui servit à rien ce jour-là.

À 6 heures, l'*Amelia Celeste* quitta Big Sawyer en emportant à son bord le photographe, le directeur artistique, les mannequins et le matériel débarqués un peu plus tôt à l'occasion d'une séance photo aux docks de la bourgade. Le soleil avait fait son apparition pendant la prise de vues, ainsi qu'une foule d'autochtones curieux mais l'eau était restée froide comme souvent dans l'Atlantique en juin. L'arrivée d'un front chaud en fin d'après-midi finit d'ailleurs par apporter du brouillard.

Pas de quoi s'inquiéter pour autant. Le brouillard s'invitait souvent dans la région. Jamais un pêcheur de homards qui laisserait le brouillard le retenir à terre ne parviendrait à gagner correctement sa vie.

Grâce aux instruments dont disposait Greg Hornsby et à sa parfaite connaissance de la route, l'*Amelia Celeste* contourna les balises disséminées dans les eaux peu profondes des criques, le long des îles toutes proches de Little Sawyer, West Rock et Hull. Après avoir embarqué un seul et unique passager à chaque jetée, le bateau fila le long du chenal à un petit vingt-deux nœuds, en direction du continent, distant de six milles.

Quinze minutes plus tard, l'*Amelia Celeste* aborda au bassin de Rockland où ses passagers débarquèrent avec leurs affaires. Huit autres attendaient de monter à bord. Contrairement aux gens de la ville, ils portaient des chemises en flanelle, des sweat-shirts à capuche, des jeans et des bottes : vêtements que les insulaires privilégiaient avant l'arrivée définitive de l'été. Puisque ces huit-là habitaient tous Big Sawyer, Greg ne s'arrêterait pas avant d'arriver sur son île, ce dont il se félicita. Le mardi, au grill c'était le jour des côtelettes, dont Greg raffolait. Les mardis soir, femmes et enfants restaient à la maison et ses copains réservaient une table au restaurant. Il les rejoindrait, aussitôt l'*Amelia Celeste* au mouillage.

Il débarrassa Jeannie Walsh de deux sacs et d'une grande boîte qu'il coinça sous un banc, le temps que Jeannie enjambe le plat-bord. Son mari, Evan, lui tendit d'autres bagages, puis leur fille d'un an, avant de monter à son tour à bord. Jeannie et Evan étaient sculpteurs ; ils transportaient de la terre glaise, de la glaçure, des outils et un nouveau tour de potier achetés à Portland ce jour-là.

Grady Bratz et Dar Hutter, approchant l'un comme l'autre de la trentaine, embarquèrent avec l'aisance d'hommes qui ont grandi sur l'eau. Grady exerçait le métier de docker pour le compte de la poissonnerie Foss, le principal commerce de l'île. Il revenait ce soir-là d'un jour de congé, l'air à peine plus propre qu'à son habitude. Dar gérait une boutique de matériel de pêche. Une fois sur le pont, il se retourna pour hisser une caisse remplie d'articles qu'il déposa près de la timonerie avant de gagner la poupe où il s'assit.

C'était sage : Todd Slokum attendait lui aussi d'embarquer. Frêle et pâle, Todd ne ressemblait en rien à un homme qui navigue pour le plaisir. Au bout de trois années passées sur l'île, il changeait encore de couleur en empruntant le bac jusqu'au continent. Les habitants du voisinage n'avaient jamais compris la raison de son installation à Big Sawyer. Une chose était certaine : Zoe Ballard avait bien du mérite de l'employer.

Ses jambes flageolantes le portèrent tant bien que mal à bord où il se laissa tomber sur le banc le plus proche en lançant des coups d'œil embarrassés aux autres passagers déjà présents.

Hutchinson Prine paraissait à peine plus rassuré. Il avait passé sa vie à pêcher le homard. Malgré son mutisme, c'était un véritable puits de science. À près de soixante-dix ans, il pêchait encore chaque jour, quoique installé à la poupe, en compagnie de son fils à la barre. Hutch n'allait pas très bien. Il était allé consulter des médecins à Portland. La grimace qui lui tordait le visage indiquait que ce qu'ils venaient de lui apprendre ne lui disait rien de bon.

— Comment ça va ? lui demanda Greg sans obtenir de réponse.

Il fit mine d'aider Hutch. Le vieil homme le repoussa pour embarquer sur l'*Amelia Celeste* sans le secours de personne. Son fils Noah le suivait. Noah parlait tout aussi peu que son père. Il le dépassait de par sa taille et ne manquait ni d'esprit ni d'allure. Il affichait en ce moment précis une mine impénétrable mais il aida tout de même Greg à détacher les amarres.

L'*Amelia Celeste* s'apprêtait à s'éloigner lorsqu'un cri se fit entendre sur la terre ferme.

— Attendez ! S'il vous plaît !

Une femme menue courut jusqu'au quai, ployant sous le poids des sacs qui rebondissaient contre son corps.

— Ne partez pas ! cria-t-elle d'un ton suppliant. J'arrive ! Attendez-moi !

Personne ne la connaissait. Elle portait un jean sombre et un chemisier blanc assorti à une veste de sport aux motifs des plus seyants. Les talons des sandales qui lui comprimaient les pieds la haussaient plus que n'importe quelle insulaire avisée ne le tolérerait. Comme si tous ces détails ne tranchaient pas assez avec le décor, un vernis rose pâle couvrait les ongles de ses mains et de ses pieds. Une douzaine de nuances de blond se distinguaient dans sa chevelure lisse. Elle ne manquait pas de charme. Son alliance à la main gauche indiquait qu'elle devait être mariée. À son épaule pendait un grand sac en cuir bien plus fin que celui que travaillaient les artisans des environs.

Il n'était pas rare de rencontrer à Big Sawyer des femmes comme elle, mais pas aussi tôt en juin, sans personne pour les accompagner.

— Je dois aller à Big Sawyer, supplia-t-elle, à bout de souffle, s'adressant d'abord à Noah, puis, s'apercevant de son erreur, à Greg. Je devais emprunter le ferry de 17 heures avec ma voiture mais je l'ai manqué. On m'a dit que je pouvais laisser mon véhicule au bout de la jetée, un jour ou deux. Vous pouvez m'emmener sur l'île ?

— Tout dépend de là où vous comptez passer la nuit, répondit Greg, conscient que tout le monde à bord se posait la même question. Il n'y a pas d'hôtels à Big Sawyer. Ni de chambre d'hôte.

— Je suis la nièce de Zoe Ballard. Elle attend ma visite.

Ses paroles furent un sésame. Noah se chargea de ses bagages, qu'il déposa auprès de la timonerie. Elle lui tendit son sac à dos puis monta à bord sans l'aide de personne. Lorsque Evan Walsh se leva pour lui laisser sa place, elle le remercia d'un signe de tête et se fraya un chemin jusqu'à la proue en se tenant à la barre installée par Matthew lors de la métamorphose de l'*Amelia Celeste*.

Noah largua les amarres puis éloigna le bateau de la jetée en prenant appui contre les poteaux. Il adressa quelques mots brefs à son père. Si celui-ci lui répondit, Greg ne l'entendit pas. Noah contourna la timonerie et vint se poster à la proue, du côté opposé à la nièce de Zoe Ballard. Là, il croisa les bras et son regard se perdit dans le brouillard.

L'*Amelia Celeste* se glissa hors de la baie à sa vitesse de croisière, silencieuse et élégante pour un bateau à la poupe aussi large. La nuit ne tomberait pas avant deux heures, pourtant l'épais brouillard avait vidé le ciel et la mer de leurs couleurs. Seule, de temps à autre, la silhouette d'un bateau à l'ancre altérait le gris pâle de l'atmosphère. Parfois aussi, le cliquetis d'une ancre troublait le silence mais la brume les absorbait bien vite. Au-delà des brise-lames en granit, les vagues reprirent de leur vigueur et sur l'écran du radar apparurent de petits points verts marquant l'emplacement de bateaux, de rochers ou les repères du chenal. Des balises peintes signalant les pièges du fond de l'océan se devinaient à travers le brouillard. L'*Amelia Celeste* s'en écartait le plus possible en n'augmentant sa vitesse qu'une fois à l'abri.

Le roulis restait modéré, pas trop éprouvant, même pour un bateau à la coque aussi largement immergée. Peu de bruit provenait de l'*Amelia Celeste* à l'exception du ronronnement paisible du moteur, du clapotis régulier des vagues que scindait la proue ou de quelques phrases échangées de temps à autre à l'arrière. Rien ne venait répercuter ces sons. Le brouillard agissait comme une sourdine absorbant le moindre écho.

Un lointain bourdonnement se fit entendre à tribord. Il grossit tant que les passagers finirent par reconnaître un moteur rugissant. Le possesseur de l'engin, Artie Jones, avait baptisé son bateau de course *le Fauve*. Sa coque aérodynamique couleur pourpre filait à la surface de l'eau, propulsée par des moteurs jumeaux capables de tourner à la bagatelle de onze cent chevaux. Artie avait une très mauvaise réputation dans cette zone où prévalaient les bateaux de pêcheurs. *Le Fauve* pouvait atteindre soixante-quinze nœuds sans effort apparent. Il ne devait plus en être loin, à en juger par le rugissement des moteurs toujours croissant.

Noah adressa un regard inquiet à Greg. *Bon sang, qu'est-ce qu'il se passe ?*

Greg haussa les épaules, perplexe. Le brouillard ne livrait aucun signe de la présence de bateaux aux alentours mais l'écran de son radar lui indiquait une réalité bien différente. On y voyait *le Fauve* en pleine accélération tracer un large arc de cercle depuis un point à tribord en croisant au passage le sillage de l'*Amelia Celeste*. Le vrombissement des moteurs s'atténua dans le brouillard.

Une main sur le gouvernail en bronze et l'autre sur la manette des gaz, Greg maintenait sur l'île le cap de l'*Amelia Celeste*. Plongé dans ses rêveries de côtelettes, il oublia Artie Jones jusqu'à ce que le bruit du *Fauve* s'élève de nouveau ; il reconnut le rugissement de tronçonneuse de ses monstrueux moteurs à l'arrière. Le bateau se dirigeait de nouveau vers eux, ce que lui confirma le radar.

Greg s'empara du micro de sa radio.

— Qu'est-ce que tu fiches, Artie ? l'interpella-t-il d'une voix où perçait son irritation, car aucun homme sain d'esprit ne s'amuserait à prendre de tels risques dans le brouillard.

Artie ne répondit pas. Le vrombissement des moteurs crût en intensité.

Greg actionna sa corne de brume en sachant pourtant qu'elle n'avait pas la moindre chance de couvrir le rugissement du *Fauve*. Ses yeux allaient et venaient du radar au système de guidage par satellite. Il comprit alors que, faute d'agir, les deux bateaux entreraient en collision. Pourtant, même au péril de sa vie, il n'aurait su que faire. Artie ne se comportait pas de façon rationnelle. Sur l'écran du radar, on le voyait couper à travers des fonds de pêche puis frôler les balises à une vitesse telle qu'il abîmait à coup sûr des centaines de casiers. S'il désirait se livrer à un petit jeu pervers aux trousses de l'*Amelia Celeste*, il irait toujours assez vite pour la rattraper, où qu'elle se dirigerait.

— Bon sang, Artie ! Ralentis ! Pousse-toi de mon chemin ! cria-t-il sans se soucier d'inquiéter ou non ses passagers.

À voir leurs yeux écarquillés comme des soucoupes, ils paniquaient déjà. Il fit retentir sa corne de brume encore et encore mais en vain.

Que faire ? Un mille à peine le séparait encore de l'île. Greg se retrouvait responsable des vies de neuf personnes face à Artie Jones dans son bateau de course capable de déployer toute la puissance de ses moteurs, fendant l'air comme un projectile avec sa proue dressée, propulsé on ne sait où dans le brouillard, à une vitesse bien supérieure à celle que l'*Amelia Celeste* pourrait jamais atteindre !

Étudiant l'écran du radar une ultime poignée de secondes, Greg tenta de deviner où se dirigeait *le Fauve* en tenant compte de l'endroit d'où il venait et de ses capacités. Puis il arrêta sa décision. Incapable de prendre de vitesse le puissant bateau, il tira sur la manette des gaz afin de laisser passer *le Fauve*.

La manœuvre aurait produit l'effet désiré si *le Fauve* avait poursuivi l'arc de cercle de sa trajectoire. Ce que Greg ne pouvait toutefois pas savoir et encore moins considérer dans ses calculs, c'est qu'Artie agrippait le gouvernail de sa machine bien-aimée au moment où son cœur avait cessé de battre et où il s'était effondré, paralysé, sans connaissance. À l'instant même où l'*Amelia Celeste* exécutait sa manœuvre défensive, son corps sans vie glissa sur le côté, entraînant à sa suite le gouvernail.

Matthew Crane comprit ce qui se passait à l'instant où il entendit l'explosion. Il s'était installé comme à son habitude sur la terrasse du grill où il sirotait un whisky en attendant que l'*Amelia Celeste* surgisse du brouillard puis se glisse contre la jetée. Son oreille exercée à distinguer le bourdonnement de son moteur même à un mille de distance ne put manquer d'entendre *le Fauve*. Matthew songea d'abord que sa trajectoire croiserait celle du bac puis il éprouva la même crainte que lors de l'ultime admission à l'hôpital de son *Amelia Celeste*. Le bruit terrible du choc venait de mourir lorsqu'il se mit à dévaler les escaliers avant de se ruer sur la plage. Il rejoignit le quai au pas de course en agitant les bras afin d'attirer l'attention d'une poignée de pêcheurs de retour d'une journée de travail. Tous fixaient le brouillard d'un regard inquiet.

Ils réagirent sur-le-champ : ils rejoignirent les lieux de la catastrophe à temps pour repêcher les deux premiers survivants avant que la fumée de l'incendie ou le contact de l'eau glacée n'ait raison d'eux. C'est un autre bateau qui retrouva la troisième survivante. Ils ne souffraient que de légères contusions ; un véritable miracle comparé au sort des autres passagers.

1.

Julia Bechtel surgit dans l'air comme si un colosse l'avait projetée par-dessus l'océan. Elle disparut sous la surface de l'eau en état de choc, sans pour autant perdre le sens de l'orientation, puis chercha l'impulsion qui la ferait remonter, avant même de ralentir dans sa chute au fond de l'océan. Dès que sa tête fendit la surface des flots, elle tenta de reprendre haleine. Elle repoussa de toutes ses forces les vagues qui la cernaient pour se concentrer sur sa respiration et s'efforça d'épouser le rythme de la mer avec ses bras et ses jambes afin de ne pas couler.

Elle retrouva son souffle par saccades en prenant peu à peu conscience de ce qui venait de se produire. Elle entendit des hurlements puis un choc suivi d'une explosion se répercuter dans sa mémoire immédiate. Elle écarta de ses yeux une mèche humide et regarda autour d'elle dans un effort pour se ressaisir. Des morceaux de bois projetés hors du bateau flottaient mais à l'endroit où l'*Amelia Celeste* aurait dû se trouver jaillissaient des flammes dévorant le bois et Dieu sait quoi d'autre. Impossible de distinguer la limite entre la fumée noire et le brouillard blanc.

Son instinct lui dicta de s'éloigner de l'incendie. Luttant contre la houle, elle se dirigea dans le sens contraire. Elle avait perdu ses sandales ainsi que son portefeuille. Dès qu'elle sentit le poids de sa veste trempée l'entraîner sous la surface, elle s'en débarrassa aussi. Elle tremblait ; de froid ou d'émotion ? elle n'aurait su le dire. La peur ne la tenaillait pas encore.

— Hé ! cria une voix s'échappant du nuage de fumée.

Une tête apparut. Elle reconnut l'homme qui se trouvait avec elle à la proue. Il la rejoignit à la nage.

— Vous êtes blessée ? lui demanda-t-il assez haut pour couvrir le rugissement des flammes.

Apparemment non, tout allait bien. Elle s'empressa de le rassurer.

— Cramponnez-vous, lui conseilla-t-il en poussant dans sa direction l'objet qu'il traînait : un long coussin de siège qui flottait. J'y retourne.

Elle agrippa le coussin et s'apprêtait à lui demander si une telle prouesse ne relevait pas de l'impossible lorsqu'une autre déflagration se fit entendre. Julia venait à peine de reprendre son souffle lorsque l'homme l'attira sous la surface afin d'éviter les débris qui ne tarderaient pas à retomber. Lorsqu'ils émergèrent, hors d'haleine au milieu des flots agités, l'averse venait de passer.

Retourner au bateau ne semblait pas une très bonne idée. Les flammes crépitaient avec une intensité accrue et la fumée s'épaississait.

L'air angoissé, l'homme ne quittait pas la scène des yeux. Enfin, il se ravisa et examina les alentours en quête du coussin qu'il rejoignit aussitôt à la nage avant de le ramener à eux.

— Accrochez-vous.

Julia ne se fut pas plus tôt exécutée qu'il l'éloigna de l'épave en fendant les vagues. Soudain, il fit volte-face et lança un coup d'œil inquiet dans la direction opposée.

— Hé ! cria-t-il, au désespoir, vers ce que Julia supposa être le rivage. Dépêchez-vous ! Hé ! Des gens ont besoin d'aide !

Julia comprit qu'il ne faisait pas plus allusion à lui qu'à elle, apparemment indemnes. Derrière les flammes, en revanche, il restait encore d'autres passagers, peut-être touchés par les débris, sans connaissance, ou brûlés par l'incendie.

Aussi incroyable que cela puisse paraître, l'homme se mit à nager en direction de la fumée.

— N'y allez pas ! s'écria Julia.

Elle eut le pressentiment qu'il allait disparaître à jamais – ou peut-être ne voulait-elle simplement pas se retrouver seule. Le brouillard était épais, l'incendie, tout proche et elle n'avait aucune idée de la distance qui la séparait de la terre ferme. Comprenant peu à peu ce qui s'était passé, elle prit peur. Elle n'était qu'un point minuscule au sein de l'immense océan. Deux points valaient mieux qu'un seul.

Il continua de nager mais pas longtemps. Il se laissa porter par les vagues, les yeux rivés sur les flammes, puis changea d'avis. Il se dirigea vers la gauche de l'incendie où le courant le repoussa. Qui sait sinon s'il n'aurait pas continué ? Les vagues le ramenèrent auprès de Julia et il agrippa le coussin.

— Vous avez vu quelqu'un d'autre ? demanda-t-elle.

Il semblait encore plus à bout de souffle qu'elle.

Il fit signe que non et se tourna vers le rivage. Une bonne minute s'écoula avant qu'un bateau n'émerge du brouillard. Il s'agissait d'un homardier plus petit et nettement moins bien entretenu que l'*Amelia Celeste*, pourtant Julia n'avait jamais aperçu quoi que ce soit avec autant de joie.

Quelqu'un l'aida aussitôt à se hisser à bord et l'enveloppa d'une couverture avant de la conduire dans la petite cabine à l'avant. Alors, Julia se mit à trembler pour de bon. Le bruit des cris, de l'impact et de l'explosion se répercutait dans sa tête mais surtout elle revoyait la scène : un énorme point pourpre jaillissant du brouillard à une hauteur suffisante pour passer par-dessus bord avant de s'écraser au beau milieu du bac.

Incapable de se tenir tranquille, Julia, trempée, revint se poster sur le pont, le corps secoué de frissons, puis releva la couverture dans l'espoir de dissiper l'odeur de fumée qui lui envahissait les narines.

L'homme qui s'était retrouvé à l'eau était monté sur le pont mais il n'y avait ni couverture à sa disposition ni personne pour le réconforter. Il se tenait penché par-dessus bord à côté de deux autres hommes, cherchant à percer le brouillard du regard tandis que le bateau se frayait un chemin entre les morceaux de bois, de fibre de verre et d'autres matériaux que Julia ne parvenait pas à identifier. Certains brûlaient, d'autres pas.

Le spectre d'un bateau surgit dans le brouillard avant de mettre le cap sur la direction opposée. Un troisième bateau apparut alors, qui vint les accoster. L'homme tombé à l'eau en même temps qu'elle y grimpa.

Julia ne lui posa pas de questions ; il ne se retourna pas. C'était un habitant de l'île, sans l'ombre d'un doute. L'équipage des autres bateaux le connaissait, tout comme les passagers de l'*Amelia Celeste*. Il semblait inquiet.

Julia regarda le troisième bateau s'éloigner, le cœur serré d'angoisse. Elle le suivit au bruit de son moteur, s'efforçant de le distinguer à travers le brouillard, jusqu'à ce que le bateau qui l'avait recueillie ne s'éloigne.

— On va vous ramener à terre, expliqua le capitaine en accélérant.

— Rien ne vous y oblige, répondit-elle aussitôt. Je vais bien. Ne devrait-on pas plutôt rester ici et participer aux recherches ?

Elle en éprouvait le besoin ; le capitaine se contenta de lui répondre :

— Je vais vous déposer à terre et revenir.

Glacée par le vent qui fouettait ses cheveux mouillés, Julia se mit à l'abri dans la timonerie, les yeux rivés à la vitre avant, guettant l'approche du rivage. En quelques minutes, une forme sombre se matérialisa, une avancée de terre émergeant de l'eau, que surmontait une ligne d'horizon en dents de scie. Avant qu'une autre minute ne s'écoule, la brume révéla en se dissipant un petit village de pêcheurs niché au flanc d'une colline.

Le bateau s'arrêta auprès du quai. Une femme se détacha du groupe d'insulaires rassemblés là, puis se mit à courir vers eux.

Zoe Ballard n'avait que douze ans de plus que Julia. C'était la sœur cadette, conçue sur le tard, de sa mère. Leur proximité en âge aurait pu justifier à elle seule l'affection que lui portait Julia si celle-ci n'avait pas surtout apprécié le tempérament attachant de sa tante, aussi aventureuse qu'indépendante. Zoe possédait tous les traits de caractère qui lui faisaient défaut mais qu'elle n'admirait pas moins.

Elle portait ce soir-là une veste en patchwork et des jeans usés. Le vent ébouriffait ses cheveux auburn et des larmes embuaient ses yeux. Elle aida Julia à débarquer puis la serra dans ses bras, l'espace d'un instant qui lui parut une éternité. Julia ne s'en plaignit pas. Elle ne parvenait pas à maîtriser son tremblement. La force de Zoe lui fut d'un grand secours. Elle se sentait en sécurité auprès d'elle, saine et sauve sur la terre ferme. Soudain, la pensée que ce n'était pas le cas des autres la terrifia. Elle se retourna vers le bateau à temps pour le voir repartir. Aussitôt, la foule se resserra et les questions commencèrent à pleuvoir.

— Que s'est-il passé ?

— Combien y avait-il de passagers à bord de l'*Amelia Celeste* ?

— On en a sorti d'autres de l'eau ?

Ne sachant où donner de la tête, Julia posa son regard sur Zoe.

— Un bateau nous est rentré dedans. Il y avait six, sept, peut-être huit personnes sur le bac.

— Tu ne connaîtrais pas leurs noms par hasard ? lui demanda Zoe.

Julia comprit tout de suite pourquoi. Les bacs comme l'*Amelia Celeste* n'obéissent pas à une organisation très rigoureuse. Personne n'achetait de tickets à l'avance. Jamais on ne trouverait de liste de passagers. La moindre information que pourrait communiquer Julia fournirait un secours précieux aux insulaires assemblés sur le quai.

Pour le moment, elle se sentait incapable de quoi que ce soit d'autre que de secouer la tête. Son corps ne cessait de trembler.

— J'avais pris place à la proue. Ils se trouvaient à l'arrière.

Elle tenta de se souvenir du groupe qu'elle avait vu en embarquant mais l'image manquait de netteté. Elle avait couru le long du quai, en proie au stress, le cœur serré d'appréhension, après un pénible trajet de sept heures depuis Manhattan. La route aurait été agréable, si seulement elle avait pu partir à l'heure prévue, mais son mari lui avait confié un tas de courses à faire à la dernière minute. Il la traitait comme sa bonniche, ce qui lui répugnait de plus en plus. Sur la route, dans sa voiture, elle n'avait songé qu'à sa rancœur et s'était imaginé une dispute avec Monte, telle qu'elle n'oserait jamais en provoquer dans la réalité, laissant libre cours à la frustration qui s'accumulait en elle depuis des années. Son retard risquait de lui faire manquer le ferry prévu, or elle ne savait pas s'il y en aurait un autre ce jour-là ni où passer la nuit au cas où elle ne pourrait rejoindre l'île ; d'où une tension croissante. Elle avait dépassé les limitations de vitesse sur la majeure partie du trajet – ce qui était inquiétant. Julia n'empruntait pas souvent la voiture et encore moins l'autoroute. Ce trajet qu'elle espérait agréable avait fini par se changer en corvée épuisante.

Seul point positif : elle avait eu la chance de trouver l'*Amelia Celeste* prêt à partir.

Une chance ? Pourquoi pas ! Elle vivait encore et s'en était sortie indemne. Mais les autres ?

— Son bras saigne, constata un homme se détachant de la foule.

Il ne semblait pas avoir plus de quarante ans, sa mine assurée produisait pourtant une impression de maturité.

— Puis-je m'assurer que tout va bien ?

La vue du sang sur son avant-bras abasourdit Julia.

— Il est médecin, lui expliqua Zoe d'une voix douce.

Elle enleva ses souliers puis s'agenouilla pour en chausser Julia. Celle-ci prit appui sur son épaule afin de ne pas perdre l'équilibre.

— Un simple pansement ne suffirait pas ?

Elle ne voulait surtout pas quitter le quai.

— Sa clinique se trouve juste au tournant de la rue, précisa Zoe en se redressant.

Puis elle passa un bras autour de la taille de Julia en l'entraînant à l'écart.

— Maintenant, c'est toi qui n'as plus de chaussures.

— J'ai des chaussettes, rétorqua Zoe en avançant, jusqu'à ce qu'un grand homme vêtu d'un uniforme kaki leur barre la route.

— Il faut que je lui parle, déclara-t-il.

— Pas maintenant, répliqua Zoe sans se laisser intimider.

— Il s'est passé quelque chose. J'ouvre une enquête.

— Pas maintenant, John, répéta Zoe. Elle n'a pas cessé de trembler. Elle est sans doute sous le choc. Jake va l'examiner, puis je la ramène à la maison.

— Je ne veux pas m'en aller, chuchota Julia.

Zoe l'ignora et l'officier de police s'écarta.

Julia se laissa mener au bout du quai, soutenue par Zoe à sa gauche et le médecin à sa droite. Ils s'engagèrent dans la rue principale dont elle ne distingua presque rien. Une épicerie, un bureau de poste, le magasin d'articles de pêche, le poste de police ; tous ces bâtiments défilèrent dans le flou. Dès qu'elle franchit le seuil de la petite clinique, elle se cabra. Il lui semblait reconnaître quelque chose de familier qu'elle cherchait précisément à fuir : le sentiment qu'elle ne disposait pas de son libre arbitre.

— Je ne rentrerai pas à la maison ce soir, déclara-t-elle à Zoe.

Bien qu'elle n'ait pas plus élevé la voix que sa tante face à l'officier de police, sa détermination ne laissa pas l'ombre d'un doute.

— Il faut que tu te sèches et que tu te réchauffes, lui suggéra gentiment Zoe.

— Il faut surtout que je retourne sur le quai, insista Julia.

La fermeté de son ton dut frapper Zoe car elle céda :

— D'accord. Rends-moi mes chaussures. Je passerai chez moi te chercher des vêtements secs pendant que Jake t'examine.

À cet instant seulement, Julia s'aperçut qu'il ne lui restait plus le moindre habit. Plus de chaussures ni de chaussettes. Plus de maquillage. Plus de livres, plus de matériel photographique. Toutes les affaires rassemblées avec soin – plutôt mises de côté depuis des mois – en prévision de ces deux semaines sur l'île avaient disparu. Son portefeuille avait subi le même sort. Elle se retrouvait sans permis de conduire ni carte de crédit ni argent liquide. Il lui manquait aussi son téléphone portable, la photo de Molly placée à côté de ses papiers d'identité et les clichés cornés du temps de son adolescence qui l'avaient tant fait rêver jadis. Elle s'aperçut aussi qu'elle ne possédait plus aucun des documents personnels qu'elle s'était donné tant de peine à réunir.

Elle commençait tout juste à prendre conscience de ce que tout cela impliquait lorsque Zoe s'en alla. Ses vingt minutes d'absence suffirent au médecin pour décréter Julia indemne, à l'exception d'une déchirure au bras aussitôt recousue.

— Comptez une semaine avant la cicatrisation, précisa-t-il à Zoe pendant que Julia enfilait les habits secs que sa tante venait d'apporter. Elle devrait bientôt cesser de trembler. Je lui ai proposé un sédatif mais elle a refusé. Il se peut qu'elle souffre de légères contusions demain matin. Appelez-moi en cas de douleur.

Julia enfila un jean. Elle introduisit avec précaution son bras bandé dans la manche d'un T-shirt puis d'un pull avant d'enfiler des chaussettes, des tennis et une veste en laine. Chaque couche supplémentaire de tissu lui procura une sensation de chaleur des plus appréciables. Elle se servit du sèche-cheveux de Zoe puis se coiffa d'une casquette ornée du logo de la *Poissonnerie Foss*. Elle rejoignit enfin les autres dans la pièce principale.

— Je suis prête, annonça-t-elle.

En son for intérieur, elle remercia Zoe de ne pas lui faire remarquer sa pâleur ou de la contraindre à rentrer prendre un bain chaud au lieu de retourner sur les quais.

Tous trois rebroussèrent chemin. La brume se dissipait au-dessus du port, laissant une meilleure visibilité, mais la nuit tombante reprenait aussitôt le terrain gagné. Le peu de lumière qui subsistait permit toutefois à Julia de distinguer un lacis confus de bassins secondaires à côté du quai principal. La majorité des cales vides ajoutées à l'absence de homardiers à l'ancre indiquait que la flotte de l'île au grand complet participait aux recherches. En s'approchant du rivage, Julia vit un autre bateau se diriger vers l'océan, tous phares allumés. Un rai de lumière éclairait les flots depuis le toit de la timonerie. Des torches illuminaient le quai noir de monde. Les habitants de la bourgade s'étaient déplacés en masse. Zoe se fraya un chemin jusqu'au centre de l'assemblée, le bras passé sous celui de Julia.

— Des nouvelles ?

— Pas très bonnes, répondit une femme, qui tenait un téléphone cellulaire à la main. Des bateaux de sauvetage sont venus du continent. Une équipe de secours attend...

Elle s'interrompit mais son regard en disait plus long que ses paroles.

— Qu'est-ce qu'ils espèrent retrouver ? demanda Julia.

— Des brûlés, répondit la femme avant de s'interrompre à nouveau.

Julia ferma les yeux, l'espace d'une seconde. Elle se retrouva en pensée avec les autres à bord du bac, elle vit le bateau pourpre jaillir du brouillard, elle entendit les hurlements, elle sentit l'impact, elle fut projetée par l'explosion. *Des membres épars.* Voilà ce que la femme n'avait pas voulu dire. Julia commençait à pressentir l'étendue de la catastrophe.

Elle serra les bras contre son corps agité de tremblements puis se tourna vers l'océan où il n'y avait pourtant pas grand-chose à voir ni à entendre : le rugissement des flammes, le vrombissement des bateaux et les sirènes des secouristes s'étaient tus. De temps à autre, quelqu'un chuchotait dans le combiné d'un portable ou le micro d'une radio. Seuls se faisaient entendre les vagues cinglant les piliers de la jetée, qui ballottaient les bateaux à l'ancre avant de se briser avec fracas contre les digues en granit le long du rivage.

Derrière Julia, la conversation se poursuivait dans un murmure, étouffée par une peur intense. Elle aurait pu deviner, rien qu'à observer la foule, quels étaient les plus proches parents des disparus. Un petit groupe s'était formé autour de chacun d'eux. Un homme aux cheveux gris se tenait tout seul à l'extrémité du quai. Il avait enfoui les mains dans les poches d'une veste marron usée pendant sur un pantalon de velours avachi.

— Matthew Crane, expliqua Zoe en suivant son regard. L'*Amelia Celeste* lui appartient. Il regrette sans doute de ne pas l'avoir pilotée lui-même. Greg a des enfants en bas âge.

Julia s'efforçait d'assimiler la nouvelle lorsque la femme au téléphone cellulaire déclara d'un ton accusateur :

— C'était le bateau d'Artie Jones. Ils ont ramassé des débris rouge foncé.

Zoe précisa à son intention :

— Artie vient de Portsmouth. Il possède une maison sur la partie la plus étroite de l'île. Tu te rappelles ?

Julia s'en souvenait très bien. L'île de Big Sawyer avait la forme d'une hache. La plupart des bâtiments se concentraient à son extrémité la plus large. Le port se trouvait le long du plat de ce qui correspondait à la lame, de même que le village de pêcheurs perché sur le flanc de la colline, tandis que les maisons des artistes donnaient de l'autre côté, sur l'océan. Les estivants résidaient sur une étroite bande de terre orientée sud-est, ce qui leur permettait d'établir une certaine distance entre le luxe de leurs maisons ou de leurs bateaux et les goûts simples des autochtones, plus pragmatiques. Une telle répartition convenait parfaitement à l'un comme à l'autre groupe.

— Artie a fait fortune dans la Net-économie, poursuivit Zoe, mais impossible de dire s'il a souffert ou non de la récession. Il occupe une maison immense. Rien n'est jamais trop beau pour lui. S'il s'agit bel et bien du *Fauve*, alors Artie était à la barre. Personne d'autre ne conduit ce bateau. Il doit se trouver quelque part dans l'océan, lui aussi.

— Et sa famille ? s'enquit Julia.

— Il n'y a personne ici, répondit la femme. Sa femme ne le rejoint pas avant les vacances des enfants. Artie arrive le premier pour aérer la maison.

Elle détourna les yeux. Un bateau s'approchait du quai, attirant la foule.

— Voilà le *Willa B.* On dirait qu'ils ont repêché quelqu'un.

Elle partit le rejoindre.

La rescapée se nommait Kim Colella, apprit Zoe à Julia dès qu'elle l'eut reconnue. La jeune fille enveloppée dans une grande serviette, les cheveux trempés et la tête penchée, semblait indemne. Julia la crut d'abord à peine plus âgée qu'une enfant, Zoe la détrompa.

— Kimmie a vingt et un ans. Elle est serveuse au bar du grill. La vie ne l'a pas épargnée. Elle a grandi auprès de sa mère et de sa grand-mère, deux femmes coriaces.

Julia éprouva le désir subit de la protéger. Sa propre fille avait presque l'âge de Kimmie mais, surtout, Kimmie

Colella ne semblait pas le moins du monde coriace. Elle ne releva pas la tête pendant qu'on l'aidait à gagner le quai. Une pluie de questions fondant sur elle la fit se braquer. Elle se recroquevilla puis laissa le médecin l'entraîner à l'écart.

Le bateau qui l'avait repêchée repartait déjà.

— Combien de temps pourront-ils poursuivre les recherches ? demanda Julia.

Il faisait maintenant complètement nuit.

— Encore une heure ou deux. Les bateaux sont équipés de feux.

Julia, qui avait été paniquée dans l'eau en plein jour, préférait ne pas imaginer ce qu'elle y aurait éprouvé la nuit. Elle se rapprocha de Zoe en enfonçant les mains dans les poches de sa veste en laine.

— D'autres rescapés ont peut-être regagné le continent ?

Zoe lui adressa un regard compréhensif, sans lui offrir pour autant de fausses consolations.

— Ça se saurait, lui dit-elle d'une voix posée, comme en s'excusant. Quelqu'un nous aurait prévenus. Tu es sûre de ne pas vouloir rentrer à la maison ?

— Certaine.

— Ton bras te fait mal ?

— Non.

De toute façon, elle ne s'en apercevrait pas, même si c'était le cas. L'horreur qui se faisait petit à petit jour rendait sa douleur physique dérisoire.

— Tu veux quelque chose à manger ?

— Je ne crois pas pouvoir avaler quoi que ce soit.

— Du café, peut-être ?

Julia accepta. Elle n'en but pas beaucoup. Il y avait déjà suffisamment d'adrénaline dans ses veines sans la caféine. La chaleur de la tasse entre ses mains la réconforta mais elle ne tarda pas à se dissiper ainsi que l'espoir de retrouver les autres vivants. Julia protesta tout de même lorsque Zoe voulut la ramener à la maison. Elle ne parviendrait pas à dormir tant que la douleur lui comprimerait la poitrine et que les autres habitants du bourg resteraient sur le quai. Il était de son devoir d'attendre à leur côté. Elle avait emprunté ce bateau. Elle ne connaissait peut-être pas les noms des insulaires mais cette nuit-là, elle était l'une des leurs.

À 23 heures, le brouillard se dissipa. L'espoir de repérer plus facilement les survivants remonta le moral de l'assemblée. Mais comme aucune bonne nouvelle ne provenait des bateaux, à minuit, cet espoir s'évanouit. À une heure du matin, ceux qui se tenaient encore sur le quai se serraient en petits groupes silencieux.

Peu de temps après leur parvint la rumeur que les gardes-côtes avaient interrompu leurs recherches pour la nuit et qu'ils reviendraient avec des plongeurs le lendemain. Les navires de l'île continuaient de parcourir les environs. Toutefois, vers 2 heures, même eux s'en revinrent peu à peu. Les bateaux retournèrent au port l'un après l'autre. Leurs moteurs ronflaient d'épuisement. Les hommes qui regagnaient le quai affichaient une mine hagarde à la lueur incertaine des torches. Ils n'avaient pas grand-chose à dire et se contentaient de secouer la tête.

Julia chercha des yeux le passager de l'*Amelia Celeste* qui lui avait porté secours. Zoe reconnut en lui Noah Prine. Il avait beau se mêler aux autres le long du quai, l'intensité du chagrin qui se lisait sur son visage le distinguait de la foule. Il ne jetait pas de coup d'œil autour de lui, ne saluait aucun de ceux qui avaient attendu toute la nuit. À leur tour, ceux-ci parurent l'éviter lorsqu'il s'enfonça dans la nuit d'un pas lourd.

— Il accompagnait son père, expliqua Zoe. On n'a pas encore retrouvé Hutch.

Julia fut horrifiée. Elle imaginait à peine ce que pouvait éprouver Noah, redoutant la mort de son père sans en avoir la moindre certitude. Son père à elle était bien vivant, tout comme sa mère et ses frères. Et sa fille.

— Il faut que je passe un coup de fil, Zoe, dit-elle, en proie à un besoin irrépressible d'entendre la voix de Molly, sur-le-champ.

En temps normal, sa fille suivait des cours de cuisine à Rhode Island mais, en ce moment, elle faisait un stage d'été à Paris. Le soleil venait à peine de se lever là-bas. Molly risquait de dormir encore, pour peu qu'elle ait travaillé la veille au soir et, dans d'autres circonstances, Julia aurait attendu. Mais ce qui s'était passé sortait de l'ordinaire.

Zoe lui présenta un téléphone cellulaire. Julia se hâta de composer le numéro de Molly. Pendant que la sonnerie retentissait, elle s'écarta des autres personnes sur le quai. Un instant qui lui parut une éternité s'écoula avant qu'une voix familière, ensommeillée, ne réponde :

— Maman ?

Julia se sentit si émue qu'elle fondit en larmes.

— Oh, mon petit, souffla-t-elle d'une voix étranglée qui terrifia sa fille.

— Qu'est-ce qui ne va pas ? lui demanda Molly, soudain en pleine possession de ses moyens.

— Rien, je vais bien, sanglota Julia, mais c'est un miracle.

Julia s'épancha en quelques phrases que Molly entrecoupa de « Oh mon Dieu » empreints d'un sentiment d'horreur croissant. Lorsque Julia s'interrompit enfin, sa fille lui dit d'un ton où se mêlaient l'incrédulité et l'effroi :

— Tu es sûre que tout va bien ?

— Oui, même si ce n'est pas le cas des autres passagers. Je regrette de t'avoir réveillée – Julia pleurait à nouveau, quoique avec moins de violence. Dans un moment pareil, on a besoin de parler à un proche. Un simple e-mail ne suffit pas. On a besoin d'entendre une voix familière.

— Je suis contente que tu aies appelé. Oh mon Dieu ! Maman, c'est terrible ! Quand je pense que je me ronge les sangs parce que le chef ne veut pas me dire ce qu'il pense de moi alors que tu es confrontée à la mort. Quand sauras-tu ce qui est arrivé aux autres ?

— Demain matin, peut-être.

— C'est affreux. Mais toi ! Tu te réjouis de ces vacances depuis des mois ! Tu étais censée en profiter ! Tu vas repartir à la maison ?

La question fit tressaillir Julia.

— Non.

Bizarrement, cette décision ne faisait pas le moindre doute. Julia n'aurait su expliquer pourquoi. Une trop grande confusion régnait dans ses pensées. En tout cas, jamais l'idée ne lui serait venue de s'en aller.

— Tu pourras me joindre chez Zoe. Tu as son numéro.

— Tu es sûre de vouloir rester après ce qui s'est passé ?

— Certaine.

— Tu veux que je vienne ?

— Non. Tu as un travail. Ton expérience te servira plus tard.

— Papa va te rejoindre ?

Julia tressaillit pour la seconde fois. Elle n'avait pas une seule fois songé à Monte, chose curieuse compte tenu de la situation. Quoique, peut-être pas. Monte n'avait pas sa place sur l'île. Julia s'était rendue à Big Sawyer trois fois déjà depuis son mariage et il avait toujours préféré ne pas l'accompagner. Cette fois non plus, il n'avait pas eu l'air d'avoir envie de venir. Elle était persuadée qu'il avait conçu pour ces deux semaines bien d'autres projets que ceux dont il lui avait fait part. Elle en était aussi sûre que de sa décision de rester sur l'île plutôt que de rentrer.

Incapable de s'expliquer devant Molly, elle biaisa.

— Franchement, je n'en sais rien. On en discutera sans doute demain.

— Tu me tiens au courant ? demanda Molly, puis elle se hâta d'ajouter : Envoie-moi un e-mail. Et n'hésite pas à m'appeler quand tu veux. Je t'aime, maman.

— Moi aussi, mon petit, moi aussi.

Noah Prine descendit seul la rue principale, puis il prit à gauche et gravit le flanc de la colline jusqu'à la maison qu'il partageait avec son père. Il s'agissait d'un petit cottage de pêcheurs environné d'autres habitations du même genre, aux murs couverts de bardeaux ternis par l'air salin, aux volets bleus sans cesse en manque de peinture car le vent abîme tout, or les bateaux et les balises passent en premier. La maison, pas bien grande, représentait à peine une infime partie de la bâtisse monstrueuse qu'Artie Jones possédait le long de la bande de terre à l'extrémité de l'île mais ils l'avaient acquise honnêtement, elle était le fruit d'années de labeur et ils avaient fini de la payer.

Il aurait parié qu'Artie ne pouvait en dire autant et que sa maison, comme *le Fauve*, était grevée de lourdes hypothèques. Il aurait parié que ce type n'avait pas souscrit la moindre assurance parce que les types de son espèce n'envisagent rien au-delà de l'instant présent. Ce qui signifiait que dans le cas où l'on retrouverait huit personnes mortes, tous les procès imaginables ne parviendraient pas à indemniser deux enfants Walsh orphelins, la femme et les enfants de Greg Hornsby, la fiancée de Dar Hutter, les parents de Grady Bartz et qui que ce soit que Todd Slokum ait laissé seul au monde.

En tout cas, l'argent ne pourrait pas faire revenir son père – dans l'hypothèse où il aurait disparu pour de bon, ce dont Noah doutait encore. Hutch avait passé sa vie en mer, dont une bonne partie sur l'Atlantique. Il avait réchappé de tempêtes capables d'en tuer bien d'autres, en outre on n'était plus en plein hiver, quand l'eau risque à tout moment de geler. L'été approchait. Hutch pouvait s'en sortir. Peut-être même qu'une nuit en mer ralentirait la croissance du cancer dans ses veines.

La collision et les dégâts causés par les énormes hélices mis à part, il restait bien entendu le problème de l'explosion. Qui sait quels ravages elle avait pu produire ? Noah n'aurait pas interrompu ses recherches si le *Leila Sue* avait été équipé de feux adaptés. Le radar seul n'aurait pas servi à grand-chose, du moins pas dans une mer agitée. Il repartirait dès les premières lueurs de l'aube. D'ici là, il ne savait pas comment meubler le temps.

Il bifurqua puis remonta le sentier qui menait chez lui. Les lilas de sa mère étaient en fleurs. Leur odeur lui chatouilla les narines au passage, même s'il ne les distinguait pas dans l'obscurité. Aucune lumière n'éclairait la façade, vu que son père et lui comptaient rentrer bien avant la tombée de la nuit. Noah projetait de cuire un bar trouvé dans un casier à homards la veille. Hutch adorait ce poisson et Noah, pressentant que leur journée à l'hôpital tournerait au désastre, voulait lui faire plaisir.

Noah n'aurait jamais soupçonné la véritable nature du désastre qui les guettait. Il considérait depuis toujours l'île comme un endroit familier où l'on se sent en sécurité. Oui, la mort frappait parfois. Ils en avaient fait l'expérience avec sa mère trois ans plus tôt mais il ne s'était alors rien produit d'aussi violent, d'aussi... absurde, d'aussi... évitable.

Étouffant de rage, il ouvrit la porte, livrant ainsi passage à une créature de vingt kilos qui bondit aussitôt dans leur petit jardin.

— Lucas, fit-il d'un ton où se mêlaient l'abattement et la culpabilité.

Il n'avait plus pensé au chien, enfermé toute la journée. Il comptait revenir s'occuper de Lucas en même temps que du dîner. Il entra en laissant la porte entrebâillée, au cas où le chien rentrerait.

Le vide qui régnait chez lui l'accabla. Que faire ? se demanda-t-il. Hutch vivait-il encore ou pas ? Il n'en savait rien. Personne ne pouvait jurer de rien. Comment obtenir la moindre certitude en l'absence de preuve matérielle ? Il éprouva le besoin de parler à quelqu'un mais qui appeler ? La plupart des gens qui comptaient pour Hutch vivaient ici, sur l'île.

Il faudrait qu'il annonce la nouvelle à son fils Ian. Noah se dirigea vers le téléphone. Il souleva le combiné, composa le numéro mais raccrocha avant que la première sonnerie ne retentisse. Ian avait dix-sept ans et lui posait bien des problèmes. Noah avait déjà du mal à communiquer avec lui en temps normal. Là, il ne saurait vraiment pas quoi lui dire.

Il se rendit dans la salle de bains où il ôta ses habits raidis par le sel, dans l'obscurité, avant de tourner le robinet de la douche. Il laissa l'eau couler sur son corps bien qu'il sentît à peine sa chaleur et frotta le moindre carré de peau afin de faire disparaître l'odeur de poisson – habitude inutile puisqu'il n'avait pas pêché aujourd'hui. Il accomplissait des gestes routiniers : rentrer à la maison, prendre une douche, enfiler des vêtements secs et préparer le repas.

Il s'habilla sans allumer la lumière mais il n'avait aucune envie de manger. Il ne parviendrait pas à dormir ce soir. Ne sachant à quoi penser si ce n'est à la catastrophe, il se replongea dans ses souvenirs et vit surgir sous ses yeux la chaussure d'un enfant d'un an. Non, hors de question ! Il lui restait tout de même deux heures à tuer avant de regagner son bateau et de reprendre les recherches. Faute de trouver comment s'occuper, il décida de se livrer à l'activité pour laquelle il était le plus doué.

Il sortit en décrochant un anorak du portemanteau. Lucas trottait déjà à ses côtés avant d'arriver au bout du sentier. Voilà un réconfort auquel il ne s'attendait pas. Le chien partit en avant vers la petite cabane au bord de l'eau où Noah entreposait ses casiers. Il en avait déjà placé plusieurs centaines dans les eaux chaudes des criques où se cachent les homards avant la mue, au mois de juin. En juillet, ils se mettent à l'abri dans les profondeurs, le temps de laisser durcir leur nouvelle carapace. C'est là que Noah allait poser ses nasses.

La plupart des casiers entassés en piles de huit, du sol au plafond, n'attendaient plus que leur mise en place. Pendant l'hiver, il avait réparé la plupart des nasses abîmées mais depuis des phoques rôdant aux alentours, des rochers dissimulés ou tout simplement l'usure avaient causé quelques dégâts. Ses casiers en treillis métallique avaient beau mieux tenir le coup que les autres en bois, ils n'étaient pas d'une résistance à toute épreuve.

Il entreprit de les remettre en état à la lumière d'une vieille lampe à pétrole. L'électricité n'arrivait pas à la cabane. L'odeur du pétrole ne le dérangeait pas plus que celle du poisson ou de l'air salin ou de la peinture fraîche séchant sur des balises suspendues en grappes aux poutres du toit ou des vieux gants ayant manipulé plus que leur lot d'appâts. Ces senteurs faisaient partie de son histoire, de son identité.

Il répara le treillis métallique à l'aide de pinces, repliant un fil autour d'un autre afin de combler un interstice, de fixer la garcette à l'intérieur ou de rattacher la trappe. Il remettait un casier en état avant de passer aussitôt au prochain puis au suivant. Il finit par se retrouver avec une grande pile de casiers prêts à l'emploi, et des douleurs dans le dos. Les deux heures touchaient du moins à leur fin. Il le devinait au soupçon de lumière filtrant par la fenêtre ainsi qu'au cri de ses entrailles : *Pars, va-t'en sans plus attendre !*

Il éteignit la lampe à pétrole puis quitta la cabane en compagnie d'un Lucas bouillonnant d'énergie qui gambadait dans tous les sens : en route vers le port ! Des lumières brillaient au sommet de la colline. Noah pouvait deviner dans quelles maisons elles avaient lui toute la nuit. Leurs occupants ne tarderaient pas à se rendre sur les quais où ils reprendraient leur guet en attendant des nouvelles. D'ici là, les mouettes planaient à leur guise dans la lumière de l'aube et se perchaient sur les piliers, les rambardes des ponts et le toit des timoneries, immobiles comme des statues, avant de s'envoler en poussant un cri.

Il arriva devant le grill. À l'intérieur, son thermos rempli de café brûlant l'attendait comme tous les jours, auprès de ceux des autres pêcheurs. Aujourd'hui, le propriétaire du grill l'attendait aussi.

Rick Greene avait une carrure imposante, l'esprit large et un cœur gros comme ça. Sans le concours de personne, il avait transformé le grill du port en un restaurant renommé. Dès le début de l'été, des touristes venaient passer une journée sur l'île dans le seul but d'y déguster des moules en salade, du homard en cassolette ou du cabillaud au curry, plus frais que n'importe où ailleurs.

Il tendit un sac à Noah.

— Il faut que tu manges quelque chose.

Noah ne s'étonna pas tant de son geste que du besoin qu'il en éprouvait. Il avait beau prétendre qu'il se suffisait à lui-même et se féliciter de son indépendance, il en fut touché. L'impression que quelqu'un d'autre portait à son tour le poids qui l'écrasait le soulagea ne serait-ce qu'un court instant.

— Tu as dormi ? lui demanda Rick.

— Non, répondit Noah en promenant sur les alentours un regard éteint. Personne n'est encore arrivé ?

— Le *Trapper John* a levé l'ancre voici dix minutes. Crois-moi, il ne va pas relever de casiers aujourd'hui.

Noah en éprouva un profond soulagement. Plus il y aurait de bateaux participant aux recherches, plus ils multipliaient les chances de retrouver des survivants.

— Tu ne devrais peut-être pas y aller seul.

Noah lui adressa un sourire triste.

— Alors je devrai me contenter de Lucas, vu que mon équipier manque à l'appel.

Hutch l'accompagnait à l'ordinaire. Une souffrance intense contracta les traits de Rick.

— Que puis-je faire ?

Noah regarda l'océan. Les vagues semblaient ourlées de la même nuance de lilas que les arbustes chéris de sa mère. Un nouveau jour se levait, entaché d'appréhension.

— Pas grand-chose.

Il se sentit submergé par le désespoir qu'il s'interdisait pourtant d'éprouver. Ce n'était sans doute qu'un effet de la fatigue perçant ses défenses, d'ordinaire parfaitement impénétrables.

— Je vais y retourner. Il est possible qu'on ait manqué un indice. Qu'on se soit trompé de zone. Qu'on retrouve tout un paquet de passagers accrochés à un morceau de coque.

— Tiens-moi au courant, lui dit gentiment Rick. Si tu as besoin de quoi que ce soit, préviens-moi par radio.

Noah emporta sac et thermos en direction des quais. Les planches sous ses pieds lui paraissaient plus glissantes que d'habitude, pourtant la mer n'était pas trop agitée. Le *Leila Sue* se balançait doucement au mouillage entre des homardiers de différentes tailles, plus ou moins bien entretenus. Une balise était attachée au toit de chaque cabine de pilotage. Le homardier de Noah en possédait une bleu clair ornée de deux bandes orange. Telles étaient ses couleurs, enregistrées par l'administration et inscrites sur son permis de pêche, qui se répétaient sur chacune des centaines de balises attachées à ses casiers. Bleu, orange, orange – à l'origine, les couleurs de son père qu'il avait adoptées dix ans plus tôt.

Il sauta sur le pont du *Leila Sue*, bientôt suivi de Lucas, puis déposa les provisions dans la timonerie avant de démarrer le moteur. Il ne jeta même pas un coup d'œil aux cirés jaunes suspendus aux crochets, celui d'Hutch et le sien. Aujourd'hui, son jean et son sweat-shirt feraient l'affaire. Sans oublier sa casquette à l'emblème des *Patriots*. Il la décrocha et s'en couvrit la tête. Hutch et lui partageaient la même passion pour cette équipe et, en dépit de quelques moments difficiles, ils ne l'avaient jamais regretté. Le championnat de football américain, c'était quelque chose ! Et le match contre les *Raiders* deux semaines avant la finale ? Quelle journée mémorable ! Sur la route du stade cet après-midi-là, Hutch et lui ne s'étaient pas une seule fois disputés – événement d'autant plus notable que cela n'arrivait pas souvent.

Noah largua les amarres puis se dirigea vers le large sans prêter attention ni aux bateaux à l'ancre dans le port ni aux rochers blancs de mouettes devant le phare que colorait maintenant le rose pâle de l'aube. Il ne remarqua pas non plus les balises citron, prune, citron amarrées un peu plus loin dans les eaux où pêchaient par tradition les caseyeurs de Big Sawyer. Il n'osait même pas songer à la guerre des balises qui se profilait à l'horizon. Le *Leila Sue* allait de l'avant ; à l'inverse, Noah ne pouvait empêcher ses pensées de faire marche arrière.

Hutch et lui s'étaient querellés la veille. Hutch avait critiqué la façon de conduire de Noah, son choix d'un sandwich au thon à la cafétéria, son incapacité à répondre aux questions que – finit par riposter Noah – Hutch aurait dû poser lui-même au médecin. Ils s'étaient disputés à propos de la circulation trop dense à la sortie de l'hôpital, de l'attente au péage faute de monnaie, du réglage de l'autoradio et de l'obligation ou non de remplir le réservoir de la voiture de location. À bord de l'*Amelia Celeste*, après la restitution du véhicule, Noah en avait eu assez. Lorsque Hutch avait grommelé qu'il refusait de s'asseoir vu qu'il n'avait rien fait d'autre de la journée et qu'il voulait s'accouder à la proue, Noah s'était braqué.

— Assieds-toi, ordonna-t-il à son père sur un ton qui ne souffrait pas la réplique. J'ai besoin d'air.

Il avait appuyé ses paroles d'un regard menaçant. *Ne bouge pas d'ici ! Ne discute pas ! Lâche-moi les baskets !* Puis, une fois assuré que Hutch l'avait bien compris, il avait regagné la proue. Voilà comment il avait survécu à l'accident.

Suivant les indications du GPS, il mit le cap du *Leila Sue* sur le point où s'étaient concentrées les recherches la veille. D'autres bateaux sillonneraient les environs en compagnie des gardes-côtes. En comptant sur leur secours... un peu de chance... un miracle...

Lucas vint se coller contre sa jambe en manquant de peu s'asseoir sur ses pieds, fournissant à Noah une diversion. Il avait sauvé le chien sur le point de se faire piquer, trois ans plus tôt. Pas une seule fois il ne l'avait regretté. Lucas était un superbe retriever au pelage roux parsemé de taches blanches sur le museau, la poitrine et le bout des pattes. Sa queue en panache ne cessait de remuer et son regard était très doux. Surtout, il témoignait à son maître une affection sans bornes. Comment peut-on laisser mourir un chien pareil, quitte à supporter toutes les disputes qui s'en étaient suivies avec son père ?

Il n'y a pas de place pour un chien sur le bateau, prétendait Hutch. *Un chien comme lui a besoin de courir. Pourquoi crois-tu que personne d'autre n'en voulait ? Ce chien va finir par t'éreinter. Attends de voir.*

Noah avait constaté que, si Lucas s'épuisait parfois à courir autour de l'île, il se comportait d'une manière exemplaire sur le bateau. Bien sûr, jamais Hutch n'avait voulu l'admettre.

Noah caressa la tête du chien et lui gratta les oreilles. La voix de son père envahit ses pensées. Il maintint le bateau à une vitesse de vingt nœuds sans relâcher sa vigilance un seul instant. Mais dès que son radar lui transmit les signaux des autres navires sillonnant la zone de l'accident, il arrêta le moteur. Il se sentait incapable d'aller plus loin. Tout simplement incapable. Au mieux, il contournerait le périmètre en attendant du nouveau à la radio. Il préféra ne pas songer que les recherches s'étaient prolongées sept heures la veille, que la nature des débris ramassés n'annonçait rien de bon ou qu'avant même de s'en aller, les gardes-côtes parlaient de retrouver des corps plutôt que de sauver d'éventuels rescapés. Il aima mieux ne pas songer à ces choses parce qu'elles l'accablaient d'un sentiment écœurant de vide, mêlé d'impuissance et de rage. La colère l'obnubilait tant qu'il finit par se sentir en proie au plus complet désarroi.

Il passait ses journées à pêcher les homards. Les caseyeurs savent qu'ils ne maîtrisent ni le vent ni les vagues ni le choix des homards de se réfugier là plutôt qu'ailleurs ou de se laisser prendre à tel appât plutôt que tel autre. D'un autre côté, la pêche se déroule dans des circonstances immuables. Celles-ci ne déplaisaient pas à Noah, loin de là. Il aimait la fraîcheur de l'air matinal et ses départs en mer à bord d'un bateau rempli d'appâts, l'estomac plein. Il aimait hisser à la surface un casier renfermant une femelle pleine d'œufs, il aimait marquer sa queue avant de la relâcher d'un geste bienveillant. Il aimait savoir qu'elle déposerait au fond de l'océan des milliers de larves de homards qu'il attraperait sans doute dans six ou sept ans. Il aimait se dire qu'à son échelle, il exerçait un contrôle sur la préservation des espèces.

En revanche, il ne disposait d'aucun moyen de contrôler quelqu'un comme Artie Jones. Il ne comprenait rien à ce genre de personnes. À l'approche du lieu de l'accident, la colère de Noah monta. Artie Jones était vraiment un sale type, bien plus nuisible que les pêcheurs de homards posant des balises citron, prune, citron là où il ne fallait pas. Artie voguait à plein gaz à bord du *Fauve* en polluant l'atmosphère de son rugissement. Ceci dit, il n'obéissait pas à des pulsions suicidaires. C'était peut-être un sale prétentiard irresponsable mais il n'avait rien d'un fou dangereux.

Alors comment expliquer sa conduite ?

La seule personne susceptible de les éclairer à ce propos ne livrait pas un mot aux pêcheurs qui l'avaient sortie de l'eau, pas plus qu'aux autres participants aux recherches ou à l'officier de police ou au médecin ou, maintenant que le soleil se levait, aux familles de nouveau massées sur le quai dans l'attente de nouvelles. Elle ne parlait ni à ses amis ni à son patron et certainement pas non plus à sa mère ou à sa grand-mère. Elle ne parlait pas, voilà tout. L'accident lui avait volé sa voix en la rendant muette.

2.

Zoe Ballard habitait une ferme bâtie par l'un des ancêtres de Matthew Crane avec les pierres trouvées dans son champ un jour où il le déblayait pour y laisser paître son troupeau de moutons. Zoe venait de rénover l'installation électrique et la plomberie, quelques années auparavant. En matière d'isolation, la pierre s'avérait d'une efficacité incroyable : la maison n'avait besoin que d'un poêle à bois l'hiver et de fenêtres ouvertes l'été. Zoe avait essuyé trois ouragans dans cette bâtisse et si quelques tuiles s'étaient envolées du toit, le vent, lui, s'était à peine infiltré entre les murs.

Julia avait toujours trouvé à la ferme une atmosphère chaleureuse et réconfortante. L'intérieur était meublé de vastes fauteuils moelleux aux tons bruns agrémentés de touches de jaune et de rouge. Des plaids en laine traînaient un peu partout à côté d'un assortiment de rouets et de corbeilles remplies de pelotes. Zoe élevait des lapins angoras dont elle recueillait la fourrure afin de la filer puis de la teindre. Elle gagnait sa vie en vendant la laine à des filatures ou les pelotes à des ateliers de tissage.

Julia occupait l'une des deux chambres d'amis, où trônait un grand lit double couvert d'un immense édredon. Avant de s'y glisser aux premières lueurs du jour, elle prit un long bain bouillant qui aurait dû la réchauffer, pourtant un frisson la parcourait encore : le moindre souvenir de l'accident suffisait à la faire frémir.

Elle dormit d'un sommeil agité sans cesse interrompu par quelque caprice de sa mémoire. Elle alluma une lampe qui atténua son impression d'égarement. Julia se sentit mieux après le lever du soleil mais elle ne dormit pas plus d'une demi-heure d'affilée. Son bras l'élançait toujours. Son corps entier commençait à lui faire mal. Aussitôt réveillée, elle se rappelait ce qui s'était passé. S'efforçant de ne plus y penser, elle consulta sa montre, se retourna, remonta l'édredon jusque sous son menton et demeura les yeux grands ouverts en attendant que la fatigue reprenne le dessus.

La sonnerie du téléphone retentit peu après 7 heures. Zoe dut aussitôt décrocher mais Julia se réveilla tout de même pour se demander, les yeux rivés aux poutres du plafond, qui appelait, ce qui se disait, si Zoe lui demanderait de descendre ou pas. Julia ne bougea pas, elle ne voulait affronter ni le souvenir de sa résolution subite en réchappant à la mer ni la tension qui la contractait toujours.

Elle s'assura que Monte n'était pas à l'autre bout du fil avant de s'assoupir à nouveau. Elle se réveilla peu après à cause d'une nouvelle sonnerie. Le téléphone retentit une fois encore. Zoe ne venait toujours pas la chercher. Elle se glissa hors du lit, s'enveloppa de la robe de chambre posée sur un rouet dans un coin et se rendit à la cuisine.

La vue de Zoe la ragaillardit. Sa tante vêtue sans recherche d'un pull et de jeans jouissait à cinquante-deux ans d'une meilleure forme physique que bien des femmes de moitié son âge. Debout nu-pieds dans sa cuisine aux meubles de bois clair où s'entassait de la vaisselle d'époque à côté d'œuvres d'art signées de ses amis, Zoe respirait l'authenticité.

Elle se tenait face à une fenêtre ouverte sur la prairie. Le brouillard se dissipait entre les arbres.

— Non je ne la réveillerai pas. Elle n'a vraiment pas besoin de ça, déclara Zoe dans le combiné puis, en jetant un coup d'œil dans son dos, elle aperçut Julia mais ne se laissa pas déstabiliser pour autant. Non, Alex. Elle vient de vivre une expérience traumatisante. N'importe quel imbécile devrait pouvoir le comprendre. Comment faut-il te le dire ? Oui. Je dois y aller. À plus tard, d'accord ? conclut-elle, puis elle raccrocha. Tu m'en veux ?

— Non, pas du tout. Je n'ai pas envie de parler aux journalistes.

Julia parvenait tout juste à faire face à ce qui s'était produit. Quant à en discuter avec un inconnu... dans le seul but de satisfaire la curiosité du public ?

— Comment ont-ils eu l'idée d'appeler chez toi ?

— Alex Brier habite les environs. Il t'a vue sur le quai la nuit dernière, il a su que tu faisais partie de ma famille. Comme d'autres journalistes ne vont pas tarder à se présenter, je lui ai demandé de les écarter. Tu as passé une bonne nuit ?

Julia lui répondit par un regard éloquent.

Zoe coinça une mèche de ses cheveux blonds derrière son oreille comme le faisait sa mère quand Julia était encore toute petite. Janet n'avait aujourd'hui ni le temps ni l'envie de donner à sa fille une telle marque d'affection.

— Le téléphone t'a réveillée ?

— Le téléphone, mes pensées, la lumière du jour.

Julia se blottit un instant dans les bras de Zoe avant de se laisser tomber sur l'un des sièges.

— Excuse-moi mais mes jambes ne me portent presque plus.

Elle posa les mains sur la table, en chêne comme les chaises. Julia avait dépensé une fortune pour acquérir à New York un ensemble de meubles au poli identique – la seule différence c'est qu'il résultait ici d'une usure naturelle.

— Tu as mal ? Comment va ton bras ?

— Il m'élance.

— Tu veux un cachet ?

— Non. Qui d'autre a appelé ?

Zoe s'affaira autour de la théière.

— Deux amis, ils voulaient savoir comment tu allais.

Elle prononça ces paroles d'un ton un tout petit peu trop dégagé au goût de Julia.

— Des nouvelles des recherches ?

— Pas grand-chose.

— Zoe.

Zoe alluma le gaz sous la théière et se retourna, la mine préoccupée.

— On a retrouvé plusieurs corps.

— Et des survivants ?

— Non. Mais tout espoir n'est pas encore perdu.

— Oh, Zoe, protesta Julia, car toutes deux savaient que les sauveteurs auraient dû repérer d'éventuels survivants bien avant de retrouver des corps.

Le ciel était dégagé. Quelques rayons de soleil chauffaient le plancher en bois de la cuisine sous les pieds nus de Julia.

— C'est ça qui attire la presse, pas vrai ?

Zoe semblait préoccupée.

— Oui. On pense que neuf personnes ont disparu.

— Neuf ? Tant que ça ?

— Huit à bord de l'*Amelia Celeste*, plus Artie Jones. On en est encore à se demander qui manque à l'appel parmi ceux qu'on attendait aujourd'hui sur l'île, poursuivit-elle, le regard voilé par la tristesse. Mon assistant fait partie du nombre. Il s'appelle Todd Slokum. Il mesure un mètre soixante-quinze, il a vingt-trois ans, les cheveux noirs, l'air un peu gauche. Tu te rappelles avoir vu quelqu'un correspondant à son signalement ?

Julia passa en revue ses souvenirs en s'efforçant de distinguer les individus groupés à la poupe de l'*Amelia Celeste* mais ils formaient une masse aussi imprécise à la lumière du jour que la nuit précédente.

— Je ne me rappelle pas. Navrée. Tu es sûre que Todd se trouvait à bord du bac ?

— Non, je sais juste qu'il a passé la journée d'hier sur le continent. Il arrive d'ordinaire ici vers 7 heures, or 8 heures vont bientôt sonner.

— Tu lui as passé un coup de fil ?

— Il n'a pas le téléphone. Il vit dans la solitude la plus complète. Il travaille avec moi depuis trois ans parce qu'il ne sait pas quoi faire d'autre ni où aller, et c'est l'un des meilleurs employés que j'aie jamais eu. Une fois que je lui montre quoi faire, il ne songe plus qu'à s'y appliquer du mieux qu'il peut. Il adore les lapins. C'est pour ça qu'il vient toujours travailler tôt. Il adore les voir presser le nez contre les cages, comme pour attirer son attention, lorsqu'il entre dans l'écurie. Ce sont ses amis. À croire qu'il n'a pas su s'en faire d'autres.

Julia lui tendit la main. Zoe la saisit aussitôt dans la sienne.

— J'en suis vraiment navrée.

— Qu'est-ce qui est pire, se demanda Zoe d'un air abattu, mourir lorsqu'on se trouve seul au monde ou qu'on laisse derrière soi de la famille et des amis ? Je ne sais pas.

Julia avait toujours apprécié l'honnêteté de Zoe par-dessus toutes ses autres qualités. Compte tenu de ce que Julia elle-même avait eu à subir la nuit passée, quelqu'un d'autre aurait pu lui épargner ces tristes considérations. Mais Zoe n'hésitait jamais à mettre les pieds dans le plat. Elle présentait les choses sous leur vrai jour. Hélas cette façon d'aller droit au but, ajoutée à son indépendance, ne plaisait pas beaucoup à sa famille, qui avait étiqueté Zoe comme rebelle dès la fin de son adolescence, avant de la mettre à l'écart. L'hostilité de ses proches ne s'était pas démentie depuis. La mère de Julia, Janet, n'avait pas adressé plus d'une phrase ou deux à sa fille depuis qu'elle lui avait annoncé sa visite à Zoe. Un petit bonjour en passant de temps à autre avec Molly, pourquoi pas, mais deux semaines seule avec Zoe, c'était autre chose.

Dans un élan de tendresse, Julia prit sa tante dans ses bras. À en juger par la réaction de Zoe, elle avait autant besoin de chaleur humaine que sa nièce.

Lorsqu'elle se dégagea, elle chercha le regard de Julia.

— Qu'as-tu fait au temps ? Tout le monde vieillit mais toi, tu resplendis toujours autant à quarante ans qu'à vingt.

— Et toi, alors ! Je ne jure que par le maquillage, les crèmes hydratantes et les écrans solaires tandis que toi, tu parais plus jeune que moi sans le moindre artifice.

Ce n'était pas la première fois qu'elles abordaient le sujet.

— J'adore tes cheveux, poursuivit Julia.

À la lumière du jour, elle s'aperçut que quelques mèches blondes éclaircissaient leur teinte auburn naturelle.

Zoe parut flattée, quoique embarrassée.

— Je l'ai fait pour toi. Je ne voulais pas passer pour ta plouc de tante provinciale. Je savais que tu arriverais avec une mine splendide, dit-elle avant de s'interrompre un instant. Splendide mais fatiguée. As-tu mal ailleurs qu'aux jambes ou au bras ?

Julia avait l'impression d'avoir été renversée par un camion mais elle n'était pas près de s'apitoyer sur son sort.

— Je suis encore en vie. Comment oserais-je me plaindre ?

Son estomac se retourna à mesure que les circonstances du drame lui revenaient en mémoire.

— Quelqu'un sait pourquoi le bateau rouge nous est rentré dedans ?

— Pas encore. On vient de retrouver le corps d'Artie. Le médecin légiste va procéder à une autopsie.

— Tu crois qu'il pilotait en état d'ivresse ?

— Je n'en sais rien.

— Combien d'autres corps a-t-on retrouvés ?

— Trois. Le capitaine de l'*Amelia Celeste*, mon ami Evan Walsh et Grady Bratz qui travaillait comme docker à la poissonnerie de l'île.

— Et le père de Noah Prine ?

— Toujours pas de nouvelles.

— Noah et moi étions seuls à la proue. Tous ceux qui se tenaient à l'arrière sont morts, à part cette fille.

— Kimmie.

— C'est ça.

Le téléphone sonna. Julia posa sur l'appareil un regard lourd d'appréhension. Zoe souleva le combiné, l'air aussi peu rassuré que Julia.

— Oui ? répondit-elle en laissant échapper un soupir excédé. Je sais que tu dois mener l'enquête, John, mais ça ne peut pas attendre ? poursuivit-elle avant de marquer une courte pause. Un peu plus tard, dans ce cas. Laisse-lui le temps de récupérer. Elle te sera d'un plus grand secours.

Zoe conclut poliment l'échange et se tourna vers Julia d'un air navré.

— Il faudra que tu lui parles à un moment ou un autre. Mais tu dois d'abord passer un coup de fil à Monte.

Julia sentit une lueur d'espoir s'allumer en elle.

— Il a appelé ?

Zoe lui fit signe que non en lui adressant un regard compréhensif.

— Ah.

L'espoir s'éteignit aussitôt.

— Bien entendu, j'imagine qu'il n'avait aucune raison de le faire, réfléchit Julia en tentant de masquer sa déception. Il ignore tout de l'accident, or il était convenu que je l'appelle. Tu as raison. C'est ce qu'il faut que je fasse.

— Sauf que c'est lui qui devrait t'appeler, suggéra Zoe, parce que l'absence de coup de fil de ta part devrait le préoccuper.

Julia se força à sourire.

— Oui, mais il n'en a rien fait. Il vaut mieux que je m'en charge.

Zoe tendit à Julia le téléphone que celle-ci emporta dehors en composant son propre numéro. La porte moustiquaire se referma derrière elle. Julia s'installa au fond d'un fauteuil à bascule avant de coller le combiné contre son oreille.

Monte décrocha au bout de la troisième sonnerie, d'une voix pâteuse.

— Ouais.

Julia se sentit tout de suite inquiète.

— Monte ? Tu dormais ?

Il aurait dû s'apprêter à partir au travail.

— Je me suis couché tard, dit-il en s'étirant. Comme tu n'étais pas là, j'ai décidé de rester au bureau. On est allés dîner en groupe et j'ai encore travaillé ensuite. Je ne sais pas, peut-être que j'ai attrapé quelque chose, la grippe ou un rhume. Je me sens vanné. Je crois que je ne vais pas encore me lever tout de suite.

— Tu as raison, acquiesça Julia parce que cela ne ressemblait pas à Monte de faire la grasse matinée plutôt que de se ruer au bureau surveiller les cours de la Bourse de Tokyo. Tu as de la fièvre ?

— Non. Un peu de fatigue, c'est tout. Quoi de neuf ?

Le regard de Julia se posa sur la prairie. Le brouillard nappait les cimes des chênes, les boutons d'or formaient des taches jaunes dans l'herbe, des troupeaux de moutons tout proches broutaient paisiblement en bêlant de temps à autre. Elle se sentit apaisée mais surtout capable d'évoquer l'accident sans se mettre à pleurer.

Lorsque Julia eut fini de parler, Monte semblait en pleine possession de ses moyens.

— Apparemment, tu vas bien.

— Je suis encore en vie. Contrairement à d'autres. Personne ne connaît encore l'ampleur du désastre.

— Tu as tout perdu ? Tes habits, tes livres... absolument tout ? Peut-être qu'on en retrouvera une partie. Je ferai le nécessaire à propos des cartes de crédit, dès ce matin. On en recevra d'autres. Peut-être qu'il faudra clôturer notre compte et nous procurer de nouvelles cartes parce que si les plongeurs ne retrouvent pas ton sac et que, d'ici deux ou trois mois, un pêcheur le ramène à la surface, il pourrait très bien nous prélever une sacrée somme.

— Je ne me soucie pas de...

— Combien d'argent liquide avais-tu retiré ?

— Un millier de dollars.

— Autant ? Pourquoi ?

— C'est ce que tu m'avais dit de faire. Tu devais t'en charger à ma place, tu ne te rappelles pas ? Sauf que tu n'as pas eu le temps.

Il n'avait pas non plus trouvé le temps de déposer son smoking au pressing ni d'acheter des lames de rasoir ni de se procurer un livre à l'intention d'un client hospitalisé — tâches dont il l'avait priée de se charger hier matin au petit déjeuner alors qu'elle le suppliait depuis des jours et des jours de lui laisser le temps de tout préparer à l'avance afin de se mettre en route dès 9 heures. Si elle avait pu respecter son programme, elle n'aurait pas manqué le ferry.

— Et ton matériel photo. Il y en avait pour une fortune, dans ton sac : tous les cadeaux que je t'ai offerts ces trois dernières années. Tu t'étais inscrite à un stage de photographie avec un certain Himmel.

— Hammel, le reprit-elle.

En levant les yeux, elle aperçut Zoe qui leur apportait une tasse de thé chacune.

— C'est avant tout pour ça que tu es partie, pour suivre ce stage, mais même si on réussit à se faire rembourser, le Nikon, lui, est foutu. On aurait dû faire assurer ton matériel, ajouta Monte d'un ton résigné. On aurait dû se rendre compte qu'il valait plus que ce que nous aurait coûté l'assurance. Oh ! Quelle erreur !

— Monte, s'écria Julia au comble de la consternation. Neuf personnes sont sans doute mortes !

— Dieu merci, ce n'est pas ton cas ! Heureusement que tu as raté le ferry. Ce serait vraiment trop moche d'avoir perdu la voiture en plus.

D'un ton calme, détaché, Julia rectifia :

— En embarquant sur le ferry, j'aurais échappé à l'accident.

— La voiture est assurée. Forcément, non ? Quel dommage ! Si elle avait disparu au fond de l'océan, on aurait pu s'en acheter une neuve.

Julia observa Zoe assise sur la balustrade de la véranda, le dos contre un pilier. Ce n'était pas le genre de Julia de pousser des cris ni de hurler mais elle eut bien du mal à ne pas réagir de cette façon, tant sa frustration était intolérable. Molly avait tout de suite été sensible à l'aspect tragique de l'accident. Monte n'y comprenait rien du tout.

Julia éprouva soudain toute la distance qui les séparait. Hélas, ce sentiment n'avait rien de nouveau.

Il n'avait pas cessé de parler pendant que son esprit vagabondait. Elle s'aperçut qu'il venait de s'interrompre.

— Excuse-moi, qu'as-tu dit ?

— Je me demandais si tu allais rentrer à la maison, répéta-t-il avec prudence.

S'il avait dit quelque chose de gentil, qu'elle lui manquait déjà et qu'il aspirait à la voir revenir, ou même qu'à son avis elle serait mieux à New York compte tenu des circonstances, elle serait peut-être revenue sur sa décision. Mais non : rien. Aussi lui répondit-elle :

— Je préfère rester ici jusqu'à la fin des recherches, auprès des familles des disparus. Je me sens d'une certaine manière responsable.

— De quoi ? Tu n'as pas provoqué cet accident. Tu n'as rien à voir avec tout ça.

— Pas responsable alors, plutôt liée à ce qui s'est passé.

— Très bien. C'est tout à fait compréhensible, dit-il d'un ton soudain plus enjoué. Il vaut sans doute mieux que tu ne reviennes pas tout de suite, même si rien ne serait plus facile pour toi que de rentrer à la maison. C'est comme après une chute de cheval. Il faut se remettre en selle aussitôt. Tu comptes rester deux semaines entières, comme prévu ?

— Au moins, répondit Julia.

— Je me débrouillerai, l'assura-t-il. L'important, c'est que tu récupères. Zoe t'aidera. Je vais t'envoyer de l'argent dès aujourd'hui et une carte de crédit. Et un nouveau téléphone portable. C'est vrai, quoi, on paye le forfait, qu'on s'en serve ou pas. Tu veux que je t'envoie des vêtements ?

Ses yeux se posèrent sur son alliance : un cercle de platine orné de saphirs et de diamants. Julia possédait une bague de fiançailles assortie qu'elle avait laissée à New York. Un tel bijou aurait paru trop imposant à Big Sawyer, trop tape-à-l'œil à son goût. Mais c'était le style de Monte : grandiose et tape-à-l'œil. Elle frémit en songeant aux habits qu'il risquerait de choisir dans sa penderie.

— Non, merci. Je peux toujours en acheter un ou deux.

— Et les clés de la voiture ! s'exclama-t-il. Où sont-elles ?

— À côté de mon portefeuille.

— Au fond de l'océan. Ah, flûte. Bon, très bien. Je t'en enverrai un double en même temps que l'argent liquide. Quoi d'autre ?

Julia ne parvenait pas à se concentrer. Son existence new-yorkaise lui semblait si éloignée de l'île, de la véranda, du fauteuil à bascule.

— Passe un coup de fil à tes parents, lui ordonna Monte. Tu ne voudrais tout de même pas qu'ils l'apprennent par la presse avant de t'avoir parlé de vive voix ? Tu comptes prévenir Molly ?

— Hum... oui.

Inutile de préciser que c'était déjà fait. Monte voulait juste savoir s'il fallait qu'il s'en charge ou pas.

— Parfait. Tu sais, poursuivit-il sur sa lancée, je parie qu'une partie du matériel photo est couverte par notre police d'assurance. Je vais me renseigner.

— Très bien.

— Tu as besoin de soleil et de repos. C'est vraiment dommage, cette histoire d'appareil photo, mais il ne faudrait pas que ça gâche tes vacances pour autant.

— Hum... oui.

— Bon. Sois sage alors.

— D'accord.

— Au revoir.

Elle coupa la ligne d'une simple pression du pouce et laissa tomber le combiné sur ses genoux. Un sentiment de vide écrasant la submergea. Elle ne comprenait pas comment Monte et elle pouvaient être si différents après vingt années de vie commune. Les conjoints sont censés se ressembler de plus en plus au fil du temps, non l'inverse. Or Monte ne comprenait rien à ce qu'elle éprouvait après un accident comme celui-là. Pire : il ne semblait même pas concerné. Il se préoccupait de son argent liquide ; elle, des vies perdues.

— Que s'est-il passé ? lui demanda gentiment Zoe.

— Je ne sais pas trop.

— Ça m'a étonnée que tu acceptes de rester deux semaines. Je ne pensais pas que Monte te laisserait faire.

— Ça ne le dérangeait pas. Le stage devait durer quinze jours. La perte du matériel photo l'a rendu malade.

— Et toi ?

Julia lui décocha un regard amer.

— Ça lui tenait plus à cœur qu'à moi. Je lui ai demandé un simple appareil numérique. Il en a déduit que je me passionnais pour la photographie. Supposant qu'il était pétri de bonnes intentions, je l'ai remercié quand il m'a acheté le Nikon et alors il m'a offert un trépied, un zoom, un objectif macro et c'était déjà trop tard pour que je lui explique que je n'en voulais pas.

— C'est quelqu'un d'égocentrique.

Julia ne répondit rien. Elle s'accouda à la balustrade.

— Où a eu lieu l'accident ? Dans quelle direction ?

Zoe indiqua un point à la gauche de Julia.

Celle-ci s'efforça de distinguer l'océan entre les arbres mais leur feuillage et le brouillard l'en empêchèrent.

— Tu crois qu'on en a retrouvé d'autres ?

— Sans doute. L'océan n'est pas très profond à cet endroit-là, sept ou huit brasses. Une quarantaine de pieds, si tu préfères.

Julia tenta de s'imaginer à quoi ressemblait l'océan à quarante pieds de profondeur. Un lieu sombre jonché de débris lugubres se présenta sous ses yeux.

— Comment ai-je pu en réchapper ? se demanda-t-elle, en proie à la stupéfaction la plus vive.

Le sentiment qui l'assaillait tenait moins de la culpabilité que de l'incrédulité. Elle avait fait le trajet à la proue par hasard. Son arrivée sur le quai dix minutes plus tôt ou une houle plus forte ou une vitesse plus élevée du bateau auraient pu changer le cours des choses.

— L'une des personnes assises à l'arrière m'a proposé un siège. Celui qu'accompagnait sa femme et...

Les circonstances lui revinrent soudain en mémoire.

— ... et leur bébé. Il y avait un tout petit bébé avec eux.

— Kristie, précisa Zoe d'un ton grave. Elle venait de fêter son premier anniversaire. Ils ont deux autres enfants de trois et cinq ans.

Julia en eut le cœur brisé.

— Et Artie Jones ?

— Il en avait quatre.

— Et les autres ? Ils avaient aussi une famille ?

— Greg Hornsby, le capitaine, était père de deux enfants.

Elle s'efforçait de se faire à l'idée des huit enfants aux existences à tout jamais bouleversées lorsque le téléphone qu'elle tenait en main se mit à sonner. Elle tressaillit et le tendit aussitôt à Zoe.

— Allô ? Qui est à l'appareil ? Qu'est-ce qui vous fait croire qu'elle est ici ?

Zoe posa sur Julia un regard où pointait une sourde colère.

— Je le regrette, mais elle ne dira rien à la presse. Si vous avez des questions, appelez le poste de police. Composez le...

Sans terminer sa phrase, elle éloigna le combiné de son oreille, l'observa un instant avant de le laisser pendre à bout de bras.

— On vient de raccrocher. On se bouscule pour te parler. Le *New York Times*.

Julia en eut le souffle coupé. Elle s'apprêtait à demander comment le *New York Times* savait où la joindre lorsque l'expression de Zoe l'interpella.

— Monte ? s'interrogea Julia avant de pousser un bref soupir comme si quelqu'un l'avait frappée en plein dans l'estomac. Il n'a pas perdu de temps. À peine raccroché, qu'il composait déjà leur numéro ! Comment a-t-il osé ? Il sait à quel point je tiens à préserver ma vie privée.

Zoe garda le silence, mais son regard exprimait toujours autant de colère.

— Il souhaitait toute cette publicité, affirma Julia.

Monte s'efforçait toujours d'attirer sur lui l'attention du public.

— Son nom aurait figuré dans l'article.

— C'est ignoble ! s'écria Julia, qui se remit à trembler.

Zoe se leva soudain. Elle disparut un instant dans la cuisine d'où elle ressortit, une paire de socques à la main.

— Enfile ça.

Dès que Julia se fut exécutée, elle la conduisit à l'écurie en passant par l'escalier derrière la maison. Elles empruntèrent un large chemin, bordé d'herbe en mal de tonte. L'air frais et humide fournit un contraste bienvenu à sa flambée d'indignation.

Julia ne posa pas de questions. Elle ne protesta pas, une fois arrivée devant la porte de l'écurie. D'ordinaire, elle n'appréciait pas trop ce genre d'endroits. Depuis toute petite, elle considérait les animaux d'élevage comme des créatures malpropres susceptibles de transmettre toutes sortes de maladies. Lors de ses précédentes visites à sa tante, elle s'était contentée de les observer à bonne distance, plus par politesse envers Zoe que par véritable intérêt.

Zoe ouvrit grand la porte. Une lumière abondante baignait l'intérieur de l'écurie. Des stores masquaient les ouvertures par lesquelles les chevaux passaient autrefois la tête en quête d'air frais. Les lucarnes ménagées dans le toit étaient quant à elles équipées de contrevents à enroulement mécanique prêts à se baisser en cas d'intempéries.

— Je ferme les portes la nuit, expliqua Zoe, parce que, crois-le ou non, des renards rôdent dans les bois. Ils feraient un festin de roi avec ma petite équipe.

Sa « petite équipe » se mit à émettre de curieux bruits. Julia ne comprit ce qui se passait qu'en s'approchant. Les cages occupaient une vaste portion de l'écurie, dont les stalles. En certains endroits, elles étaient empilées par deux, ailleurs par trois. Elles ne semblaient contenir qu'un seul lapin chacune. La plupart des animaux pressaient le museau contre le grillage, d'autres contre une mangeoire en céramique, d'autres encore contre leurs abreuvoirs.

Julia s'en étonna. Elle avait déjà vu les lapins mais seulement depuis le seuil de l'écurie. Il lui suffit d'apercevoir un pan de leur fourrure pour se rappeler le lapin dont Molly avait dû s'occuper un week-end entier à l'école primaire.

Pour le coup, Julia n'aurait jamais deviné qu'il s'agissait de lapins si elle n'avait pas su que Zoe en élevait. Leurs oreilles, leurs yeux et leurs museaux disparaissaient dans un nuage de fourrure, blanche chez la plupart des bêtes, mais aussi parfois beige, grise ou noire. Certains arboraient même une teinte mauve ; d'autres, des taches de couleur.

— Bonjour, mes chéris, roucoula Zoe avant d'expliquer à Julia : Les lapins angoras anglais sont les plus petits. Même s'ils paraissent énormes, ce n'est que de la fourrure. Les plus gros dépassent rarement les quatre kilos.

Elle se dirigea vers l'une des cages dont elle ouvrit la porte. Glissant une main sous le ventre du lapin et l'autre sur ses oreilles, elle souleva l'animal qui vint se blottir au creux de son ventre.

— Ils aiment se sentir entourés comme lorsqu'on pose une main sur leurs oreilles. Voici Gretchen. Dis bonjour, Gretchen.

Bien entendu, l'animal ne prononça pas un mot. Julia n'aurait su dire s'il la regardait ou pas, tant une fourrure abondante lui masquait les yeux.

Zoe emporta le lapin sur une table couverte de moquette. Un compartiment surélevé fermait l'une des extrémités et une paroi de bois de quelques centimètres de haut longeait les trois autres côtés.

— Assieds-toi, lui ordonna Zoe en désignant du menton une chaise auprès de la table.

Julia n'eut pas plus tôt pris place qu'elle se retrouva avec un lapin sur les genoux.

— Il faut que je leur distribue de la nourriture et de l'eau, l'informa Zoe. J'aimerais que tu t'occupes de Gretchen pendant ce temps. Pose une main là, dit-elle en plaçant la main de Julia sur les oreilles du lapin, et l'autre là, contre le haut de son corps, pour qu'elle ne s'échappe pas.

— Est-ce qu'elle mordille ? s'enquit Julia, pas très rassurée.

— Non. C'est mon lapin-remède-à-tout. L'une de mes amies, ici sur l'île, vit avec sa grand-mère de quatre-vingt-douze ans, qui souffre de démence sénile. Il lui arrive de divaguer, de ne plus savoir ce qu'elle dit, mais dès que je dépose Gretchen sur ses genoux, elle se calme. À l'instant même.

— Peut-être parce que la terreur la paralyse, suggéra Julia en ne plaisantant qu'à moitié.

— C'est l'effet que ça te fait ?

À vrai dire, non. Une fois passé outre le côté pénible de la chose, Julia se sentit fascinée par la chaleur que dégageait l'animal et la douceur de sa fourrure. Elle n'y vit rien qui évoque de près ou de loin la saleté : pas de petites bêtes, pas de mauvaise odeur, rien qu'un nuage de fourrure touffue. Elle se surprit à caresser les oreilles du lapin qu'elle distinguait à présent sans peine. Elle commença timidement. Puis, voyant que l'animal semblait apprécier, elle s'enhardit.

— Je m'y prends bien ? demanda-t-elle à Zoe.

— Impeccable. Elle t'adore. Inutile de te montrer comment faire.

Julia n'aurait pas parié là-dessus, mais l'attitude du lapin qui se détendait sur ses genoux l'encouragea. Elle enfonça les doigts dans son pelage, aussi fin qu'un duvet, allant jusqu'à le démêler. Au bout d'une minute, elle pencha la tête de côté et écarta suffisamment de poils pour apercevoir les yeux du lapin.

— Bonjour, murmura-t-elle.

L'animal la regarda puis il détourna les yeux. Ce simple mouvement lui rappela Kimmie Colella. Pourtant, ce souvenir ne la fit pas frissonner. Le lapin blotti contre elle l'apaisait, si bien qu'elle continua de lui caresser les oreilles l'une après l'autre en passant ses doigts dans son pelage. Elle respira plus librement, se relaxa et fit même pivoter le lapin, dans l'espoir de distinguer son nez.

Elle aperçut un museau pas tout à fait rose qui remuait sans cesse.

— Combien en as-tu ? demanda-t-elle à Zoe.

— En ce moment ? Trente-trois adultes et vingt-cinq petits.

— Des petits ? s'étonna Julia en promenant les yeux à l'intérieur de l'écurie. Je n'en distingue nulle part.

— Tu vois ces boîtes en bois dans certaines cages ? C'est là qu'ils se nichent.

— Comment peuvent-ils tenir là-dedans ?

Zoe se mit à rire.

— Ils sont encore tout petits, Julia. Viens, je vais te montrer, proposa-t-elle en ouvrant l'une des cages. Viens ici mon chou.

Elle referma la cage puis déposa le bébé lapin au creux de ses deux mains, bien qu'une seule eût largement suffi.

Julia retint son souffle, ravie. Le petit lapin tout blanc avait des oreilles, des yeux et un nez minuscules.

— Quel âge a-t-il ?

— Trois semaines. Sa fourrure commence tout juste à pousser.

— En tout cas, il ressemble plus à un lapin que les autres.

— Il a plus l'air d'un lapin que de barbe à papa ! s'esclaffa Zoe. Ça oui ! Mais laisse-lui encore un peu de temps et tu verras ses oreilles et sa tête se couvrir de poils.

Une petite patte surgit entre les doigts de Zoe. D'un mouvement habile, elle reprit l'animal dans le creux de sa main.

— Ce petit gars-là domine tout le reste de la portée. C'est le plus gros du lot.

— Comment sais-tu que c'est un mâle ?

— Je l'ai déjà examiné auparavant.

— Ah !

Julia n'était pas près de lui demander comment elle s'y prenait. Les deux pattes arrière de l'animal s'échappèrent à nouveau.

— Il ne manque pas de vigueur.

— Le contraire m'inquiéterait. Les lapins angoras ne se défendent qu'à la force de leurs pattes arrière. Si l'un d'eux te donnait un coup, tu le sentirais, crois-moi ! Tu n'en reviendrais pas de voir à quelle vitesse ils courent.

— Tu possèdes vingt-cinq petits ?

— Quatre portées de cinq, sept, sept et six, énuméra Zoe en jetant un coup d'œil aux différentes cages. Mes lapins se reproduisent à merveille grâce à leur environnement idéal. C'est la température qui leur réussit. Elle ne monte jamais trop. Une forte chaleur tuerait un angora pourvu d'une telle fourrure. Leur pelage leur tient sept fois plus chaud que la laine des moutons. Au-dessus de vingt-cinq degrés, ils commencent à suffoquer. Huit à douze degrés leur conviennent parfaitement. En plein cœur de l'hiver, il m'arrive exceptionnellement d'utiliser des radiateurs supplémentaires. Mais, en temps ordinaire, les murs de l'écurie coupent du vent et l'île jouit d'un climat plus tempéré que le continent. Les stores assurent la ventilation nécessaire aux lapins. Un peu d'ombre accompagnée d'une brise suffit à leur bonheur.

— Où as-tu appris tout ça ? demanda Julia qui n'avait encore rien entrevu d'une telle ampleur lors de ses précédentes visites.

Certes il s'agissait de brèves visites à la sauvette, dont Molly était le prétexte. Certes, Zoe mentionnait de temps à autre dans ses e-mails quelques bribes d'information. Mais Julia n'avait rien imaginé d'aussi impressionnant.

Zoe remporta le petit dans sa cage.

— Je me suis beaucoup documentée. J'ai visité des élevages. L'une de mes amies à Rhode Island, Caroline Ellis, élevait des angoras. Elle m'a beaucoup épaulée au tout début et l'Internet me permet de rester en contact permanent avec un groupe d'éleveurs. Il n'empêche, expliqua-t-elle en fermant la porte avant de revenir auprès de Julia, que j'ai dû faire des expériences, tirer les leçons de mes erreurs. J'ai commencé à petite échelle en m'efforçant de réparer mes bourdes. On ne trouve pas deux élevages de lapins identiques. L'île possède un climat exceptionnel pour les débutants. En un sens, les lapins sont pareils à une plante verte. Il arrive à des plantes de croître dans une pépinière puis de dépérir ailleurs parce que la lumière ou l'alimentation ne leur conviennent pas, quand ce n'est pas le chat qui les dévore, ajouta-t-elle d'un ton enjoué en jetant un coup d'œil à la porte de l'écurie. Voilà pourquoi les plantes vertes ne m'intéressent pas, pas vrai Ned ?

Julia aurait sans doute confondu le gros chat noir avec l'ombre de la porte si Zoe n'avait pas attiré sur lui son attention.

— Figure-toi, poursuivit Zoe, que Ned risquerait de dévorer les petits si je les posais par terre. Il les prendrait pour des rats.

— Il pourrait faire mal aux adultes ? demanda Julia.

Le chat était nettement plus gros que Gretchen.

— Non. Je lui ai appris à les considérer comme ses amis. Il cherche plutôt à les protéger. Il est incapable d'attraper des renards ou des ratons laveurs mais il fait assez de bruit pour que j'accoure. Il faudrait que je nettoie un peu, ajouta-t-elle en observant les cages les plus proches.

— Laisse-moi t'aider, proposa Julia.

Le petit animal pelotonné sur ses genoux lui semblait adorable à présent.

— Montre-moi comment faire.

Zoe lui adressa un drôle de sourire.

— Ce n'est pas toi qui as mis trois semaines à répondre à l'e-mail où je t'annonçais que j'avais acheté des lapins ?

— On s'était absentés deux semaines, protesta Julia. Puis, comme au retour il n'y avait plus de chauffage dans l'immeuble, on a dû dormir à l'hôtel. Est-ce que je t'ai déjà dit de renoncer ?

— Non, mais tu ne m'as jamais proposé ton aide.

— Je n'avais encore jamais échappé de si près à la mort.

— Je ne vois pas le rapport ?

— Todd Slokum, pour commencer. S'il était ici, tu ne te chargerais pas de ces corvées toi-même.

Les épaules de Zoe s'affaissèrent.

— Hier, je n'ai pas bougé parce que je m'attendais à ce qu'il vienne aujourd'hui. Il faudrait que je passe chez lui. Si ça se trouve, il est simplement souffrant.

— Je m'occuperai des cages pendant ce temps-là.

— Peut-être plus tard. Tu as appelé tes parents ?

Julia fit signe que non.

— À ta place, je ne tarderais pas. Impossible de savoir ce que Monte a déclaré au *Times*. Je n'aimerais pas qu'un journaliste leur passe un coup de fil avant toi. Ils en seraient peinés.

— Eux ? s'exclama Julia. Tu sais quel soutien ils m'ont apporté ces derniers temps ?

— C'est Janet qui pose problème. Pas ton père.

— Oui, ça ne m'empêche pas d'éprouver du chagrin.

— Je comprends, répondit Zoe. Je suis passée par là.

Julia se remit à caresser Gretchen. Elle reprit ensuite d'une voix plus calme :

— Je le sais bien.

— Je ne peux pas les appeler à ta place. Je me chargerais de bien des choses mais pas de celle-là.

Julia était consciente depuis toute petite que sa famille tenait Zoe pour une brebis galeuse. Pourtant, Zoe et Janet se parlaient encore à l'époque. Julia ignorait la cause de leur rupture, elle savait seulement qu'elle s'était produite l'année de ses quinze ans. Elle s'en était longtemps voulu d'avoir contrarié Janet par son attachement excessif à Zoe. Mais son père l'avait assurée que ce n'était pas là le problème, sans pour autant lui fournir d'autre explication. Julia avait fini par se résoudre à ne pas aborder ce sujet trop sensible.

— Je ne comprends pas ma mère, déclara-t-elle calmement.

Zoe laissa échapper un soupir.

— Avec un peu de chance, elle sera partie travailler et c'est George qui décrochera.

Julia n'avait pas besoin de chance. Janet partait tous les jours au bureau à 8 heures. Elle prétendait fournir un travail plus productif avant l'arrivée de ses collègues. De quel droit Julia oserait-elle y trouver à redire ? Janet était quelqu'un d'important. En tant que directrice de l'une des principales organisations caritatives de Baltimore et des environs, Janet organisait chaque année la collecte de millions de dollars à l'intention des nécessiteux. Julia avait appris très tôt que rien dans sa vie n'avait autant d'importance que le métier de sa mère. À l'âge de douze ans, elle la remplaçait déjà auprès de ses frères, de trois et cinq ans ses cadets, pendant ses réunions de travail d'une importance indiscutable.

Occupe-toi des garçons en mon absence, d'accord, ma puce ? Veille à ce que Mark mette son blouson.

Oh flûte ! J'ai failli oublier ! Jerry va réclamer ses biscuits en allant à l'école. Tu trouveras un rouleau de pâte prête à cuire au réfrigérateur. Découpe-la en tranches avant de la passer au four, comme une gentille petite fille que tu es.

Il ne s'agissait pas seulement de veiller sur ses frères, le matin. Julia leur servait souvent de mère le soir aussi.

J'ai laissé un plat de ragoût surgelé sur le plan de travail. Si tu le verses dans une marmite en rentrant de l'école et que tu allumes le gaz à feu doux, on pourra manger dès mon retour.

Si jamais Mark rentre à la maison avec un uniforme taché, mets-le au sale, d'accord ? Je le passerai moi-même à la machine mais un petit coup de pouce me ferait gagner du temps. Il le lui faut propre pour demain.

Comment Julia aurait-elle pu protester ? Comment aurait-elle osé compliquer la tâche de Janet alors que celle-ci accomplissait un travail aussi essentiel ? Janet, pour sa part, n'aurait su lui témoigner plus de gratitude. *Tu es la meilleure fille au monde, Julia, j'ai beaucoup de chance de t'avoir. Les garçons t'écoutent, Julia, tu sais d'instinct te faire respecter* ou *Mon amie Marie se démène pour faire carrière parce qu'elle n'a pas une fille comme toi qui l'épaule à la maison.*

Les compliments enchantaient Julia. Elle devint la meilleure maîtresse de maison qui soit, la meilleure cuisinière au monde, la meilleure assistante qu'on puisse rêver. Ce n'est qu'a posteriori, lorsqu'elle songeait à son enfance puis à son mariage, qu'elle se demandait si elle n'avait pas été quelque peu exploitée.

— Allô ? dit son père d'une voix éteinte.

George possédait un tempérament si différent de Janet que Julia s'était souvent demandé ce qui les avait attirés l'un vers l'autre. George exerçait le métier de comptable. Timide, il avait tendance à se replier sur lui-même. Très conventionnel, il portait toujours des costumes bleu marine ou des tenues de sport repassées de frais. Il soutenait les caprices de Janet autant qu'il défendait Julia.

En entendant sa voix, elle éprouva une bouffée de tendresse à son égard.

— C'est moi, papa. Dieu merci j'ai pu te joindre avant que tu ne t'en ailles. Il faut que je te dise...

— Ce n'est pas le moment, la coupa-t-il. Ta mère a mal au crâne. Elle va partir en retard au bureau.

Julia s'inquiéta aussitôt. Janet avait beau être en excellente santé, elle approchait tout de même des soixante-cinq ans.

— Elle a la migraine ?

— Un peu de stress, voilà tout. Ça ne lui ferait sans doute pas plaisir de voir le numéro de Zoe sur l'écran du téléphone, murmura-t-il.

— Je n'avais pas le choix, se défendit Julia en ayant l'impression d'avoir été prise en faute. Je ne dispose pas d'autre appareil. Il m'est arrivé quelque chose d'horrible hier soir.

— J'arrive, Janet, cria-t-il. Je peux te rappeler plus tard ? ajouta-t-il comme s'il s'adressait à un ami.

Julia n'était pas une amie mais sa fille. Elle avait besoin de se sentir épaulée.

— Il m'est arrivé un accident.

— De quel genre ?

— Un accident de bateau. J'étais à bord d'un bac...

— Tu es blessée ?

— Par miracle non. Mais...

— Dieu merci. Écoute, chérie, dit-il un ton plus bas. Je vais te rappeler plus tard. Mais là, il faut que j'apporte du thé à ta mère. Elle doit assister à une réunion importante à 10 heures. Je vais essayer de l'y conduire à temps. Elle ne voudrait surtout pas la manquer. À plus tard, Julia.

Puis il raccrocha sur-le-champ.

Julia ne réagit pas aussi vite. Stupéfaite, elle se retrouva le combiné à la main, comprenant soudain à quel point elle avait envie de parler, pas seulement à George mais à Janet. Ses parents lui avaient donné la vie. Elle avait failli la perdre, la veille au soir. Elle se demandait qui aurait été plus à même de la réconforter.

Déconnectée. C'est ainsi qu'elle se sentit en reposant le combiné : déconnectée de tout ce qu'elle considérait jusqu'alors comme chez elle. Il lui semblait que l'accident avait dressé une barrière entre passé et présent et qu'un mur surgi de l'eau les séparait désormais.

Elle croyait que, si des êtres pouvaient la rassurer, c'étaient bien ses parents. Apparemment, elle se trompait.

3.

Noah n'avait vraiment pas le moral. Il fallait un responsable à l'accident. Artie Jones semblait un coupable idéal. Il possédait un gros bateau bruyant, une énorme maison et un portefeuille bien garni, autrement dit : tout ce que redoutaient les résidants à l'année et que méprisaient les pêcheurs de homards. Peu importe s'il n'avait encore jamais nui à personne auparavant. Voilà le bouc émissaire rêvé d'une catastrophe qui n'aurait jamais dû se produire.

Les conclusions de l'autopsie invalidèrent toutefois cette hypothèse. Artie n'avait pas joué avec le feu. Il n'avait pas foncé sur l'*Amelia Celeste* intentionnellement. Son cœur avait cessé de battre avant même la collision. Noah ne pouvait s'en prendre qu'au destin.

Jeudi, en milieu de journée, il en prit enfin conscience. Les gardes-côtes retrouvèrent les restes de son père un peu plus tard.

Une fois certain de la mort de Hutch, sans personne à qui la reprocher, Noah se retrouva frappé d'inertie. Il resta assis à la poupe du *Leila Sue*, le regard perdu dans les flots, submergé par une déception presque aussi intense que ses regrets.

Son téléphone cellulaire se trouvait posé à côté de lui. Il ne pouvait se résoudre à regagner la terre ferme afin d'y passer son coup de fil car quelque chose le retenait ici au large. Il n'aurait su dire si c'était l'âme de Hutch encore prisonnière des vagues ou le lien qui l'attachait depuis toujours à l'océan. Si jamais un réconfort quelconque l'attendait quelque part, ce serait ici.

Il se résolut enfin à composer le numéro de son ex-femme. Sandi avait déménagé deux fois depuis leur divorce à cause de nouveaux postes de professeur aux responsabilités administratives croissantes. Elle enseignait toujours l'histoire dans un lycée privé de Washington, D.C., assumant en outre les fonctions de conseillère principale d'éducation. Noah tenta de la joindre à son bureau, supposant que ses charges administratives la retenaient encore au lycée après la fin de l'année scolaire.

— Sandi ?

— Oui, répondit-elle d'un ton détaché.

— C'est moi.

Il y eut une courte pause.

— Noah ? reprit-elle en hésitant. Tu m'as l'air tout chose. Qu'est-ce qui ne va pas ?

— Hutch est mort.

Un silence tomba. Sandi n'avait jamais beaucoup apprécié le père ni la mère de Noah mais elle ne manquait pas d'empathie. Elle savait aussi qu'il s'agissait des grands-parents de son fils, peu importe ce qu'elle-même éprouvait pour eux. Elle lui avait témoigné beaucoup de bienveillance à la mort de sa mère. Elle ne réagirait pas autrement dans les circonstances présentes.

— Tu m'en vois navrée. Comment est-ce arrivé ?

— Malencontreusement. Dans un accident.

Il lui exposa l'essentiel des faits. Elle en parut horrifiée.

— J'espère qu'il est mort sur le coup.

Noah aussi l'espérait. L'hypothèse contraire semblait trop atroce.

— Et toi ? Tu es blessé ?

— Non.

— Tu n'as rien du tout ?

— Absolument rien.

— Comment est-ce possible ? lui demanda-t-elle en exprimant un étonnement que lui-même partageait.
— Ça me dépasse.
— Tu es le seul survivant ?
— Non.
Nouvelle pause.
— Qui d'autre ? Une personne ? deux ?
— Deux.
— Ils sont blessés ?
— Ils n'ont presque rien.
— Comment ça ?
— L'une souffre d'une simple éraflure.
— Et l'autre ?
— L'autre ne parle plus.
— Il s'agit d'un problème physique ? d'une brûlure de la trachée ? d'une lésion des cordes vocales ?
— Non.
— D'un traumatisme psychique ?
— On dirait.
— Mais tu vas bien, toi ?
— Oui.
Un long silence s'installa. Puis elle poussa un soupir.
— Je me dirais que tu as subi un traumatisme, toi aussi, si je ne savais pas que, même en temps normal, tu ne parviens pas à t'exprimer. Pourquoi faut-il que j'aie l'impression de t'arracher le moindre mot chaque fois que je discute avec toi ? Bon. Ne crois pas nécessaire de me répondre. On en a déjà parlé. Je ne sais pas pourquoi j'espère toujours mieux de ta part. Je suppose que c'est parce que le courant passait mieux entre nous à l'époque de notre rencontre. Mais si tu es d'un naturel si peu bavard, pourquoi manifestais-tu une telle volubilité en ce temps-là ? Ou si, à l'inverse, tu es d'un tempérament loquace, d'où vient ton mutisme ? Il n'y a qu'avec moi que tu ne parviens pas à aligner plus de trois mots d'affilée ?

Noah attendit quelques secondes sans desserrer les mâchoires. Comme Sandi n'ajoutait rien, il poursuivit :

— Je vais te dire une chose, Sandi : Hutch est mort avant-hier. Je ne vais pas discuter de mon incapacité à communiquer maintenant. Je veux juste annoncer la nouvelle à Ian. Hutch était son grand-père.

Sandi lui répondit aussitôt d'une voix contrite :

— Désolée.

— De sa mort ou de ta tirade ?

— Les deux. Je m'étonne toujours d'avoir autant les nerfs à fleur de peau, dix ans après notre rupture.

Noah ne se berçait pas d'illusions : elle ne nourrissait plus de sentiments pour lui. Il ne l'aurait pas souhaité, de toute façon. Tous deux avaient échoué en tant que couple. Le divorce s'était décidé d'un commun accord.

Hélas, Sandi ne supportait pas l'échec. Elle n'avait pas cessé de décortiquer son mariage depuis qu'il s'en était allé à vau-l'eau. Bien entendu, elle rejetait la responsabilité sur Noah. Elle prétendait qu'il travaillait à des heures indues, se montrait distant à la maison. Il l'excluait de ses pensées sans jamais se soucier de ses besoins. Il prenait toujours la mouche face à ses collègues et ne supportait pas ses amis.

Peut-être avait-elle raison. Peut-être que tout était de sa faute. En cet instant, c'était bien le cadet de ses soucis.

— Où se trouve Ian ? s'enquit-il.

À 15 heures, son fils jouait d'ordinaire au base-ball, mais pas au mois de juin. Les activités sportives ne reprendraient pas avant l'automne, en même temps que les cours.

— Il ronge son frein. Hier, il s'est disputé avec l'entraîneur alors aujourd'hui il fait partie des remplaçants.

— Pardon ?

— Il joue dans une équipe de football des environs, expliqua Sandi. Il fallait que je l'inscrive à une activité avant le début des cours d'été. Ce n'est pas un enfant facile.

— Dix-sept ans n'est pas un âge facile.

— À qui le dis-tu !

— C'est à lui que je songeais, pas à toi.

— Par contre, c'est bien à moi que je pensais, attaqua-t-elle, parce que tu n'es pas là pour calmer le jeu. Avoir dix-sept ans ne me posait aucun problème. Je m'intéressais à mes études, j'avais des amis, je prenais des leçons de danse. J'avais hâte de quitter le lycée, de choisir une université. Ian ne ressent rien de tout cela.

— Tu ne connais pas d'autres garçons dans son cas ? lui demanda Noah, se doutant bien de la réponse.

— Bien sûr que si. Ça fait partie de mon travail. Mais ce ne sont pas les miens tandis que Ian, si. Je prends très à cœur ce qui lui arrive.

Noah ne trouva rien à répondre. Il avait toujours considéré Sandi comme une bonne mère.

— Alors, quand rentre-t-il ?

— Vers 4 heures ou alors 5 heures. On ne peut plus trop se fier à lui, ces temps-ci.

— Demande-lui de m'appeler dès son retour.

— Quand auront lieu les funérailles ?

— Mardi.

Noah aurait préféré une date antérieure mais le médecin légiste voulait examiner Hutch au préalable et, le temps que Noah en discute avec le pasteur, trois autres enterrements étaient déjà prévus.

— Il doit venir ? demanda Sandi.

— Seulement s'il le désire.

— Noah, soupira-t-elle. Tu ne me réponds pas. Souhaites-tu qu'il vienne ?

— Oui.

— Je le lui dirai. Mais ça ne l'influencera peut-être pas beaucoup. En ce moment, il se méfie de tout et de tout le monde.

Une immense fatigue s'empara soudain de Noah.

— Dis-lui en tout cas. S'il ne veut pas venir, tant pis. Je peux très bien enterrer Hutch sans lui.

Un court silence s'installa.

— Je pourrais l'accompagner. Veux-tu que je vienne ?

— En quel honneur ? Tu ne supportais pas Hutch.

— Là n'est pas le problème. C'est juste qu'au fil du temps, je retrouvais en lui tous ces traits de caractère qui me déplaisaient tant chez toi. Mais ça nous ramène à notre conversation. Je ne connaissais pas Hutch. Forcément ! Il n'avait pas grand-chose à me dire. Il ne semblait pas avoir grand-chose à dire à ta mère non plus mais elle avait l'habitude, vu qu'elle était née dans le Maine. Enfin ! Là n'est pas le problème. Parfois quand je venais sur l'île, je voyais un groupe de gens sur les quais, occupés à discuter en riant. Dès que je m'approchais, ils devenaient muets comme des carpes. Parce qu'ils détestaient les étrangers ? J'avais toujours cette impression quand je venais. Je me sentais comme une étrangère.

Noah attendit la fin de sa tirade avant de conclure :

— Ce n'est pas le moment, Sandi. Demande juste à Ian de m'appeler, d'accord ?

Julia ne reçut aucun coup de fil de son père. Elle reçut un appel de son amie Charlotte, mise au courant de l'accident par son mari, à qui Monte venait d'apprendre la nouvelle. Charlotte voulait personnellement s'assurer que tout allait bien puis, une fois tranquillisée, elle pria Julia d'accepter qu'elle lui fasse parvenir des habits de sa boutique. Charlotte vendait des vêtements de prestigieuses marques italiennes. Julia en avait emporté plusieurs dans ses bagages disparus au fond de l'océan. De tels habits lui semblaient désormais déplacés.

Son incapacité à s'expliquer dut donner à Charlotte l'impression qu'elle était perturbée car, moins d'une heure plus tard, Julia reçut un appel de leur amie commune, Jane. Elle enseignait la psychologie à l'université et c'était la personne à qui Julia désirait le plus parler. Elle lui raconta l'accident puis lui toucha quelques mots de Kim Colella. Leur brève conversation suffit à instruire Julia des rudiments en matière de traumatisme psychique et de mutisme.

Ce n'est que bien plus tard, en consultant sa messagerie électronique sur l'ordinateur de Zoe, pendant qu'elle échangeait quelques lignes réconfortantes avec son amie avocate Donna, qu'elle reçut un message de George.

PARDONNE-MOI DE NE PAS T'AVOIR APPELÉE MAIS JE VIENS DE PASSER DEUX JOURNÉES ASSEZ PÉNIBLES, écrivait-il en majuscules, ainsi qu'il s'obstinait sans cesse à le faire, bien que crier ne fût pas son genre. C'était un homme discret par nécessité car il lui était impossible de placer le moindre mot avec une épouse aussi résolue que Janet. Julia le soupçonnait parfois de ne parler haut sur l'Internet que parce qu'il en avait l'opportunité, Janet n'utilisant pas d'ordinateur.

HIER, J'AI DÉPOSÉ TA MÈRE AU BUREAU, PUIS J'AI EU UN GROS PROBLÈME, ICI, À MON TRAVAIL. IL N'Y A QUE MAINTENANT QUE JE PEUX RESPIRER UN PEU. SACHE QUE NOUS SOMMES TOUS DEUX SOULAGÉS DE SAVOIR QUE TU T'ES TIRÉE INDEMNE DE CET ACCIDENT. AU VU DE LA SITUATION, JANET ESTIME QUE TU DEVRAIS RENTRER À NEW YORK. TIENS-NOUS AU COURANT.

Piquée au vif, Julia ne répondit rien.

Encore que « piquée au vif » ne rendît pas vraiment compte de ses sentiments. Elle était en rage.

Le cœur battant, elle quitta sa messagerie, éteignit l'ordinateur et, pour ne pas gaspiller inutilement sa colère, partit en ville. Là, elle acheta de quoi préparer une demi-douzaine de marmites et autant de fournées de biscuits. Le premier enterrement n'aurait pas lieu avant lundi mais elle voulait apporter quelque chose aux familles touchées et comme elle se débrouillait plutôt bien aux fourneaux... Elle ne possédait pas les talents de sa fille en matière de menus gastronomiques mais elle maîtrisait les principes de base. Elle avait organisé d'innombrables réceptions en l'honneur des collègues de Monte, où elle préparait toujours un petit plat de ses propres mains en plus de ce qu'apportait le traiteur. Elle offrait souvent du pain ou des gâteaux maison aux amis qui les invitaient à dîner. Quant aux familles en deuil, il y avait toujours quelqu'un pour mourir dans le cercle des clients de Monte. Voilà ce qui arrive quand on représente des gens qui ont consacré des vies entières à amasser une fortune sous forme de placements financiers. En tout cas, Julia cuisinait mieux que personne ces petits riens propres à satisfaire son mari, dans le cadre de ses besoins professionnels.

Ceci dit, elle aurait volontiers nettoyé les cages des lapins si seulement Zoe lui avait montré comment procéder. L'apparente propreté des lapins la surprenait autant que l'odeur agréable de l'écurie, parfumée de petites touches d'essence de chrysanthème et d'huile de romarin censées éloigner les mouches.

Zoe était encore à la recherche de Todd Slokum.

Julia décida donc de faire la cuisine. Cette activité familière lui apporta un réconfort en ce moment de confusion. Monte ne lui avait été d'aucun secours. Ses parents non plus. Pour peu que l'on compare sa vie à un bateau emporté loin de son ancrage, elle se retrouvait toute seule à devoir rattacher les amarres. Les vieilles habitudes l'y aideraient peut-être, mais seulement dans un premier temps. Elle ignorait quelle réaction il lui faudrait envisager à long terme.

16 heures sonnèrent, puis 17. Noah attendait encore le coup de fil de Ian. Il ne bougea pas de son bateau. Il n'avait nulle part où aller. Lucas trottait sur le pont puis sur le quai, la minute d'après, apparemment indifférent à la gravité de la situation. Mais Lucas n'était qu'un chien. Il ne se doutait pas que Hutch avait disparu pour de bon.

Noah, lui, le savait et il en éprouvait un immense chagrin. Sans compter que l'organisation des funérailles lui avait ouvert les yeux, plutôt durement d'ailleurs. Savait-il ce que Hutch voulait ? Non. Ils n'avaient jamais abordé la question des funérailles. Ils n'avaient jamais évoqué le divorce de Noah. Ni la mort de sa mère. Ils n'avaient jamais parlé de Ian. Ni de la raison pour laquelle Noah était revenu à Big Sawyer pêcher le homard après son divorce au lieu de continuer à travailler à New York. Il se débrouillait bien là-bas, il avait gagné pas mal d'argent en très peu de temps. Ils n'en avaient jamais rien dit non plus.

De quoi parlaient-ils ? Du temps. Du bateau et des casiers à homards et des balises. De la pêche du jour, de ce qu'elle leur rapporterait, des nouvelles réglementations que la rumeur accusait l'État de vouloir imposer. Ils parlaient de l'enroulement motorisé des cordages du *Trapper John* et du nouveau système de guidage par satellite du *My Andrea*, des balises citron, prune, citron envahissant des zones où pêchaient depuis toujours les hommes de Big Sawyer. Puis à nouveau du temps.

Voilà les sujets de conversation des pêcheurs. Noah en discutait comme il discutait autrefois des avantages et des inconvénients d'une O.P.A. avec ses collègues new-yorkais. Ces choses faisaient partie de la vie. Il parvenait à s'y intéresser.

Il ne pouvait en dire autant des bavardages insignifiants.

Julia passa chez les Hornsby. De nombreux amis étaient réunis dans leur maison bâtie à proximité du port. Elle leur remit un ragoût de poulet en leur présentant ses condoléances puis alla faire de même chez Grady Bratz et Dar Hutter.

Les choses se passèrent autrement chez les Walsh. Leur résidence se dressait sur la colline où habitaient la plupart des artistes qui aimaient les grands espaces. Les cimes dentelées des épicéas se découpaient sur le ciel le long de la ligne de crête. Une prairie couvrait le flanc de la butte. Il n'y avait pas foule chez les Walsh, aucun voisin n'allait ou ne venait aux abords de la maison. Une unique Volvo stationnait devant l'écurie, à proximité d'une ferme battue par les intempéries.

Julia gravit l'escalier, traversa la véranda et frappa au cadre de la porte moustiquaire. La femme qui ne tarda pas à paraître devait avoir une petite trentaine d'années, bien que Julia ne l'eût sans doute jamais soupçonné si Zoe ne l'en avait pas avertie au préalable. Il s'agissait de la sœur célibataire de Jeannie Walsh : Ellen Hamilton. Elle enseignait les mathématiques dans un lycée de l'Ohio. L'accident venait de resserrer les liens qui l'unissaient à la famille. En dépit de ses cheveux blond cendré et de ses taches de rousseur, elle paraissait dix ans de plus que son âge.

Lorsque Julia se présenta, Ellen posa un doigt sur ses lèvres et se glissa dehors en refermant sans bruit la porte derrière elle. Elle proposa à Julia de prendre place sur une balancelle en bois au milieu de la véranda. Une fois assise à son tour, elle murmura :

— Elles viennent de s'endormir sur le canapé. Elles sont à bout !

— Vous aussi, j'imagine ? Je vous ai apporté à dîner. Y a-t-il autre chose que je puisse faire ?

— Non. Merci quand même, répondit Ellen en lui adressant un sourire triste qui ne tarda pas à s'évanouir. La famille d'Evan se charge des funérailles. La plupart de leurs amis ont accompagné leur dépouille. Nous pensons que les filles sont encore trop jeunes pour y assister. Elles vont venir habiter chez moi à Akron. Il ne me reste plus qu'à mettre en cartons tout ce qui se trouve ici. Je suis la seule en mesure de le faire.

Elle s'interrompit un instant, troublée.

— Comment décider quoi emporter ? Je vis dans une petite maison, je ne peux pas tout prendre. J'essaye d'imaginer ce qui pourrait rappeler de bons souvenirs aux filles plus tard.

Sa voix se mit à trembler et ses yeux se remplirent de larmes. Incapable de poursuivre, elle laissa son regard errer sur l'horizon lointain.

Un petit bruit leur parvint depuis le seuil, le courant d'air que produit un tout petit enfant qui sort en se faufilant. Une fillette portant un gilet taché de sauce ketchup apparut. Ses cheveux sombres étaient emmêlés et ses pieds nus, gris de poussière. Elle se mit à sucer son pouce en fermant à demi les yeux et se glissa entre la première paire de jambes venue – celle de Julia – avant de poser la tête contre sa cuisse.

Sans réfléchir, Julia la prit dans ses bras. L'enfant s'endormit aussitôt contre son épaule.

— Excusez-la, soupira Ellen.

Ce n'était pas la peine : Julia prenait plaisir à sentir ce petit corps contre le sien.

— Pas de problème. Je me débrouille plutôt bien pour ce genre de choses.

— Elle a trois ans mais pas la moindre idée de ce qui se passe. Pas plus que sa sœur. Seigneur ! Je ne suis pas prête à affronter de tels bouleversements.

— Vous y arriverez.

— Mais à quel prix ? Le fait est qu'il ne leur reste personne d'autre. Je suis la seule parente de Jeannie encore en vie. Les parents d'Evan ne sont plus tout jeunes et ses frères ont à eux deux neuf enfants. Je ne me sentirais pas rassurée sur le sort des filles dans ces conditions. Quand on parle d'instants où la vie bascule ! poursuivit-elle d'un air incrédule. Je ne me doutais vraiment de rien quand mon téléphone a sonné hier matin...

17 heures passèrent, puis 18, sans le moindre coup de fil de Ian.

Noah sortit une bière de la réserve de cannettes qu'il stockait dans la glacière dès l'approche de l'été. Rien n'étanchait mieux sa soif les jours où le soleil cognait avec une ardeur telle que même le vent ne parvenait pas à le tempérer et il ne connaissait rien de mieux non plus après avoir avalé des sandwiches au beurre de cacahuètes, les jours de canicule. Peu importe qu'il n'eût pas un seul sandwich à manger en cet instant ou qu'il ne fît pas précisément chaud. La bière lui parut délicieuse.

Une seconde bière suivit la première et, lorsque 17 heures sonnèrent sans coup de fil de Ian, Noah s'était déjà suffisamment étourdi pour ne pas se sentir trop dépité. Il aurait moins de pression à subir dans ces conditions, songea-t-il. L'organisation des funérailles lui poserait moins de problèmes dès lors qu'il ne devrait pas se soucier du discours à tenir à son fils.

Les choses auraient été différentes si Ian et Hutch avaient été amis. Mais le jeune garçon n'était pas venu souvent sur l'île. Noah avait toujours trouvé plus simple de lui rendre visite là où il résidait.

Contrairement à ce que pensait son ex-femme, Noah ne se retrouverait pas seul aux funérailles. Il connaissait des tas de gens ici. N'étaient-ils pas venus lui présenter leurs condoléances tout l'après-midi à bord du *Leila Sue* ? Ils ne disaient pas grand-chose. Ce n'était pas la peine. Noah savait ce qu'ils pensaient, même s'ils ne prononçaient que peu de paroles.

Sandi ne le comprendrait jamais. Elle ne saurait jamais communiquer en silence. Elle ne comprendrait pas qu'en présence de certaines personnes, on n'a pas besoin de mots pour deviner ce que chacun ressent.

19 heures s'apprêtaient à sonner lorsqu'une femme apparut dans le reflet de son pare-brise. Il la remarqua dès son arrivée sur le quai. Impossible de ne pas reconnaître l'extravagant pull-over angora multicolore que Zoe ne quittait pas. Pas de doute pourtant : il ne s'agissait pas de Zoe. Elle détonnait autant que l'autre jour, sur le continent, lorsqu'elle s'était précipitée sur le quai dans l'espoir d'attraper l'*Amelia Celeste*. C'étaient peut-être ses fins cheveux blonds qui lui donnaient cette allure à part ou la finesse de son ossature ou sa manière de se tenir bien droite, comme les gens soucieux de leur allure. Elle portait aujourd'hui des tennis, sans doute celles de Zoe, mais ne croulait plus sous le poids des bagages. Seul un léger sac de toile pendait à son épaule.

Au bout de quelques mètres sur le quai, elle s'arrêta, hésitante. Elle semblait perdue. Le vent rabattait quelques mèches devant ses yeux. Elle les écarta en passant en revue les bateaux.

Il s'imagina qu'elle le cherchait, lui, puis il se dit que ce n'était qu'un vœu pieux. Il était un homme et elle était une femme. Ni la mort de Hutch ni même la bière ne l'assommaient au point de ne pas s'en rendre compte. Et ce n'était pas tout. Tous deux partageaient un certain rapport à la vie et à la mort. Ne serait-ce que pour cette raison, il espérait qu'elle le cherchait. Il ne savait pas trop pourquoi, mais c'était ainsi.

Son vœu fut exaucé. Il s'en aperçut grâce au reflet du pare-brise. Il le prit comme un lot de consolation après quarante-huit heures d'enfer, même s'il ne se plaignait pas pour autant. Il la vit approcher, toujours sans se retourner. Les battements de son cœur s'accélérèrent. Il en éprouva un profond soulagement, voire un certain réconfort.

Il attendit qu'elle s'engage le long du bassin pour lui lancer un regard indiquant qu'il l'avait vue. Il se leva sans s'avancer. Elle semblait un peu nerveuse. Donc, il n'était pas le seul. Il se trouvait dans une drôle de situation : face à une parfaite inconnue ayant partagé avec lui une expérience intime. Tout à fait intime. Il avait beau vivre sur l'île depuis sa plus tendre enfance ou presque et connaître de ce fait la plupart des résidants, il n'avait jamais rien vécu d'aussi intime avec eux.

Elle s'approcha du bateau.

— Je m'appelle... euh... Julia. J'ai appris... pour votre père. Je voulais vous dire à quel point j'en suis navrée.

Il hocha la tête.

— Et aussi combien je vous suis reconnaissante, continua-t-elle, visiblement plus sûre d'elle. Vous m'avez sauvé la vie. J'ignore ce que je serais devenue sans ce coussin.

— Vous auriez fini par vous en sortir, l'assura-t-il car il n'avait rien d'un héros, surtout pas après avoir ordonné à son père de s'asseoir à l'arrière de l'*Amelia Celeste* comme un chien. Les secours n'ont pas tardé à venir.

— Oui, mais m'auraient-ils repérée, sans le coussin ? demanda-t-elle avec une précipitation indiquant qu'elle n'avait pas cessé de se poser la question. J'aurais pu boire la tasse ou me laisser happer par une vague. J'aurais pu me trouver trop près du bac au moment de la seconde explosion.

Son regard se perdit dans l'océan. Lorsqu'il croisa de nouveau le sien, Noah y lut un profond trouble.

— Je n'avais pas une seule fois songé à la seconde explosion avant cet instant. Je me retrouve sans arrêt confrontée à de nouveaux souvenirs. Toutes ces interrogations... Sans compter la plus importante.

La plus importante. Inutile de lui demander à quoi elle faisait allusion.

— Pourquoi nous ? dit-il. Pourquoi a-t-on été épargnés ? Pourquoi pas eux ?

Elle acquiesça, visiblement soulagée de voir qu'il la comprenait.

— Je me suis posé la question une bonne centaine de fois. C'est vrai, si l'on prend en compte tous les risques de mortalité... J'ai eu de la chance. Jamais je n'avais frôlé la mort d'aussi près. Voilà qui donne à réfléchir. Sans oublier le rôle du hasard. Si j'avais pris place à la poupe... ou si le bateau de course avait touché la proue... je ne parviens pas à me l'expliquer.

Noah non plus.

— Mon père voulait s'asseoir à la proue, laissa-t-il échapper.

Ce n'était pas pour cette raison qu'il refusait d'endosser le rôle du héros. N'empêche que cela le tourmentait.

— Je lui ai dit de s'installer à l'arrière.

Julia ne cilla même pas.

— Evan Walsh m'a proposé sa place. J'ai refusé. Ç'aurait très bien pu se passer autrement.

Il hocha la tête, compatissant.

Ni l'un ni l'autre n'ajouta rien avant une bonne minute. Tant mieux, se dit-il. Elle était plutôt jolie. Non : vraiment superbe. Mais ce n'était pas tout. Sa présence apaisait ses nerfs à vif.

— Bon... reprit-elle en serrant les lèvres, sur le point de conclure. Je voulais juste vous présenter mes condoléances... puis vous donner ceci.

Elle fit glisser le sac suspendu à son épaule et le lui tendit par-dessus bord.

Il y entrevit un paquet enveloppé de papier aluminium.

— Voici votre dîner. J'ai fait la cuisine. C'est l'une des rares choses pour lesquelles je suis douée. Aujourd'hui, ça m'a servi de thérapie. Moi-même je ne peux pas avaler grand-chose. Mon estomac reste noué.

Noah connaissait cette sensation. Depuis l'accident, il n'avait mangé que ce que lui avait donné Rick Greene. Il avait tout avalé sans même en percevoir le goût.

En tout cas, ce que Julia avait préparé sentait bon.

— Merci. C'est vraiment gentil de votre part.

— C'est le moins que je puisse faire, rétorqua-t-elle en esquissant un sourire si fugace qu'il lui aurait échappé s'il ne lui avait pas prêté autant d'attention.

Il venait de remarquer une certaine timidité dans son comportement lorsqu'elle ajouta d'une voix vibrante d'émotion :

— Zoe s'est renseignée avant mon départ. Les plongeurs ont retrouvé le corps du jeune homme qui travaillait pour elle.

— Todd.

Noah était au courant.

— Zoe sait s'il lui reste de la famille ? demanda-t-il.

— En tout cas, elle le suppose. Du courrier traînait dans son appartement. Elle tente de retrouver les expéditeurs avec l'aide de la police. Todd était la dernière personne dont on restait sans nouvelles

— Oui. Ils cherchent maintenant des indices susceptibles de les aider à reconstituer les faits.

— Pourquoi ?

— Cela fait partie de leur travail. Des problèmes d'assurance ne vont sans doute pas tarder à surgir. Il leur faut ouvrir une enquête. Qui sait ? Ils retrouveront peut-être vos sacs.

— Je m'en fiche, de mes sacs, avoua-t-elle sans détour, puis elle rougit. Oh. Vous voulez parler d'assurances vie.

Je suppose que, dans ce cas, ils tenteront de découvrir un maximum d'éléments. Vous avez parlé à Kim Colella ?

Noah oubliait sans cesse Kimmie. À moins que la disparition de Hutch n'eût monopolisé toutes ses pensées.

— Non. Je la crois auprès de sa famille. Combien de temps allez-vous rester ?

— Deux semaines. Je devais suivre les cours de Tony Hammel mais mon matériel photo...

Elle esquissa de la main un geste significatif.

— Il pourrait vous en louer.

— L'envie m'en est passée, avoua-t-elle en ébauchant un vague sourire.

— Et l'envie de rester à Big Sawyer ? Je parie que vous allez bientôt repartir.

— Ne croyez pas ça, répondit-elle avec simplicité. Ne me demandez pas de m'expliquer. Il s'agit d'un sentiment complexe et je ne me sens pas en mesure d'aborder quoi que ce soit de complexe en ce moment. J'éprouve plutôt... Comment dire ?

Elle lui jeta un coup d'œil si implorant en affichant une mine tellement irrésistible que Noah aurait souri dans une situation moins pathétique. Qu'éprouvait-elle donc ? Il réfléchit aux différentes réponses possibles.

Peut-être appréhendait-elle de remonter à bord d'un bateau ? Il ne croyait pas à cette hypothèse.

Elle se sentait peut-être retenue par un sentiment de culpabilité. N'avait-elle pas mentionné Evan ? Il aurait sans doute survécu si elle avait pris sa place. Mais Noah, qui se retrouvait dans une situation comparable vis-à-vis de Hutch, éprouvait plus de regrets que de culpabilité. Hutch aurait pu s'installer à la proue à côté de lui. Dans ce cas, ni l'un ni l'autre ne seraient morts. Julia lui semblait pleine de bon sens. Elle ne se sentirait pas coupable sans raisons.

Peut-être imaginait-elle avoir une dette morale envers les habitants de l'île, éventualité qu'il écarta dès qu'elle se présenta. Le bon sens suppose une certaine forme d'intelligence or les gens intelligents comprennent le tempérament des insulaires. Ce sont des gens forts et indépendants qui ont choisi de vivre au milieu de l'océan et n'ignorent rien des risques qu'on encourt en quittant le port dans une frêle embarcation chaque matin. Les rares habitants de l'île susceptibles de l'oublier avaient en outre vu le film *En pleine tempête* une bonne centaine de fois. La cassette vidéo restait la plus demandée au comptoir de location dans la boutique de Brady.

Comment est-ce que je me sens ? l'interrogeait-elle toujours du regard.

— À part, dit-il.

Il ne savait pas d'où les mots avaient surgi. Il n'y avait encore jamais songé. Pourtant, ils correspondaient bien à ce qu'il éprouvait. Il se sentait différent des amis de longue date qui étaient passés le voir aujourd'hui. Oui. À part.

Les yeux de Julia s'illuminèrent. Elle acquiesça, puis l'étincelle disparut de son regard.

— Dans quel but ? La survie ?

— Non.

Il ne s'agissait pas de cela.

— Une sorte de récompense, alors ? J'ai bien vécu. Je n'espère pas de compensation.

— Moi non plus.

— Qui se cache derrière tout ça ? Dieu ?

Noah fut aussitôt contrarié. Il préférait ne pas même y songer après ce qui s'était joué sur l'eau deux nuits plus tôt.

— Pardonnez-moi, reprit-elle d'une voix posée. Vous avez déjà suffisamment de tracas. Je ne devrais pas vous ennuyer avec toutes ces choses. C'est juste que...

Elle hocha la tête puis ses lèvres esquissèrent un autre de ses sourires fugaces. Elle lui adressa alors un vague signe de la main avant de repartir le long du quai.

Il ne chercha pas à la retenir. Ce n'était pas son rôle. Il ne lui restait rien à ajouter à leur conversation, d'ailleurs il le regrettait. Il était aussi perplexe qu'elle.

Il s'aperçut aussi qu'il se sentait mieux. La perplexité est moins pesante lorsque quelqu'un d'autre la partage. C'est toujours la même rengaine : un malheur est moins lourd à porter à plusieurs. La moindre présence apaisait l'angoisse de Noah... jusqu'à ce qu'elle se concentre sur un autre sujet. C'est ce qui se produisit le jeudi suivant à la fin de l'enterrement de son père.

4.

Le cimetière de Big Sawyer se trouvait au sommet d'une colline surplombant la mer. Un artisan des environs avait sculpté les monuments funéraires dans le granit abondant sur l'île. À quelque distance se dressait une petite chapelle bâtie en pierre car une chapelle en bois exposée aux intempéries en haut d'une éminence n'aurait pas résisté aux assauts répétés du vent, de l'air marin et de la pluie, or tout ici se devait de durer. « L'éternité », tel était le maître mot.

Des victimes de l'accident, seuls les Walsh, Todd Slokum et Artie Jones reposeraient près de leurs familles sur le continent. Les autres, tous issus de familles d'insulaires, seraient enterrés à Big Sawyer. Les habitants de l'île au grand complet ou presque assisteraient à leurs funérailles. Celles de Dar Hutter se déroulèrent le lundi matin ; celles de Greg Hornsby, l'après-midi et celles de Grady Bratz, le lendemain en début de journée, dans un brouillard rappelant les circonstances de leur mort. Julia demeura au côté de Zoe pendant la majeure partie des cérémonies. En ces instants, elle appartenait à la communauté autant que le pouvait une personne venue de l'extérieur. Julia ne se sentait exclue qu'une fois les oraisons funèbres prononcées, lorsque Zoe s'en allait parler à des amis.

Alors, plutôt que de rester à côté de sa tante, elle se promenait jusqu'au bord du cimetière d'où elle contemplait l'océan. Dont le spectacle l'apaisait, comme si elle entretenait avec lui une familiarité qu'elle ne partageait pas avec les habitants, comme si un lien particulier l'unissait à l'Atlantique. Il en allait de même avec Noah. Elle ne lui parlait pas, mais elle savait qu'il était là et cela suffisait à la remettre d'aplomb.

L'enterrement de Hutch eut lieu après tous les autres, le jeudi après-midi à 16 heures, afin que les pêcheurs de homards puissent y assister au retour de leur journée de travail.

Le déroulement de la cérémonie ne changea pas en ce qui concernait Julia. Elle ne faisait ni plus ni moins partie de l'assemblée que lors des précédents enterrements. Pourtant, celui-ci revêtait à ses yeux une signification particulière. Elle n'avait jamais rencontré Hutchinson Prine. Dans son souvenir, elle ne parvenait pas plus à le distinguer des gens massés à la poupe de l'*Amelia Celeste* que n'importe quelle autre victime. Pourtant elle se sentait liée à son fils. Peu lui importait, cette fois, de se retrouver en marge de la foule. Elle fut même suffisamment à l'aise pour rester après le départ de Zoe. Sa tante ne voulait surtout pas manquer l'arrivée du ferry de l'après-midi car le frère de Todd Slokum venait récupérer ses affaires.

Julia se mit au bout de la file des assistants désireux de présenter leurs condoléances à Noah. Le soleil venait de percer le brouillard pour la première fois depuis deux jours. Ses rayons chauffaient les arbres à flanc de colline, diffusant la senteur des pins et des épicéas jusque dans le cimetière.

En avançant lentement sur la pelouse, le long des pierres tombales en granit, Julia songea aux paroles prononcées à propos de Hutch. Un homme loyal, avait dit un ami. Quelqu'un d'indépendant, avait ajouté un autre. De capable, avait renchéri un troisième.

Elle se surprit à se demander ce qu'on aurait dit d'elle dans le cas où elle serait morte. Une épouse loyale, sans doute. Une mère aimante. Une maîtresse de maison tout à fait capable. Une femme obéissante.

L'adjectif « obéissant » ne passait pas forcément pour un compliment, mais il s'appliquait parfaitement à Julia. Celle-ci s'était montrée obéissante envers ses parents puis envers ses frères ainsi qu'à l'école et dans sa vie conjugale. Oh oui ! Le terme la dépeignait à la perfection. Monte, de dix ans son aîné, voulait des enfants, et Julia lui avait donné satisfaction. Des fausses couches succédèrent à la première grossesse et lorsque tous deux comprirent qu'ils ne pourraient pas donner de frères ou de sœurs à leur fille, Monte avait déjà suffisamment réussi dans le monde de la haute finance pour avoir besoin auprès de lui d'une maîtresse de maison, rôle dont Julia s'acquittait sans se départir de sa docilité.

À vrai dire, songea-t-elle en approchant de la fin de la queue, ces deux semaines de vacances à Big Sawyer sans Monte devaient correspondre à ce qu'elle avait accompli de plus indépendant dans toute sa vie. Monte n'en paraissait pas contrarié pour autant. Comme promis, il venait de lui envoyer un paquet contenant tout ce dont elle aurait besoin pour le reste de son séjour : de l'argent, des cartes de crédit, un jeu de clés de voiture, un nouveau téléphone portable.

Loyale. Aimante. Capable. Obéissante. Quoi d'autre ? Elle avait le sentiment qu'il manquait quelque chose. Mais aucun qualificatif ne lui venait à l'esprit.

Après le départ de la personne qui la précédait, elle se retrouva face à Noah. Il portait un sweat-shirt et des pantalons à pinces, l'équivalent du costume cravate pour les habitants de l'île. Ses habits semblaient de bonne qualité, adaptés à sa haute stature, bien ajustés à son corps robuste et à ses longues jambes. Quelques fils gris striaient sa chevelure noire et de petites rides cernaient ses yeux, des rides qui s'expliquaient plus par l'exposition au grand air que par son âge. Le soleil printanier avait hâlé son visage qui donnait néanmoins l'impression d'avoir perdu ses couleurs depuis quelques jours. Il posa sur elle ses yeux bleus, de la teinte sombre de l'océan, au regard infiniment las.

Elle éprouva le même soulagement qu'à chacune de leurs rencontres. Le sourire qu'il esquissa à son intention la toucha par sa gentillesse. Certes, on le devinait à peine, il s'agissait plutôt d'une contraction que d'un sourire mais il adoucit ses traits, l'espace d'une seconde.

— Toutes mes condoléances.

— Merci. Et merci aussi pour le dîner. Je n'en ai pas laissé une miette.

— Les conseils que je vous avais donnés pour le réchauffer ont été efficaces ?

— Je ne sais pas. Je n'ai même pas pris la peine de le réchauffer.

Julia ne put s'empêcher de sourire.

— Par paresse ou par faim ?

— Par faim.

— Je me réjouis d'avoir servi à quelque chose.

Elle jeta un coup d'œil à un trio d'ouvriers en train de descendre le cercueil au fond de la fosse. En portant de nouveau les yeux sur Noah, elle remarqua qu'il les observait, lui aussi, et lut dans son regard un sentiment d'horreur.

— C'est le plus difficile, remarqua-t-il d'une voix calme.

— Peut-être préféreriez-vous rester seul.

Il lui décocha un bref coup d'œil.

— Non. Restez.

Ils virent le cercueil descendre au fond du trou. Il s'y posa en douceur. Les ouvriers libérèrent les cordes avec des gestes mesurés.

— Je parie que vous ne vous attendiez pas à passer vos vacances à des enterrements, murmura-t-il.

— Je n'aurais jamais rien imaginé de pareil. Quelle ironie, franchement ! Je suis toujours mal à l'aise en avion. En vol, je m'agrippe aux bras du siège en m'attendant à ce qu'un accident se produise. Mais naviguer ? Rien de plus sûr. Ça montre à quel point je m'y connais...

— Il n'y a rien à craindre, la plupart du temps. Du moins à bord d'un bac. Les pêcheurs doivent tenir compte des risques liés aux intempéries. Une grosse vague peut vous renverser en un rien de temps. Même les plus aguerris se laissent prendre par surprise. Si votre heure a sonné, c'est une manière honorable de s'en aller. Mon père aurait préféré ça.

Julia le comprenait tout à fait. Sa vie durant, elle avait fréquenté des intellectuels alors que les hommes comme Noah et son père ne comptent que sur la force de leurs poignets. Trouver la mort dans un duel contre les éléments naturels était une chose, périr à cause d'un bateau en excès de vitesse était beaucoup moins noble.

Monte, à la barre de l'*Amelia Celeste*, se serait enorgueilli, non d'aller plus vite qu'Artie Jones mais de se montrer plus malin que lui. Bien entendu, Monte n'aurait jamais tenu la barre de l'*Amelia Celeste*. Jamais la mort ne l'aurait surpris dans ce genre d'entreprise. Son père était docker à Boston et Monte ne voulait plus avoir affaire au moindre travail manuel.

Noah regarda soudain par-dessus la tête de Julia. En se retournant, elle aperçut l'officier de police John Roman en train de gravir la colline en direction du cimetière. Ce cousin de la famille Crane, quoique bien plus grand et plus corpulent que Matthew, avait le même regard débonnaire. Son allure déterminée indiquait qu'il devait avoir un but précis en tête.

Julia se dit que ce n'était sans doute pas elle qu'il cherchait. Elle s'était entretenue avec lui le week-end passé sans pouvoir lui apprendre quoi que ce soit. Il avait pourtant paru satisfait.

Le regard de John Roman intercepta celui de Noah. Lorsqu'il fut près d'eux, il ôta sa casquette puis lança, le souffle court :

— Désolé, Noah. Je voulais assister à l'enterrement mais on a découvert du nouveau au port. Je n'ai pas pu me libérer plus tôt. Vous êtes au courant ? ajouta-t-il en se tournant vers Julia.

— Au courant de quoi ?

— On a retrouvé une partie de vos affaires.

Elle aurait voulu manifester de l'enthousiasme. Quelqu'un s'était démené pour récupérer ses sacs. Mais elle se sentait aussi détachée de ses effets personnels que de son existence quotidienne. Elle ne parvint qu'à articuler un « Ah bon ? » curieux.

— On a repêché un sac d'habits en lambeaux, mais votre portefeuille est intact. Je reviens de chez le médecin légiste, poursuivit-il à l'adresse de Noah. Il vient de terminer l'autopsie d'Artie ; il y a un hic.

— Il ne s'agirait donc plus de son cœur ?

— Si. Il a cessé de battre avant la collision, mais dans des conditions particulières. Artie ne souffrait pas de problèmes cardiaques. Sa femme a bien insisté là-dessus. Alors le médecin a examiné certaines blessures pour voir si elles auraient pu causer l'arrêt du cœur. Il supposait que les plaies provenaient de débris projetés lors de l'explosion.

John Roman s'interrompit pour secouer la tête d'un air incrédule.

— Il s'agit en réalité de blessures par balle.

— Par balle ? répéta Noah.

Julia prit à son tour conscience de ce qu'impliquait une telle révélation.

— Par balle, confirma l'officier de police.

— Des petites querelles éclatent bien de temps en temps dans les environs, déclara Noah en fronçant les sourcils. Certaines même ne sont pas si petites que cela. Mais prétendre qu'un homme a été victime d'un arrêt cardiaque à cause d'une blessure par balle suppose un meurtre. Jamais encore nous n'avons été confrontés à une chose pareille.

— Et c'est à moi que vous le dites ! releva John avec un rire sans joie. Les autorités comptent sur un seul officier pour s'occuper de tout le secteur. Les problèmes qu'on rencontre ici ne dépassent jamais le cadre d'une petite guerre des balises.

L'éventualité d'un meurtre stupéfia Julia. Elle se demandait ce que signifiait l'expression « guerre des balises » et si elle s'était complètement trompée sur l'île lorsque Noah s'enquit :

— On en est absolument certains ?

— Il a été blessé à l'épaule. Le projectile a fracturé l'os avant de ressortir de l'autre côté mais sa présence ne laisse aucun doute.

— Il s'agit bien d'une balle et non d'un débris du bateau, insista Noah.

— D'une balle, oui.

— La blessure remontait peut-être à un certain temps ?

— Non, impossible, compte tenu du type de fracture. Artie aurait dû se faire soigner.

— Il n'aurait pas pu la recevoir la veille, par exemple ?

— Nan. Il n'aurait pas pu se passer de soins aussi longtemps.

— Mais il aurait pu se faire tirer dessus à terre et monter à bord du *Fauve* ensuite seulement ?

— C'est peu probable.

— Ce qui veut dire, conclut Noah, qu'il se trouvait sur son bateau lorsqu'il a reçu l'impact. Quelqu'un l'accompagnait ?

— J'allais vous poser la question, reprit John en s'adressant à Julia autant qu'à Noah. Réfléchissez bien. Auriez-vous aperçu quelque chose dans le brouillard ? Pendant qu'Artie contournait l'*Amelia Celeste* ? Au cours des quelques secondes précédant la collision ? Un indice quelconque, trahissant la présence d'un passager à bord ?

Julia tenta de se remémorer les instants fatidiques dans l'espoir de remarquer un détail jusqu'à présent indistinct mais la seule image qui se présenta à son esprit était celle qui la réveillait toujours au beau milieu de la nuit.

— Non, rien que la proue rouge foncé jaillissant du brouillard.

— Une véritable purée de pois enveloppait la mer ce jour-là, rappela Noah. Greg naviguait à l'aide de ses instruments, tant la visibilité était mauvaise. La première fois, on a juste entendu *le Fauve*. La seconde... Vous savez à quoi ressemblent ces bateaux de course : un profil aérodynamique au possible. La cabine de pilotage se trouvait bien à quatre ou cinq mètres de la proue. Notre regard ne portait pas aussi loin.

— Et le bruit ? Vous n'avez pas entendu de coup de feu ?

— Par-dessus le rugissement des moteurs ?

Julia secoua la tête en signe de dénégation.

— Le bateau a tracé un arc de cercle autour de nous avant de mettre le cap au nord, expliqua Noah. On n'entendait rien à ce moment-là. Sans compter que le bac lui-même faisait du bruit à cause de son moteur et des vagues contre la coque. Impossible de distinguer une détonation. Mais la femme d'Artie ? Vous lui avez demandé si quelqu'un l'accompagnait ?

— Elle prétend que non. Les plongeurs vont maintenant chercher une arme. Et un autre corps, au cas où il y aurait eu un passager à bord.

— Seul le brouillard nous empêche d'envisager l'hypothèse d'un tireur posté sur un autre bateau, ou même sur le rivage.

— Peut-être s'agit-il d'un accident, suggéra Julia. Artie pouvait conserver une arme à feu à bord, dont le coup serait parti par inadvertance, parce qu'il a marché dessus ou qu'il l'a manipulée.

Comme aucun des deux hommes ne répondait, Julia poursuivit :

— On lui connaît des ennemis ?

— Non, d'après son épouse. Qu'en penses-tu ? demanda John à Noah.

Les yeux rivés à la tombe de Hutch à demi pleine de terre, Noah réfléchit quelques secondes avant de s'exprimer.

— J'ignore quel genre de personne c'était. Des ennemis, ici ? Je crois que son bateau horripilait la plupart d'entre nous mais rien de plus. Pas de quoi tuer quelqu'un.

— Et Kimmie ? reprit John. Quelqu'un aurait pu commettre un meurtre à cause d'elle ?

Julia tentait d'établir le lien lorsque John répondit lui-même :

— Nan. Ça ne colle pas. Ce serait tout de même une sacrée coïncidence que quelqu'un tire sur Artie par amour pour Kimmie puis qu'elle manque de mourir à bord de l'*Amelia Celeste*.

— Elle reparle ? demanda Noah.

— Pas encore. Bon, je vais y aller. J'aurais au moins voulu assister à la fin de la cérémonie. Hutch était quelqu'un de bien.

Il gratifia Noah d'une petite tape sur l'épaule puis se recueillit sur la tombe une bonne minute avant de s'en retourner.

— Kimmie ? s'étonna Julia, aussitôt John hors de portée.

Noah poussa un soupir excédé.

— Une rumeur prétend qu'elle avait une liaison avec Artie.

— Vraiment ?

— Il faudrait poser la question à Kimmie. Un tas de rumeurs circule à propos des Colella.

— Il s'agissait pourtant d'un homme marié ?

Artie Jones avait quatre enfants.

— Oui.

— Alors, qu'en pensez-vous ? A-t-on bien en présence d'un meurtre ?

Noah détourna le regard.

— Je cherchais un responsable à l'accident. Voilà qui devrait faire l'affaire. Sauf que ça ne changera rien à l'issue de la catastrophe.

Il se dirigea vers la tombe de son père en se mordillant les lèvres. Les ouvriers finissaient leur travail. Il les regarda jeter les dernières pelletées de terre puis serra la main à chacun. Après leur départ, il resta planté là.

Julia observait la scène. Elle finit par se sentir un peu mal à l'aise et fit mine de s'en aller. C'est alors qu'il lui dit :

— Attendez ! J'arrive.

— Oh, ne vous dérangez pas. C'est votre dernier tête-à-tête.

Elle venait à peine de passer la porte du cimetière qu'il la rejoignait déjà. Quelques secondes plus tard, un magnifique chien au pelage blanc et roux gravit la colline et se mit à gambader autour de ses jambes.

— Il est à vous ?

— Oui. Il s'appelle Lucas. La disparition de mon père lui fait sûrement plaisir parce qu'ils ne s'entendaient pas très bien, tous les deux.

— Quel chien remarquable ! s'étonna Julia, en admiration devant sa queue en panache, sa poitrine blanche et son museau parsemé de taches de couleur. Il est de quelle race ?

— C'est un retriever de Nouvelle-Écosse.

— Un nom bien savant pour un chien aussi remuant, fit-elle observer en esquissant un drôle de sourire.

Noah s'interrompit dans sa marche pour gratter les oreilles du chien. L'animal leva vers lui des yeux ravis.

— Les chiens comme lui servent à piéger les canards. Ils gambadent sur le rivage pour distraire leur attention, le temps que le chasseur épaule son fusil. Comme on ne chasse pas le canard par ici, ce chien n'arrête pas d'aller et venir le long du quai, ou d'un bout à l'autre du pont, sur le bateau. Il aime bien l'eau, ce qui pose parfois problème lorsqu'il se lance à la poursuite d'une mouette dans une mer agitée.

À l'instant précis où Noah se redressa, le chien s'élança au bas de la colline, aux trousses du camion emportant les ouvriers du cimetière. Seuls stationnaient encore à proximité la petite Plymouth de Zoe et le pick-up bleu nuit de Noah.

Ils se remirent en marche.

Julia observa le chien. Il suivit le camion une minute, s'en détourna pour pourchasser un oiseau avant de se laisser distraire à nouveau et de repartir vers le bois.

— Il ne s'arrête donc jamais ?

— De temps en temps. Il a sans doute dormi à l'arrière de la camionnette pendant la cérémonie.

Ils descendaient maintenant la colline. Noah semblait absorbé par ses pensées mais le silence ne leur pesait pas. Le soleil, présent depuis peu, tempérait à merveille la brise en provenance de l'océan. Des arbres leur parvenaient des chants d'oiseaux, suffisamment proches pour couvrir le bruit des vagues. Julia inspira à fond et se détendit.

Ils étaient presque arrivés à la voiture lorsque Noah reprit :

— Je n'arrête pas de penser à ce que ses amis ont dit. À propos de son caractère. Je me demande ce qu'on raconterait de moi si je mourais.

Julia ne s'étonna pas de cette coïncidence entre leurs pensées. Quoi de plus normal après avoir frôlé de si près la mort ?

— Alors, que diraient vos amis ?

— Rien de bien intéressant. Je suis quelqu'un d'ordinaire.

— Où est le mal ?

— Je me dis que je pourrais faire mieux, reprit-il, ému.

Il s'interrompit. Julia attendit la suite mais il fronça les sourcils, les yeux rivés à la route en contrebas. Soudain, il posa son regard sur elle.

— Et vous ? Quels qualificatifs emploierait-on à votre sujet ?

— Loyale. Aimante. Capable. Obéissante.

Les mots étaient encore tout frais dans sa mémoire.

— Obéissante ?

— Je suis quelqu'un de très docile. Du moins je l'étais, ajouta-t-elle en souriant à demi. Je ne me reconnais plus dans ce portrait, ces temps-ci.

— Comment ça ?

— Le fait que je me trouve à Big Sawyer, pour commencer. J'innovais en décidant de passer deux semaines chez Zoe. Je ne m'étais encore jamais séparée de mon mari aussi longtemps. Il est... dépendant.

— Physiquement ?

— Non.

Elle s'apprêtait à nuancer : « Émotionnellement » mais il ne s'agissait pas de cela.

— Du point de vue de l'organisation, finit-elle par ajouter. Puis, peu soucieuse de développer, elle se hâta de préciser : Ma mère pense que je devrais retourner à New York à cause de l'accident. Mais je ne veux pas renoncer à mes vacances, alors que ce n'est pas mon genre, avoua-t-elle en esquissant un sourire teinté d'autodérision. Je n'ai pas un tempérament indépendant. Pas comme vous tous ici sur l'île. À cause de l'atmosphère, sans doute ? Je me sens comme étrangère à moi-même.

Elle venait d'offrir à Noah une ouverture. Elle aurait aimé poursuivre la conversation sur ce sujet. Après tout, seul Noah partageait son expérience. Sans oublier Kimmie Colella, bien sûr. Mais Kimmie ne parlait plus.

Noah ne saisit pas la perche. La déception de Julia ne dura pas car il lui adressa aussitôt un sourire bien sympathique pour un homme aussi taciturne en apparence.

— À cause des vêtements de Zoe ? suggéra-t-il.

Julia portait en effet le pantalon et le pull-over en angora gris anthracite de sa tante. Elle en saisit un pan entre le pouce et l'index. Des rubans bleus répartis au petit bonheur le décoraient.

— Alors c'est le pull qui m'a trahie ?

— On reconnaît tout de suite ce qui appartient à Zoe, commenta Noah sans la moindre trace d'ironie. Peut-être vous sentirez-vous plus vous-même dans vos propres habits.

Julia ne le croyait pas. Ou plutôt elle ne savait plus très bien si elle désirait encore retrouver sa personnalité d'avant. Avec le recul, elle se rendait compte de sa fadeur. Les gens dignes d'intérêt ne se contentent pas de jouer les seconds couteaux. Ils ne se fondent pas dans la masse et ne s'en remettent pas systématiquement à leurs conjoints. Ils ne choisissent pas la prudence à tout prix.

Julia trouvait bien des lacunes à celle qu'elle était autrefois.

L'apparition de la camionnette de Zoe au bas de la route la dispensa toutefois de se confier à Noah. Après quelques cahots intempestifs, le véhicule s'immobilisa.

— On dirait un problème de boîte de vitesses, suggéra Noah.

Ce ne fut pas Zoe qui sortit de la camionnette mais une jeune fille à la silhouette menue ressemblant trait pour trait à Molly, à une exception près.

— Non, non. Je crois plutôt que c'est ma fille qui ne sait pas comment manipuler un levier de vitesses.

Elle s'avança de quelques pas dans l'herbe sans en croire ses yeux puis se mit à courir lorsqu'elle reconnut bel et bien Molly malgré sa coupe de cheveux à la garçonne.

Molly quant à elle resta figée sur place. Son visage arborait une expression horrifiée.

L'enthousiasme de Julia se mua en inquiétude. Molly avait hérité de sa mère ses cheveux blonds et sa frêle carrure mais pas ses yeux noisette ni son teint clair. Ses yeux noirs comme ceux de Monte semblaient à présent rougis.

— Qu'est-ce qui ne va pas ? s'inquiéta Julia.

— Qui est cet homme ? demanda Molly.

— Noah Prine. Il a réchappé de l'accident en même temps que moi. Nous venons d'assister aux funérailles de son père. Qu'est-ce qui ne va pas, ma chérie ?

Un court silence lui répondit.

— Rien, déclara enfin Molly d'une voix tendue.

— Hier matin tu étais encore à Paris !

Elles avaient même discuté par téléphone.

— C'est nouveau ? demanda-t-elle en effleurant la tête de sa fille.

— C'est la coupe à la mode, là-bas. Je pensais que ça m'irait à merveille.

— Mais oui ! Je suis surprise, voilà tout. Tu as toujours eu les cheveux longs. Je ne m'y attendais pas.

Molly décocha un rapide coup d'œil à Noah puis elle fixa de nouveau toute son attention sur Julia.

— Moi non plus. Quel drôle d'effet de te voir avec un autre homme que papa !

Ses yeux se remplirent de larmes.

— Les hommes sont si méchants.

À deux doigts de s'effondrer, elle passa les bras autour du cou de Julia et, sans cesser de sangloter, serra sa mère plus fort qu'elle ne l'avait fait depuis bien des années.

Les pensées de Julia suivirent une bonne douzaine de directions à la fois.

— Que s'est-il passé ?

— Rien.

Julia la retint un instant.

— Dans ce cas, tu serais toujours à Paris. Pourquoi as-tu… Quand… ?

— Hier soir, répondit Molly, en écrasant quelques larmes sur sa joue du revers de la main. Je n'arrêtais pas de me dire que j'avais un travail nul, un patron infect. Je trouvais mes colocataires égoïstes et odieux. Pendant ce temps-là, toi, tu venais de frôler la mort. Je ne pouvais pas rester là-bas alors que tu avais besoin d'une présence à tes côtés ! Sauf que j'ai dû atterrir à Chicago et le vol en direction de New York avait deux heures de retard ; le temps que je prenne un taxi pour rentrer à la maison, il était déjà une heure du matin. Comme papa ne savait pas que je venais, on s'est disputés.

— À cause de tes cheveux ? s'enquit Julia, d'une voix où perçait un certain malaise.

Du coin de l'œil, elle vit Noah s'approcher de sa camionnette. Il leva la main, l'air de dire *on en discutera plus tard*.

— À cause des hommes ! s'écria Molly. De ce dont ils sont capables. Tout le monde se comportait d'une manière si abjecte au restaurant, maman. Ils n'auraient pas été plus désobligeants envers le premier imbécile venu. Comme s'ils m'accordaient une immense faveur en me laissant observer leur travail – ce qui était bel et bien le cas – mais ils étaient aussi censés me laisser travailler. Je veux dire que j'étais là, à leur disposition tout l'été, dans le cadre d'un stage non rémunéré et ils me manquaient de respect. Comme si c'était moi qui leur avais proposé de superviser un stage. Je ne viens pas de passer deux ans dans une école hôtelière juste pour avoir le droit de sourire et de dire oui amen et « *Vous êtes brillant, monsieur !* »

Julia fut étrangement soulagée.

— Pourquoi ne pas m'avoir dit que tout allait si mal ?

— Parce que je croyais que la situation s'améliorerait. Papa prétendait sans arrêt que je passerais, je cite, un été mémorable, et j'y repensais sans cesse. D'un autre côté, je me disais aussi que j'avais eu le choix. Je voulais rester à New York mais papa pensait que Paris ferait plus bel effet sur mon C.V. À quoi sert un C.V. quand on se sent malheureux ? Je n'étais pas heureuse, maman. J'aurais mieux aimé me retrouver n'importe où ailleurs.

Julia caressa ses courts cheveux blonds.

— Crois bien que je le regrette, ma puce. Tu aurais dû m'en parler.

— À quoi bon ? J'avais accepté ce stage et je serais sans doute restée de peur que papa ne me prenne pour une lâcheuse, et ça pas question ! Puis tu as eu cet accident et tout a changé. Il fallait que je m'assure par moi-même que tu allais bien.

— Donc tu as pris l'avion pour New York avec une correspondance à Chicago. Mais comment es-tu venue jusqu'ici ?

— J'ai pris l'avion jusqu'à Portland, puis un bus.

Julia ne s'en étonna pas. Molly avait toujours été pleine de ressources, surtout lorsqu'elle voulait faire ce que l'un de ses parents au moins désapprouvait. Julia se sentait fière du tempérament indépendant de sa fille. En cet instant, elle en éprouva aussi un soulagement. C'était bon de savoir que Molly pouvait se débrouiller seule, au cas où il arriverait quelque chose à Julia.

— Papa t'a donné de l'argent ?

— Je ne lui en ai même pas demandé. Je me suis servie de ma propre carte de crédit. Papa ne sait pas que je suis là. J'ai pris une douche, bouclé mon sac et je suis partie, voilà tout.

Le malaise de Julia refit surface. Elle se demanda si Molly ne lui cachait pas encore autre chose.

— Il t'a vue partir ?

— Oui, mais on n'a pas échangé un seul mot.

— Il ne t'a pas demandé où tu allais ?

— Si, mais je ne lui ai pas répondu.

— Il doit se faire un sang d'encre.

— J'en doute.

— Comment peux-tu dire une chose pareille ?

Molly s'adossa à la portière du véhicule. Ses cheveux coupés très court, ses trois boucles à chaque oreille et sa mine revêche lui donnaient un air de rébellion inaccoutumé.

— Il mène une vie très occupée, une vie centrée sur sa petite personne. Comme toujours. Tu te rappelles, la fois où il devait visiter des universités avec nous ? Ou la fois où il devait nous accompagner en vacances à Washington D.C. ? Ou la fois où il devait me servir de chaperon au bal de fin d'année ? Ou la fois...

Julia posa un doigt sur les lèvres de Molly afin d'interrompre son flot de paroles.

— On en a déjà discuté. Ça n'empêche pas qu'il t'aime. Je l'appellerai dès notre retour chez Zoe.

Elle jeta un nouveau coup d'œil à ses cheveux. Il lui faudrait un certain temps pour s'y habituer.

— Je suis désolée pour ton stage. Ça semblait une si belle occasion, d'autant plus qu'il comptait pour ton diplôme. Que vas-tu faire ?

— Retourner à New York avec toi et chercher autre chose. Je sais que c'est un peu tard. Mais je suis parfaitement capable d'obtenir ce que je veux.

— Je n'en doute pas !

Molly avait de qui tenir. Si Julia lui avait transmis son émotivité, sa fille avait hérité du dynamisme et du bagout de Monte.

— Seulement, il est possible que je reste ici un peu plus longtemps que prévu, ajouta Julia.

L'idée de prolonger son séjour avait déjà germé dans ses pensées depuis un certain temps mais elle ne se concrétisa pour de bon qu'en cet instant.

Molly fronça les sourcils.

— Je croyais que papa t'avait donné son accord pour deux semaines. La première vient de s'achever.

— Son accord ? reprit Julia en esquissant un sourire perplexe.

— Enfin... c'est ce qui était prévu.

— Oui, mais il y a eu l'accident. Je n'ai pas fait grand-chose de ce que j'espérais faire.

— Comme le stage de photographie ? Si tu as perdu ton matériel...

— Je sais. Je m'efforce de tirer les choses au clair. Je viens de passer une semaine riche en émotions, ajouta-t-elle en lançant un regard vers le sommet de la colline.

— Ça n'a pas été une partie de plaisir, n'est-ce pas ? Pour tante Zoe non plus. Elle m'a paru plutôt tendue quand je l'ai aperçue. À vrai dire, je ne pouvais pas croire qu'elle se trouvait sur le quai, à l'arrivée du ferry. J'ai vu ta voiture sur le continent, mais je ne possédais pas de jeu de clés, alors je suis descendue du bateau sur l'île et... C'était bien elle. Je me suis dit... qu'elle avait pressenti ma visite. Alors elle m'a expliqué qu'elle attendait quelqu'un d'autre. Maman, poursuivit-elle d'un ton grave en baissant la voix, le gars qui est mort n'était pas beaucoup plus âgé que moi.

— Je sais.

— Et son frère n'avait que quelques années de plus. Zoe a emprunté une autre camionnette pour me laisser la sienne. Elle m'a dit de venir te chercher ici.

Elle jeta un bref coup d'œil en direction du cimetière, comme venait de le faire Julia.

— On s'en va, maintenant ? Cet endroit me donne la chair de poule. En plus, il faut que tu téléphones à grand-père. Je lui ai passé un coup de fil en attendant le bus. Il m'a dit qu'il attendait de tes nouvelles.

Certes. Il avait demandé à Julia de le contacter à la fin de son e-mail. Aucun autre message n'avait suivi depuis, alors que ses amies Charlotte, Donna et Jane lui avaient toutes écrit. Julia avait même reçu un appel de son frère Jerry et de l'épouse de son autre frère, Mark. En revanche, aucune nouvelle de Janet ni de George. Si les parents de Julia partageaient un tant soit peu l'inquiétude qui avait poussé Molly à quitter la France pour rentrer à la maison, ils n'en laissaient en tout cas rien transparaître. Pas plus que Monte, d'ailleurs. Au diable l'inquiétude ! Si Julia manquait à Monte, lui non plus ne le manifestait pas.

5.

Dès son retour chez Zoe, Julia passa un coup de fil à Monte. Il lui répondit laconiquement par un simple « Oui ? » mais elle se réjouit au moins de l'entendre décrocher lui-même, ce qu'il ne faisait pas toujours.

— Salut ! dit-elle d'un ton aussi enjoué que possible. C'est moi.

Elle sourit à Molly debout à côté d'elle en train de se ronger un ongle.

— J'essaye de te joindre depuis ce matin, répondit-il, excédé. Tu as des soucis avec ton nouveau portable ou quoi ?

— Je l'ai laissé chez Zoe. J'ai passé la journée entière à des enterrements.

— Ça simplifierait les choses si tu écoutais au moins tes messages de temps en temps. Molly est revenue.

— Je sais, dit Julia. Elle est là, à côté de moi.

— Là ? Sur l'île ? Bon sang ! Comment est-elle arrivée ?

— Elle a pris l'avion jusqu'à Portland puis un bus jusqu'au départ du ferry.

— Ça va lui plaire, marmonna Molly.

— Un bus ? s'écria Monte. Tu as une idée du genre de types louches qu'on croise sur les bus dans le coin ?

— Je suppose que ces types louches, comme tu dis, les empruntent dans les deux sens de toute façon, non ?

Molly pouffa. Julia leva la main, soucieuse de calmer le jeu.

— Ah, fit Monte. On est d'humeur à plaisanter, aujourd'hui ? En tout cas, il n'y avait rien à tirer du discours de Molly à son retour ici hier soir. J'ignore si c'est parce qu'elle tombait de fatigue ou qu'elle avait pris quelque chose en France mais ce qu'elle disait n'avait pas de sens. Que t'a-t-elle raconté ?

Julia ne crut pas une seule seconde que Molly ait pu « prendre quelque chose ». Elle connaissait bien sa fille. Toutes deux se sentaient plus proches que la plupart des mères et des filles, ce dont elle se félicitait d'ailleurs. Si Molly avait mal agi, c'était uniquement à cause de son extrême fatigue... ou de Monte.

— Elle m'a parlé d'une dispute entre vous. Elle prétend que son retour prématuré t'a contrarié.

Un silence rapide comme l'éclair accueillit ses paroles.

— Pas toi ? reprit Monte d'un ton vif. Il s'agissait pourtant d'un excellent stage.

— Molly ne partageait pas cet avis.

— Elle n'a que vingt ans. Qu'est-ce qu'elle en sait ?

Julia se braqua, par considération pour sa fille. Elle se tourna avant de répondre à Monte avec une virulence qui ne lui était pas coutumière :

— Dans un pays en guerre, les garçons de son âge manipulent déjà des armes mortelles. Qu'on lui fasse donc un peu confiance ! Nous n'étions pas à Paris. Nous n'avons pas vu ce qui se passait. Elle avait le sentiment que ce stage ne lui apporterait pas l'expérience attendue et que je serais ravie de la voir débarquer pour s'assurer par elle-même que j'allais bien. Elle ne s'est pas trompée.

— Bien sûr que tu vas bien, répliqua Monte d'un ton détaché. Tu finis toujours par t'en sortir. Sinon, tu as bien reçu le paquet que je t'ai envoyé ? Ç'aurait été gentil de ta part de me le confirmer.

Julia se mordit la langue. Monte savait pertinemment que son colis lui était parvenu. Il l'avait confié à FedEx comme tous les autres documents qui comptaient à ses yeux. À l'entendre, il confierait même sa vie à FedEx !

— Je te remercie.

— La carte de crédit et l'argent liquide sont bien arrivés ?

— Oui. J'ai tout trouvé dans ton colis. Merci.

— Et les clés de la voiture ? Tu l'as conduite sur l'île ?

— Pas encore, non.

— Pourquoi ? Je croyais que tu voulais l'amener sur l'île pour ne pas avoir à conduire la camionnette de Zoe.

Monte avait raison. Julia ne savait pas mieux se servir d'un levier de vitesses que Molly, or elle se sentait moins téméraire que sa fille.

— Jusqu'à présent, j'ai circulé dans une vieille voiture qu'un ami prête à Zoe mais je n'ai pas été bien loin, de toute façon. Rien qu'à des enterrements. Je viens d'assister au quatrième en deux jours.

Tu te rappelles, l'accident ? avait-elle presque envie de lui demander. *Comment peux-tu te soucier de téléphones portables et de clés de voiture quand neuf personnes sont mortes ?*

— Puisque tu n'utilises pas la voiture, j'aurais pu m'en servir moi-même.

Pour aller où ? se demanda-t-elle. Monte avait précisé plus d'une fois qu'il ne quitterait pas la ville au cours des deux semaines que durerait son absence et que les taxis lui suffiraient, mais lui rappeler sa remarque en cet instant fournirait le prétexte à une discussion où Julia risquait fort d'avoir le dessous. Monte était passé maître en joutes verbales.

Julia, quant à elle, savait mieux que personne refouler ses sentiments. Elle bouillonnait en son for intérieur, pourtant c'est d'une voix posée qu'elle répondit :

— Je vais aller chercher la voiture. Maintenant que Molly est là, je n'ai plus de raisons de ne pas le faire.

— Elle reste auprès de toi, alors ? C'est une bonne chose. Revenir ici n'aurait pas de sens. Elle ne trouvera pas d'autre stage avant un certain temps. Il vaudrait mieux qu'elle prolonge son séjour d'une semaine.

Julia n'évoqua pas encore la possibilité pour elle de rester plus longtemps.

— Je ne pourrais pas avoir l'œil sur elle, ici. Il y a trop à faire. Elle t'aidera à dépenser l'argent que je viens d'envoyer. Je t'ai dit que notre assurance couvre le matériel photo ? Vois si tu ne peux pas t'en racheter sur l'île. Ce gars, ce Himmel, saura bien où en trouver, lui.

— Hammel.

— Alors, c'est décidé ?

— Je verrai.

— Pourquoi pas ? Tu appréciais tant ton matériel photo ! Apprends à l'utiliser, ça te servira d'exutoire.

Julia songea en son for intérieur qu'un appareil photo tout ce qu'il y a de plus basique lui aurait rendu les mêmes services.

— Tant qu'on y est, appelle aussi ton père, d'accord ? poursuivit Monte. Il a passé un coup de fil hier, il voulait savoir pourquoi tu ne l'avais pas rappelé.

— Il n'a jamais tenté de me joindre, rétorqua Julia, à demi contrariée.

— Peut-être que si. De toute façon, tu ne réponds pas à ton portable. Fais-moi plaisir, Julia, garde-le auprès de toi, s'il te plaît. Je me fiche de ce que les portables soient bien vus ici ou non. Les gens qui comptent dans ta vie apprécieraient de pouvoir te joindre. Entendu ?

— Entendu.

Elle raccrocha, exaspérée par le ton condescendant de Monte, puis consulta son répondeur vocal. Elle n'y découvrit que trois messages de Monte, chaque fois plus énervé, mais aucun de son père. Pas de doute : il avait composé son numéro sans daigner s'adresser à sa messagerie. Cette constatation ne fit qu'ajouter à sa tristesse.

Elle songea un instant à remettre son coup de fil à plus tard. La contrariété que venait de lui causer Monte lui donna toutefois le courage de contacter son père. De toute façon, si jamais elle ne s'exécutait pas, elle devrait se justifier devant Molly.

Les vieilles habitudes se révèlent parfois tenaces. Son estomac se noua en entendant la sonnerie du téléphone. Elle se sentit encore plus mal lorsque lui parvint la voix de sa mère.

— Allô ?

— Maman ? C'est moi.

Un silence lui répondit à l'autre bout de la ligne. Aussitôt, pleine d'espoir, elle ajouta :

— Parle-moi, maman. S'il te plaît, dis-moi quelque chose.

Mais George prenait déjà la parole.

— Julia ? On a tenté de te joindre à maintes reprises. Pourquoi n'as-tu pas appelé plus tôt ?

— Il s'est passé pas mal de choses ici, avoua Julia, déstabilisée.

— Quel genre ?

La question, anodine sans doute, la blessa malgré tout. La contrariété de Julia refit surface. Elle avait beau se maîtriser mieux que personne, il lui était impossible de ne pas réagir à un commentaire aussi sarcastique. Réfrénant sa colère, elle répondit :

— Il y a eu un accident, papa. Neuf personnes ont trouvé la mort. Huit enfants, deux épouses, une fiancée et des douzaines de parents, de frères et d'amis viennent de perdre leurs proches. Lorsque je n'assistais pas à un enterrement, je cuisinais pour les familles des disparus, sinon j'aidais Zoe dont l'assistant a péri lui aussi. Effectivement, il s'est passé pas mal de choses ici.

Malgré ses efforts pour conserver son calme, elle venait d'élever la voix. Ça ne lui ressemblait pas. Non, pas du tout. Même Molly semblait ne pas en revenir.

Son père se rétracta sur-le-champ.

— Je comprends, Julia. Seulement, nous attendions ton coup de fil. Il est normal que l'on s'inquiète, en tant que parents.

— Maman aussi ?

— Mais oui.

— C'est pour cette raison qu'elle t'a passé le combiné ?

— Julia...

— Si tu t'inquiétais, pourquoi ne pas m'avoir appelée ?

George ne répondit rien et Julia regretta ses paroles. Elle n'avait pas pour habitude de tenir tête à qui que ce soit, surtout pas à son père.

— Désolée, papa. Nous venons de vivre des moments assez éprouvants, ici. Il ne s'agit pas d'un simple accident de voiture sur le périphérique. Big Sawyer est une petite île. Tout le monde connaît tout le monde. Lorsque neuf personnes disparaissent, cela fait un choc.

— J'imagine, dit-il d'un ton sincère. Combien d'enterrements doivent encore avoir lieu ?

— Ici, plus aucun. Les autres se dérouleront sur le continent.

— Tu rentres à la maison, dans ce cas ? suggéra-t-il d'un ton soudain plus joyeux.

— Pas encore.

Un silence s'installa, qu'il rompit, manifestement surpris :

— Pourquoi pas ? Tu es déjà là depuis une semaine.

Julia entendit quelqu'un murmurer, probablement sa mère, sans parvenir à comprendre ses paroles. Déterminée à ne pas céder, elle rétorqua :

— Il était prévu que je reste deux semaines. En plus, je peux me rendre utile ici. Il reste encore pas mal de choses à faire.

— Qu'en dit Monte ?

— Il m'approuve. Il se sent à peu près autant concerné que maman et toi par l'accident.

Ses paroles étaient empreintes d'une telle ironie qu'elle en fut la première étonnée. Elle ne revint pas dessus et ne fit aucun effort pour combler le silence qui s'installa.

— Je ne suis pas certain de te comprendre, déclara enfin gentiment George, auprès de qui Janet se trouvait à coup sûr.

Julia n'hésita pas à s'expliquer. Peu lui importait la présence de Molly à ses côtés. Ce n'était plus une enfant. Autant qu'elle sache ce que sa mère éprouvait.

— L'accident a été l'expérience la plus traumatisante de toute ma vie. Je ne sais pas pourquoi vous avez tant de mal à le comprendre, maman et toi. J'aurais très bien pu y rester, moi aussi.

— Ne dis pas ça ! s'écria Molly.

— Ne dis pas ça, se hâta d'ajouter son grand-père d'une voix où perçait toute la gravité de son âge. Tu es bien vivante. C'est tout ce qui compte.

— Non. Justement, non, poursuivit Julia en s'efforçant de se faire comprendre. Je ne suis pas morte, mais j'aurais très bien pu mourir. Alors pourquoi non ? Il doit y avoir une raison.

— Mais non, voyons. Tu as eu de la chance, voilà tout.

— Il y a forcément une raison, reprit-elle avec conviction. Seulement, je n'ai pas encore découvert laquelle. De toute façon, je vois les choses sous un autre angle à présent.

— Quelles choses ?

— Hum... qui je suis, ce que je fais de ma vie, ce que les gens diront de moi après ma mort.

— Maman ! glapit Molly.

— Après ma mort, répéta Julia en écartant le combiné, mais je n'ai pas l'intention de mourir de sitôt. Note bien la nuance.

— Quelle nuance ? demanda George lorsqu'elle colla de nouveau le combiné contre son oreille.

— J'ai quarante ans, expliqua-t-elle en soutenant le regard de Molly. Si Dieu le veut, je vivrai encore quarante ans. Il faut que j'en profite au maximum.

— Tu as des doutes en songeant aux quarante premières années de ta vie ? s'enquit George, haussant le ton pour couvrir un murmure de plus en plus sonore en arrière-plan avant de lâcher un « chut » impatient.

— Non, assura Julia qui se reprit aussitôt. Ou plutôt si, du moins en partie.

George s'adressa en aparté à Janet, d'un ton moins indulgent qu'auparavant.

— Si maman a quelque chose à me dire, suggéra Julia, pourquoi ne prend-elle pas le téléphone ?

— Oui, pourquoi ? demanda Molly. Pourquoi ne veut-elle pas te parler ?

— Tu connais la raison, marmonna George à l'autre bout du fil.

— Pas du tout, répliqua Julia. Nous savons tous qu'elle et Zoe se sont disputées mais j'ignore à propos de quoi. Entretenir sa rancœur si longtemps n'a pas de sens. Zoe reste son unique sœur, or elle vit ici dans la solitude la plus complète.

— Par choix, lui rappela George.

— Maman lui a-t-elle jamais proposé de s'installer à Baltimore ? Maman a-t-elle jamais laissé entendre qu'elle aimerait la savoir plus près d'elle ? Maman a-t-elle jamais manifesté l'intention de l'appeler ?

— Julia, l'interrompit-il d'un ton qui n'annonçait rien de bon.

Rien n'aurait su l'arrêter.

— Zoe a des amis, mais pas de famille. Je te rappelle que maman dirige une organisation caritative. Son rôle consiste à communiquer, non ? Pourtant elle refuse de parler à Zoe et, depuis que je suis partie lui rendre visite, elle refuse également de me parler. Charité bien ordonnée commence par soi-même. Si la charité suppose une certaine forme d'indulgence, pourquoi Maman ne pardonne-t-elle pas à Zoe ? Qu'a-t-elle donc fait de si terrible ?

— Demande à Zoe.

L'intéressée choisit cet instant précis pour entrer dans la pièce. Julia rétorqua sans esquiver son regard :

— Zoe ne veut pas me le dire.

Comme celle-ci fronçait les sourcils, Julia articula : « Papa au téléphone. » Molly s'approcha de Zoe pour glisser un bras autour de sa taille.

— Julia, ceci n'a rien à voir avec toi ni ta vie, soupira George, l'air épuisé.

— Mais si, insista Julia. C'est une question d'honnêteté – l'une des choses que je n'envisage justement plus de la même manière.

— Tu viens de subir un choc. Ça peut se comprendre. Accorde-toi un peu de temps. La vie reprendra ensuite son cours normal.

Le murmure qui lui parvenait en fond sonore s'amplifia. Cette fois-ci, George haussa suffisamment la voix pour que Julia l'entende :

— Tais-toi, Janet, laisse-moi parler. Oui. Oui. Bon, tu veux le lui dire toi-même ?

Bien sûr que non. Mais l'idée que son père puisse la défendre intrigua Julia. Quelques instants plus tard, d'un ton parfaitement neutre, George répéta les paroles qu'avait à coup sûr prononcées sa mère.

— Il faut passer outre.

Elle se raidit puis se força à sourire.

— C'est ce que je fais.

— Rentre à la maison. On en discutera plus longuement à ton retour.

— Très bien.

— Quand reviens-tu ?

— Aucune idée.

— Tu ne crois pas qu'il vaudrait mieux reprendre ton train de vie habituel ? Ça ne te ressemble pas de parler comme tu le fais.

Certes, Julia n'avait pas l'habitude de remettre en cause ses parents. Ni son époux. Elle se montrait toujours obéissante.

— C'est peut-être une bonne chose.

— Je m'inquiète, Julia, avoua George.

Elle s'adoucit aussitôt. Son père ne posait pas problème. Par bien des côtés, il se trouvait lui-même dans la position d'une victime. Ce que Julia lui disait s'adressait en réalité à Janet.

— Je ne te demande pas de t'inquiéter. J'aimerais juste que tu tentes de comprendre ce par quoi je suis passée et ce que je ressens.

— D'accord, j'essayerai, acquiesça-t-il d'un ton détaché, indiquant qu'il estimait la conversation close.

Son attitude blessa Julia. Non, George ne se trouvait pas à l'origine du problème mais il ne devait pas non plus se comporter en robot. C'était tout de même un homme capable de penser et d'éprouver des sentiments. En outre, il était son père. Peu importe sa soumission envers son épouse, il aurait pu envoyer un e-mail à Julia ou l'appeler depuis son lieu de travail, à l'insu de Janet.

— Zoe vient de rentrer. Il faut que j'y aille, papa. Demande à maman de m'appeler. S'il te plaît.

Elle raccrocha avant de poser sur Zoe et Molly un regard abattu.

— C'est quoi, le problème avec grand-mère ? demanda Molly. Pourquoi ne veut-elle pas te parler ?

Julia secoua la tête puis inspira à fond mais elle se sentait toujours l'estomac noué.

— J'ai besoin d'air, s'excusa-t-elle en rejoignant la porte de la cuisine.

— Où vas-tu ? s'inquiéta Molly.

— À l'écurie. Du travail m'attend là-bas.

Elle avait déjà un pied dehors lorsque Molly, surprise, s'exclama :

— Pardon ?

Gretchen l'attendait. Du moins, Julia s'en persuada-t-elle car, dès son entrée dans l'écurie, seule, parmi tous les lapins qui commençaient à s'agiter, Gretchen s'enhardit jusqu'à l'ouverture de sa cage. D'un geste confiant, Julia glissa une main par-dessus ses oreilles et une autre sous son ventre puis elle alla s'asseoir en la serrant contre elle.

Le lapin se blottit à son aise sur ses genoux – encore un autre signe de reconnaissance, se dit Julia en caressant avec une infinie douceur ses oreilles bordées de fourrure.

Le neuf et l'ancien se mêlaient à parts égales dans l'écurie comme dans le reste de la propriété. Les murs en bois avaient abrité en d'autres temps des chevaux. Le bruit du vent à travers les lucarnes ouvertes rappelait aujourd'hui leur hennissement. Zoe avait fait poser des lucarnes en se lançant dans l'élevage de lapins car les lapins aiment la lumière. Le feuillage des chênes ombrageant le toit rafraîchissait l'atmosphère. Une lumière diffuse entrait en même temps que l'air frais sans que la chaleur ne pénètre.

En ce moment, une légère brise apportait dans l'écurie l'odeur du foin frais lié en bottes. Le soleil ne tarderait plus à disparaître à l'horizon. Déjà, la lumière déclinait en laissant place à une pénombre bienvenue. Ned se tapissait dans les parages. Seul son regard envoûtant couleur d'ambre trahissait sa présence. Immobile comme une statue, il veillait sur Julia autant que sur les lapins. Le bruit de la mer distant mais distinct et le clapotis de l'eau sur les rochers lui parvenaient par-dessus l'agitation des animaux dans leurs cages.

Le pouls de Julia ralentit peu à peu. Elle se sentait beaucoup plus calme que tout à l'heure dans la cuisine. Le nœud de son estomac commençait à se desserrer.

— Bonjour, ma belle, roucoula-t-elle à l'intention de Gretchen. Comment vas-tu aujourd'hui ?

Le lapin ne répondit pas et ne la regarda pas non plus. Julia savait bien qu'il ne fallait pas compter là-dessus. Peut-être que si elle se penchait sur l'animal en lissant sa fourrure brune comme en ce moment, Gretchen lèverait les yeux et croiserait son regard... Gagné ! Zoe avait appris à Julia à reconnaître en ces infimes gestes un signe d'affection.

Zoe lui avait aussi appris à remplir les abreuvoirs, à distribuer les croquettes en quantités mesurées et à nettoyer le fond des cages avant de les remplir de foin frais. Elle lui avait enseigné ces gestes, dès qu'elle avait compris que Todd ne reviendrait plus, et Julia s'était réjouie de le remplacer. Elle avait changé les couches de Molly enfant. Vider le fond des cages s'y apparentait quelque peu, en plus facile. S'occuper du foin, des croquettes et de l'eau se révélait d'une simplicité enfantine.

Elle n'en fit cependant rien pour l'instant. Elle ne posa pas non plus les lapins dans le creux de ses genoux tour à tour, malgré la volonté de Zoe de s'occuper d'eux individuellement chaque jour. Zoe se flattait d'élever des lapins angoras apprivoisés. Julia comprenait combien cela comptait. La plupart de ces bêtes finiraient dans une famille moins soucieuse de tondre leur fourrure que de jouer avec un animal de compagnie. Les angoras ne rapportent pas de balles comme les chiens ni ne bondissent sur le lit la nuit comme les chats. Mais ils savent faire la différence entre une cage et la chaleur d'un contact humain.

Julia se demanda si Todd leur manquait. Une semaine venait de s'écouler depuis la dernière fois qu'il s'était occupé d'eux. À en croire Zoe, il ne se contentait pas de prendre les lapins sur ses genoux chacun leur tour, loin de là. D'ailleurs, Zoe prétendait qu'il les gâtait trop.

Julia n'aurait pu se prononcer à ce sujet. Elle savait seulement que de sentir Gretchen blottie contre elle lui faisait l'effet d'un puissant sédatif. Elle continua de caresser sa fourrure en lui murmurant des mots tendres jusqu'à ce que son propre corps se détende complètement. Alors, elle remit Gretchen dans sa cage afin de s'acquitter des corvées, elles aussi thérapeutiques. Même à cette heure tardive, en cette journée sinistre de funérailles, elle débordait d'énergie.

La tâche n'était pas aussi simple qu'elle en avait l'air. Il fallait tenir compte d'un tas de choses renseignant sur la santé des lapins, comme la nature des déchets au fond de leurs cages ou la quantité de foin consommée. Zoe se félicitait d'élever des lapins de compagnie en bonne santé malgré le supplément de travail que cela exigeait d'elle.

À vrai dire, elle s'en acquittait bien volontiers, tout comme Julia. Elle souleva le dessus des mangeoires afin de s'assurer que chacune contenait du foin à ras bord puis versa les déchets amassés au fond des cages dans une brouette qu'elle poussa jusqu'à l'endroit prévu à cet effet dans l'arrière-cour. À son retour, elle s'assit quelques minutes en serrant contre elle plusieurs lapins dont elle ne s'était pas occupée ce matin. Elle sortit même de la cage de Bettina la boîte où nichaient les petits et prit dans ses mains chacun des sept lapereaux tour à tour, refusant pendant ce temps de songer à Monte, à ses parents, à son autre vie si lointaine. Elle se concentrait sur les petits yeux des animaux, leurs courtes pattes maigrichonnes, leur fourrure soyeuse. Songer au miracle de leur naissance la ragaillardit.

Elle se laissa absorber par sa tâche puis, soudain, quelque chose la poussa à jeter un coup d'œil à la porte de l'écurie. Molly se tenait sur le seuil à côté de Zoe.

La vue de sa fille aux cheveux courts, rentrée si subitement de France, surprit une fois de plus Julia dont le moral remonta en flèche.

— Je ne t'ai pas entendue.

— En effet, déclara Molly d'un air stupéfait. Il y a déjà un petit moment que nous sommes là. Regarde-toi ! Occupée à caresser des lapins ! N'est-ce pas toi qui refusais que j'adopte un chat ?

Sans cesser de sourire, Julia s'absorba dans la contemplation du petit niché dans ses mains. Comme tous ses frères et sœurs, il était entièrement blanc. Julia, qui préférait les lapins à la fourrure colorée, noire, brune, lilas ou mouchetée, comprenait malgré tout l'enthousiasme de Zoe pour cette portée. La possibilité de teindre la fourrure blanche lui conférait une plus-value économique.

— Tu me donnais déjà trop de travail, la taquina Julia. Un chat n'aurait fait qu'ajouter à mes responsabilités. D'ailleurs, en voilà un, de chat, ajouta-t-elle en désignant du menton un coin de la pièce plongé dans la pénombre.

— Oh, le joli minou ! s'exclama Molly en s'accroupissant. Viens ici ! roucoula-t-elle en lui tendant les mains.

Ned dressa la queue, s'éloigna de quelques mètres, se rassit puis la dévisagea comme pour la défier de recommencer.

— Oh là là ! s'écria Molly en se relevant.

— Il monte la garde, la prévint Zoe. Quand il somnole au soleil par contre, il ne demande pas mieux que de se laisser gratter les oreilles.

Molly rejoignit Julia, qui venait de remettre en place un lapereau pour en prendre un autre. Elle le tendit à Molly, qui le saisit aussitôt, tandis qu'elle lui lançait, peut-être par besoin de sauver la face après avoir été snobée par le chat :

— Ton vernis à ongles s'écaille.

— C'est un message que tu cherches à me faire passer ?

— En tout cas, en voici un autre, annonça Zoe. Ce soir, c'est soirée côtelettes au grill. Les côtelettes ne vous disent peut-être pas grand-chose mais Rick propose un choix de salades délicieuses : au homard, aux crevettes, aux coquilles Saint-Jacques, avec des légumes verts, de la laitue, tout ce que vous voulez, de la première fraîcheur. On vient de passer une journée plutôt éprouvante. Un petit réconfort serait le bienvenu. Si on se changeait avant d'y aller ?

6.

Le grill du port n'affichait pas plus de prétention que le reste de l'île. Le bâtiment couvert de bardeaux en cèdre délavés par l'air du large avait deux étages. Les clients entraient au niveau supérieur par une double porte abritée d'une marquise au sommet d'un large escalier en plusieurs volées de marches entrecoupées de vastes paliers. Le nom du restaurant figurait sur la frange en toile de la marquise bien que ce ne fût pas vraiment nécessaire. Il n'y avait pas d'autre restaurant sur l'île. Aucun des bâtiments alignés le long du port n'exhalait une odeur aussi engageante de petits pains beurrés en train de griller ou de palourdes ou de soupe de poisson ou de bifteck à peine saisi ou encore, comme ce soir-là, de côtelettes, façon barbecue.

Le rez-de-chaussée abritant la cuisine n'était doté que des ouvertures nécessaires à la lumière et à l'aération mais, à l'étage, de larges baies vitrées offraient aux clients une vue imprenable sur le port. Deux portes moustiquaires ouvraient sur une terrasse en surplomb de l'océan que soutenaient d'épais piliers.

En hiver, l'animation se concentrait surtout autour du bar. Grâce à une parabole fixée sur le toit, la télévision retransmettait un flot continu d'événements sportifs. À l'inverse, l'arrivée des beaux jours faisait de la terrasse l'endroit à ne pas manquer. Un banc en bois solide, délavé par les intempéries, courait le long des trois côtés ouverts. Des tables remplissaient l'espace libre, dressées avec des nappes vert foncé, des couverts multicolores et de petits vases remplis de fleurs fraîchement coupées. Un store, plus qu'à moitié enroulé à cette heure de la journée, protégeait du soleil. Le soir, une chaude lumière émanait de lampadaires semblables à ceux qui s'alignaient sur le quai.

Ils n'éclairaient pas encore à l'arrivée de Julia, Molly et Zoe car le soleil ne se coucherait qu'en fin de soirée. Julia ne put s'empêcher de songer qu'elle avait débarqué sur l'île pratiquement au même moment une semaine auparavant. Il n'y avait pas de brouillard ce soir, le temps semblait clément et le calme régnait au port. Pourtant le souvenir du drame n'avait rien perdu de son acuité.

La présence de l'homme aux cheveux gris, assis tout seul sur un coin du banc, suffit à le raviver. Le coude posé sur la balustrade en bois, il croisait les jambes, un verre dans sa main noueuse. Son regard se perdait dans la mer au-delà des bateaux amarrés au port.

Zoe les conduisit à une table. Julia s'éclipsa aussitôt.

— J'arrive, murmura-t-elle avant de rejoindre l'homme dans son coin.

Il sirotait son whisky, la mine soucieuse. L'espace d'une minute, elle songea à rebrousser chemin mais elle éprouvait le besoin de lui parler. Sans bruit, elle se glissa sur le banc. Elle laissa beaucoup de place entre eux, mais la raison de sa présence était évidente.

L'homme posa les yeux sur elle. Le tintement des glaçons au fond de son verre trahit le tremblement de sa main. Il avait les yeux gris comme ses sourcils, ses cheveux et le banc sur lequel il se tenait. Tout en lui semblait gris, terni par le passage du temps.

— Je m'appelle Julia Bechtel, commença-t-elle d'une voix douce. Je me trouvais à bord du bac, l'autre soir.

Il acquiesça d'un signe de tête.

— Je voulais juste vous dire...

Quoi donc ? Elle n'en avait aucune idée.

— ... Que je vous ai vu aux enterrements. Quelle tragédie ! Vous avez perdu l'*Amelia Celeste*. On m'a dit qu'elle comptait autant qu'un être de chair et de sang à vos yeux.

— Autant que mon épouse, confirma Matthew d'une voix éraillée par l'âge.

— Elle a disparu, elle aussi. Je voulais vous dire combien je le regrettais.

Il acquiesça de nouveau.

Elle sourit en s'apprêtant à se lever mais une hésitation la retint. Il devait y avoir autre chose à dire à un homme aussi solitaire. Elle se creusa la tête. Les quelques phrases qui lui venaient avec un si bel à-propos à New York ne feraient pas l'affaire dans le cas présent. Matthew Crane n'aurait sans doute pas envie de discuter de l'exposition des primitifs italiens au Metropolitan, du nouveau bar à sushis de Soho ou des derniers potins sur le maire de New York.

Julia lui sourit de nouveau en laissant échapper un soupir puis jeta un coup d'œil aux autres tables. Deux d'entre elles venaient d'être prises d'assaut. Il n'en restait plus qu'une de libre.

— Il y a du monde, ce soir, remarqua-t-elle.

— Comme toujours.

— Ils viennent pour les côtelettes ?

— Non. Pas spécialement.

Elle observa les clients. Presque tous occupaient des tables de quatre personnes, certains même dînaient à cinq. Par contraste, sa propre table, où seules se tenaient Zoe et Molly, semblait déserte.

— Je dîne avec ma tante et ma fille mais il nous reste encore un siège. Vous voudrez peut-être vous joindre à nous ?

Sa question arracha un sourire à Matthew – une ligne de plus dans son visage buriné.

— Merci mais je vais plutôt rester dans mon coin.

Depuis l'autre bout de la terrasse s'éleva un rire sonore, qui trahissait une certaine ivresse.

Matthew murmura quelque chose.

— Je vous demande pardon ? reprit Julia en se penchant vers lui.

— Les fruitiers, répéta-t-il. Quelle bande de sales types ! De sales types sans cœur.

Julia abonda dans son sens. L'atmosphère détendue sur la terrasse ne suffisait pas à effacer le souvenir de la semaine écoulée. Ces derniers jours avaient marqué Julia et sans doute d'autres personnes également. Les rires bruyants semblaient déplacés ici.

— Pourquoi les appelez-vous les fruitiers ?

— Parce que leurs balises sont peintes couleur de fruits. Vert et abricot. Citron et prune. Ça pose problème.

— Les couleurs ?

— Les balises. Elles envahissent les eaux de Big Sawyer. Ils n'ont pas le droit de les poser là.

— Les gardes-côtes ne peuvent pas les en empêcher ?

— Ils ne tombent pas sous le coup d'une loi fédérale ni même d'une loi locale mais des règles tacites en vigueur à Big Sawyer.

Il dut remarquer la perplexité de Julia car il se mit à lui expliquer de quoi il retournait avec une aisance inattendue compte tenu de son mutisme habituel.

— Chaque île possède son propre territoire où travaillent les pêcheurs. La règle veut que les étrangers ne posent pas de casiers par ici.

L'idée intrigua Julia.

— Comment connaît-on les limites d'un territoire ?

— On les connaît, voilà tout, lui répondit patiemment Matthew. Oh, il leur arrive bien de se brouiller en hiver, quand il faut s'écarter de la zone habituelle pour attraper la moindre bestiole. Les pêcheurs de homards n'ont peut-être qu'un petit pois en guise de cervelle, mais ils ne sont pas complètement idiots. Ils ne posent pas de casiers trop près de la surface, tellement froide, en janvier et en février. Ils s'en vont plus loin, dans des eaux plus profondes. Bien sûr, si l'on veut attraper des homards, il faut les suivre au fond de l'océan. Ce qui prend plus de temps pour atteindre les balises, dans des conditions météo bien pires, en plus. Peu d'hommes acceptent de courir le risque.

— À cause du danger ?

— Oui, du soleil aussi.

— Du soleil ? releva Julia, décontenancée.

— La Floride, l'Arizona, Tortola. Un groupe de pêcheurs des îles Hull descend vers le sud quatre mois chaque hiver pour fuir le froid. Bien sûr, il y en a certains qui ne pêchent qu'à ce moment-là.

— Seulement en hiver ?

— De janvier à juin.

— Pas du tout pendant l'été ?

— Nan !

Il but une gorgée.

— J'aurais cru qu'on n'attrapait jamais plus de homards qu'en été.

— En effet. On attrape beaucoup plus de homards en août et en septembre qu'en janvier, février ou mars. Bien sûr, ça signifie qu'ils valent plus cher les mois d'hiver. On en attrape moins mais ils rapportent plus.

— Vous descendez vers le sud, vous ?

— Nan. Je conduis le bac.

Il s'interrompit brusquement et détourna le regard. Julia en ressentit de la peine pour lui.

— La police a découvert du nouveau ?

Il secoua la tête en signe de dénégation.

— Vous comptez acheter un autre bateau ?

Il haussa les épaules. Elle lui adressa un sourire compréhensif.

— J'imagine qu'il est encore trop tôt pour le dire.

Il acquiesça d'un hochement de tête puis leva les yeux sur une jeune serveuse qui lui apportait son dîner. Elle était vêtue d'une chemise vert sombre et d'un short kaki. Une queue-de-cheval retenait ses cheveux et un franc sourire éclairait son visage.

— Voilà, cap'taine Crane. Cabillaud pané, pommes de terre au four et haricots verts.

Elle déposa l'assiette sur le banc avec un naturel indiquant qu'elle avait l'habitude d'accomplir ce geste. Matthew Crane vida le fond de son whisky et lui tendit son verre en échange d'une fourchette et d'un couteau enveloppés dans une serviette en tissu. Dès que la serveuse s'éloigna, il se mit à dérouler la serviette avec précaution, presque avec ménagement.

Julia avait le sentiment d'assister à un rituel. Il était temps de s'en aller.

— Vous êtes certain de ne pas vouloir vous joindre à nous ?

Trop occupé à déballer ses couverts, il se contenta de hocher la tête. Elle se leva.

— En tout cas, il reste encore un siège si vous changez d'avis. Merci de m'avoir parlé. Ce que vous m'avez appris à propos de la pêche au homard m'a beaucoup intéressée.

Il leva une main et son dîner l'absorba aussitôt.

Julia regagna sa table. Les clients l'observèrent, le temps qu'elle traverse la terrasse. Elle se trouvait à part, comme l'avait dit Noah. Voilà qui sortait de l'ordinaire. Elle reprit sa place, non sans un certain soulagement.

— Il faut bien qu'il affiche des plats classiques au menu, comme des hamburgers et des biftecks, ou même du pain de viande, expliquait Zoe à Molly, vu que certains habitants de l'île refusent de manger autre chose.

— Même du homard ? s'enquit Molly, amusée.

— Oh, ils en mangent tout le temps, mais chez eux, avec les restes de la pêche du jour. Au restaurant, ils veulent d'autres plats.

Elle précisa à l'intention de Julia :

— On parle de Rick Greene. Molly s'étonne de la diversité de la carte et je lui disais que Rick ne manque pas de ressources. Lorsqu'il l'a acheté, cet établissement n'était qu'une simple taverne de pêcheurs. Personne ne venait de l'extérieur. Ensuite, certains ont commencé à bâtir de grandes maisons le long du rivage, des bateaux de luxe sont apparus. Rick a compris qu'il devait faire quelque chose s'il ne voulait pas que son commerce périclite. Alors il a embelli la salle, agrandi la cuisine et imprimé une carte.

— Jusqu'alors, précisa Molly, l'air enchantée par cette idée, Rick écrivait chaque jour un menu différent sur une ardoise, en fonction de ce que rapportaient les pêcheurs du coin.

— Ça n'a pas changé, ajouta Zoe en tendant la carte à Julia. Il suffit de consulter les suggestions du chef.

— On t'a commandé du thé glacé, maman. Tu voulais peut-être du vin ?

Julia sourit.

— Du thé ? Parfait. Je m'excuse de m'être éclipsée mais je voulais lui parler. Ça me faisait de la peine de le voir tout seul dans son coin. Je lui ai proposé de se joindre à nous, il a refusé.

— Ça ne m'étonne pas, commenta Zoe d'un ton compréhensif. Il aime la solitude. Ce n'est pas un grand bavard.

— Pourtant il m'a parlé. Il m'a raconté plein de choses à propos de la pêche au homard.

— Forcément ! Tu peux lui demander n'importe quoi, n'importe quand, à propos des homards et il t'apprendra tout ce que tu veux savoir. À table par contre, c'est autre chose. En général, le soir, il s'assied dans son coin. Il boit son whisky, il mange son cabillaud pané et, tu verras, il commande du pudding au tapioca en dessert. Il le préfère encore tiède.

— Il n'a donc pas de famille ? D'enfants ? De frères et sœurs ?

— Oh si ! Les Crane sont légion sur l'île. Il est sans doute parent avec la moitié des gens présents sur la terrasse.

— Alors pourquoi s'installe-t-il tout seul ?

— C'est son choix. Et il n'est pas le seul. À l'intérieur, il doit y avoir une demi-douzaine de tables où ne dînent qu'une, voire deux personnes. On rencontre pas mal de solitaires dans les environs. Ça fait partie des choses que j'ai toujours appréciées à Big Sawyer ou sur n'importe quelle île des alentours. Personne ne te regarde de travers si tu es seul. Il n'y a pas de honte à cela. Les gens aiment disposer d'un peu d'espace. Ils en ont l'habitude. Pêcher le homard est un métier solitaire.

— Ils ne pêchent quand même pas seuls, si ? demanda Molly.

— Par deux, la plupart du temps. N'empêche, jour après jour, semaine après semaine, ça reste tout de même très solitaire.

Julia ne savait qu'en penser.

— Il me semble qu'ils devraient apprécier la compagnie, une fois à terre, précisément pour cette raison.

Elle parcourut des yeux la terrasse, sans apercevoir Noah Prine. Elle se demanda s'il dînait à l'intérieur.

— Oh, les pêcheurs n'hésitent pas à se réunir, poursuivit Zoe. Ils discutent du temps qu'il fait, des appâts, de la taille des prises, mais ça n'a rien de commun avec les conversations dont on a l'habitude, toi et moi. Les gens capables de survivre à la pêche au homard, voire à la pêche en général ou à la vie d'insulaire, aiment la solitude. Ce qui ne veut pas dire, ajouta-t-elle en levant les yeux, un large sourire aux lèvres, qu'on ne croise jamais de gens sociables sur l'île.

D'un geste, elle souhaita la bienvenue à deux hommes et une femme, la trentaine bien entamée, vêtus de sweatshirts et de jeans.

— Gouache, lithographie et peinture sur soie, annonça-t-elle en indiquant leurs techniques de prédilection respectives.

Les trois amis n'auraient pu se montrer plus gentils : ils questionnèrent Julia à propos de l'accident, s'inquiétèrent de son état présent, de Kimmie Colella, puis évoquèrent la possibilité qu'Artie Jones ait été assassiné. Peu importe que l'un ou l'autre l'eût personnellement connu ou pas. Si jamais l'hypothèse du meurtre se confirmait, les habitants de l'île traqueraient le coupable avec autant de zèle que si la victime appartenait à leur propre famille.

La conversation s'accompagna d'une certaine gravité. Après le départ des artistes, Julia éprouva de nouveau cette envie irrépressible de bouger qui s'était emparée d'elle un peu plus tôt. Sensible à l'humeur de sa mère, Molly changea de sujet :

— Rick emploie beaucoup de monde ?

— Trois personnes l'aident en cuisine, six servent les clients et trois autres s'occupent du ménage.

— Où se fournit-il en viande ?

— Il se fait livrer de Portland chaque jour.

— Le poisson provient des environs ?

— En partie. On ne trouve pas de thon par ici ni de flétan ou de crevettes. Rick les fait venir de Portland également.

Leurs boissons arrivèrent, trois thés glacés. La même jeune fille fringante qui avait apporté son dîner à Matthew Crane les servit. Julia ne la croyait pas beaucoup plus âgée que Molly.

— Prêtes à passer commande, mesdames ? leur demanda-t-elle.

Julia étudia le menu. Il offrait un large choix : on y proposait les plats classiques dont parlait Zoe mais présentés d'une manière originale. De la semoule, un trio de sauces, du pudding au maïs et des asperges grillées au feu de bois accompagnaient le bifteck. Le pain de viande servi avec de la purée de pommes de terre à l'ail et de la sauce tomate épicée contenait des piments et du basilic. Le poulet rôti était posé sur un lit de salade et entouré d'une julienne de carottes et de betteraves caramélisées. La carte proposait en outre nombre de poissons, dont plusieurs préparations innovantes à base de cabillaud, de thon, de crevettes, de coquilles Saint-Jacques, de moules, de palourdes et de homards. Bien sûr, on pouvait aussi commander des côtelettes à volonté. Et plus de salades que ne l'espérait Julia. La plupart figuraient à côté des côtelettes dans la rubrique « suggestions du chef » sur une page volante insérée dans la carte magnifiquement imprimée, en tête de laquelle s'étalait la date du jour.

En levant les yeux, Julia découvrit tous les regards braqués sur elle. Zoe et Molly venaient de passer commande. Elles attendaient qu'elle se décide.

— Oh, excusez-moi.

Elle sourit à la serveuse et choisit la salade au thon à base, non de thon ordinaire en boîte, mais de poisson frais, légèrement grillé, servi chaud en fines tranches sur un lit de salade, accompagné de gressins au parmesan et d'une vinaigrette au chianti.

— Quelle cuisson ?

— À peine saisi, répondit Julia en tendant la carte à la serveuse.

Dès qu'elle se fut éloignée, Julia fit observer à Zoe :

— Impressionnant, ce menu. C'est une idée de Rick ?

— Plutôt le fruit d'un effort commun. Ses clients lui rapportent des idées neuves de leurs voyages.

— Et la mise en page ?

Zoe sourit avec fierté.

— Ceux qui, comme moi, savent se servir d'un ordinateur, s'en occupent à tour de rôle. Rick nous invite à dîner en échange. Ce soir, nous mangeons aux frais de la maison.

Un rire bruyant fusa de la table des fruitiers. Le sourire de Zoe s'effaça. Elle se retourna pour les dévisager. La moitié des clients attablés sur la terrasse en firent autant. Les hommes en question continuèrent de s'esclaffer, apparemment indifférents à l'attention fixée sur leur groupe.

Zoe se tourna vers Julia et Molly, en colère.

— Des gens bruyants envahissent l'île chaque été. Des gens comme Artie Jones. Sauf qu'il est mort, ainsi que huit personnes. Nous venons d'en enterrer quatre mais ça n'empêche pas ces types de rire aux éclats. Leur présence est gênante pour nous.

Le même sentiment prévalait à l'autre bout de la rue, dans l'arrière-salle caverneuse de la boutique où Brady vendait du matériel de pêche. Des cartons rangés sans trop d'ordre s'alignaient contre le mur en piles précaires de cinq ou en rangées de trois. Deux tables occupaient le centre de la pièce éclairée au néon. Un assortiment de chaises dépareillées en bois ou en métal complétait l'ameublement. Apparemment, elles ne dataient pas d'hier. Les hommes qui les occupaient étaient au contraire encore jeunes, du moins selon les critères des insulaires. À sept, ils formaient le noyau dur de l'association locale des pêcheurs de homards et, de l'avis général, incarnaient l'avenir de Big Sawyer. Ils semblaient ce soir plus propres que d'ordinaire car la plupart s'étaient douchés à l'occasion des funérailles de Hutch. Ceux qui portaient un pantalon pendant la cérémonie avaient entre-temps revêtu leurs T-shirts et leurs jeans habituels. Certains tenaient à la main des canettes de bière ou des gobelets en plastique remplis de café. Plusieurs se tenaient à califourchon sur leur siège, d'autres s'y balançaient en prenant appui sur les pieds arrière.

Hayes Miller pêchait d'ordinaire sur le *Willa B.*, au mouillage le long de la digue. Cet homme rond comme un tonneau, à la barbe hirsute, appartenait à la troisième génération de pêcheurs de sa famille et connaissait toutes les règles de son art.

— Ils nous gênent, protesta-t-il. Rien de bon n'est jamais venu d'un bateau de la côte. Les pêcheurs de West Rock s'intéressent en principe aux coquilles Saint-Jacques. Ils n'ont pas à poser de casiers.

— En tout cas, pas dans nos eaux, remarqua Leslie Crane.

Cet homme alerte de taille moyenne était un lointain cousin de Matthew. Il naviguait à bord du *My Andrea*, baptisé ainsi en l'honneur de son épouse qui attendait leur cinquième enfant. Toutes ces bouches à nourrir incitaient Leslie à défendre bec et ongles ses prises. Les casiers posés près des siens, au mépris des règles, le privaient de revenus et lui ôtaient le pain de la bouche.

Joe Brady jouait le rôle de médiateur officieux du groupe, ce qui s'approchait le plus à Big Sawyer d'un capitaine de port. Les cheveux noirs, la barbe bien taillée et l'allure un peu moins défraîchie que les autres, il ne pêchait pas car il s'occupait de la boutique mais il venait d'une famille de pêcheurs et en savait aussi long que les autres à ce propos. Le recul dont il disposait par rapport à la pêche au quotidien lui offrait de plus amples perspectives sur le sujet. Lorsque les esprits s'échauffaient, la voix de la raison s'exprimait par sa bouche.

— Alors, que va-t-on faire ? demanda-t-il.

— Ce sont Haber et Welk qui posent problème, expliqua John Matter, un homme calme au nez chaussé de lunettes qui naviguait à bord du *Trapper John*. Ils ont acheté leur bateau en Nouvelle-Écosse et l'ont doté de tout l'équipement imaginable. Eux-mêmes viennent de Floride.

— Il paraît qu'ils ont acquis huit cents casiers.

— En toute légalité, fit observer Elton Hicks.

Ses cinquante-cinq ans faisaient de lui le doyen du groupe mais aussi son membre le plus attaché aux traditions.

— Je parie qu'ils vont parvenir à leurs fins.

— On parle de plus de huit cents casiers, tout de même !

— Pourquoi pas ? Qui sait ?

— Hayes a raison, commenta Mike Kling.

Son père et lui pêchaient à bord du *Mickey 'n Mike*. La taille des prises de Mickey l'avait propulsé au rang de légende, sans parler de la vitesse de son embarcation. Il partait toujours favori dans la course de homardiers qui se tenait chaque année à la fête de l'indépendance. Son fils promettait d'hériter de ses talents. Voilà pourquoi il faisait partie du groupe. À vingt-neuf ans, il en était le plus jeune membre et le seul au crâne rasé. Il possédait aussi plus d'imagination que les autres.

— Vous vous rappelez, ces types de l'île Salinica, il y a déjà deux ans ? Ils ont posé au-delà des limites trois cents casiers équipés de fanions contrefaits. Ils s'en seraient tirés si personne n'avait mis la puce à l'oreille des gardes-côtes. Alors peut-être que l'un d'entre nous devrait leur passer un coup de fil. Si vous voulez mon avis, ces types sont les suspects numéro un.

— Suspects de quoi ? demanda Noah.

Il avait écouté la discussion, les coudes plantés sur les genoux et les mâchoires serrées.

— On parle de pêche ou de meurtre ?

Un silence accueillit sa question. Joe arborait une mine sombre.

— Des deux. Songe à l'endroit où les casiers des fruitiers se concentrent en plus grande quantité.

— Aux abords de Little Sawyer, répondit Mike.

Les pieds de sa chaise se reposèrent sur le sol. Il décocha un regard excité à Noah.

— *Le Fauve* n'a-t-il pas mis le cap là, après s'être frotté une première fois à l'*Amelia Celeste* ? Imaginons qu'Artie ait traversé les lignes des fruitiers à plein gaz et que Haber et Welk, verts de rage, aient sorti leur fusil pour lui tirer dessus ?

— Mais s'ils l'ont touché à ce moment-là, pourquoi *le Fauve* ne s'est-il pas arrêté ? demanda Joe, non sans raison.

— Peut-être que sa blessure a cloué Artie sur place, que la perte de son sang a provoqué un arrêt du cœur bien plus tôt qu'on ne le croit. Il est peut-être mort sur le coup.

— Et le freinage d'urgence ? demanda Leslie. Sa chute aurait dû couper le moteur du bateau.

Hayes laissa échapper un rire sinistre.

— Artie ? Les types comme lui sont bien trop cons pour équiper leur embarcation d'un système de freinage d'urgence.

— Supposons que j'aie raison, poursuivit Mike. Dans ce cas, Haber et Welk sont des assassins. Qu'on les poursuive pour meurtre ! Adieu leurs balises...

— Comment prouver qu'ils ont bien tiré sur Artie ? s'interrogea Joe. Aux dernières nouvelles, le médecin légiste ne savait même pas quel type d'arme avait servi.

— C'est simple, insista Mike. Il suffit de fouiller le bateau des fruitiers, de trouver une arme et de prouver qu'ils l'ont utilisée mardi dernier.

— Ah ! s'exclama Elton. Et s'ils prétendent qu'ils visaient des phoques ? Tout le monde le fait. Même moi, bon sang ! Ces satanés phoques n'arrêtent pas de se prendre dans nos lignes et de dévorer nos prises. Tout le monde tire sur eux.

— On pourrait au moins prouver qu'ils se trouvaient en mer à l'instant crucial, s'obstina Mike.

— Mais on ne pourrait pas établir où précisément, faute de témoin, remarqua Joe.

— On pourrait en produire un, de témoin. Quelqu'un a bien dû les apercevoir ce jour-là. Nous savons tous à peu près où chacun de nous se trouvait. Ça ne vous paraît pas une bonne chose, de faire d'une pierre deux coups ?

Un silence s'abattit sur l'assemblée. Une bonne minute s'écoula avant que Joe ne reprenne la parole.

— On ne t'entend pas, Noah. Qu'en penses-tu ?

Noah pensait à Hutch qui n'avait pas encore refroidi dans sa tombe et à Ian dont l'absence lui pesait. Voir la joie se peindre sur les traits de Julia Bechtel à l'arrivée de sa fille en camionnette n'avait rien arrangé. Noah en avait éprouvé une sensation de vide plus intense, un sentiment d'échec plus accablant encore.

Il aurait pu faire mieux, dans la vie. Il l'avait dit à Julia et se l'était répété une bonne douzaine de fois depuis. Il ne s'agissait pas de pêche au homard ni d'études supérieures ou d'argent gagné à New York. Il songeait en vérité à sa vie privée. À Sandi, à son fils, à son père. Bon sang ! Il n'avait même jamais beaucoup discuté avec sa mère, malgré toute sa gentillesse. Joe le tira de sa rêverie.

— Noah ?

— Votre théorie ne tient pas compte du brouillard.

Une rage soudaine s'empara de lui. Sans ce maudit brouillard, Hutch vivrait encore et Noah continuerait de mener l'existence qui était la sienne depuis dix ans.

Personne ne dit mot pendant un certain temps. Enfin, Joe s'adressa aux autres :

— Il a raison. On nageait dans la purée de pois au moment de l'accident. Les fruitiers n'auraient pas pu voir qui coupait leurs lignes.

— Ils n'en avaient même pas besoin, persista Mike. Ils entendaient ce qui se passait. Tout le monde connaît le bateau d'Artie, le seul de ce genre à circuler dans les parages en cette saison. S'ils avaient fait feu en aveugle et eu de la chance ?

— C'est un peu tiré par les cheveux, tu ne crois pas, Mike ?

— Avec un brouillard pareil, personne n'aurait pu viser depuis le rivage, intervint John, d'un ton calme mais assuré.

— Donc, raisonna Joe, si la balle n'est partie ni du rivage ni d'un autre bateau, l'auteur du coup de feu se trouvait à bord du *Fauve*.

— Tu crois qu'il s'est tiré dessus lui-même ? l'interrogea Hayes, la mine perplexe.

— Un suicide ? Ça alors ! s'exclama Mike en écarquillant les yeux. Quel genre de crétin songerait à se tuer en se tirant dans l'épaule ?

Leslie se taisait depuis un petit bout de temps. Il s'exprima d'un air songeur :

— Peut-être bien que quelqu'un lui a tiré dessus avant qu'il ne quitte le port sauf que, pour le coup, seul le roi des crétins s'en irait au large avec une blessure par balle.

— À moins que le fait de craindre pour sa vie ne l'ait poussé à fuir.

— Ou il voulait mourir en mer. Tu te rappelles Caleb Dracut ?

— Caleb n'en avait plus pour longtemps, de toute façon. Pas Artie Jones.

— Comment le sais-tu ?

— L'officier de police nous l'aurait dit. Il a discuté avec son épouse.

— Peut-être qu'il lui faut un suspect. Les assurances ne paient pas en cas de suicide.

— J'ai une autre idée, reprit Mike. Si elle avait payé quelqu'un pour le tuer ?

Hayes renâcla.

— N'importe quoi ! Un tueur à gages n'aurait pas visé l'épaule, pas plus qu'Artie lui-même.

— Je n'en peux plus, soupira Joe. Je veux rentrer à la maison. Noah vient d'enterrer Hutch. Il nous fait une fleur en assistant à notre réunion, alors on doit se mettre d'accord. Qu'est-ce qu'on décide à propos des fruitiers qui posent leurs casiers au milieu des nôtres ? Mon frère Gil ne demande qu'à leur tirer dessus.

— Moi, je vais m'en charger, déclara Noah d'un ton si détaché que tous les visages se tournèrent vers lui.

— Très drôle, fit Joe.

— Je ne plaisante pas, reprit Noah.

Voilà une semaine qu'il n'avait rien fait de valable. Il se sentait prêt à agir.

— Quelques projectiles dans la coque, le long de la ligne de flottaison. Ils devraient écoper comme jamais mais leur bateau ne coulerait pas pour autant et, même dans ce cas, ils ne se noieraient pas. Ils portent des gilets de sauvetage. Qu'ils barbotent quelques heures dans l'Atlantique Nord !

Il songeait à Hutch, mort d'une manière si soudaine qu'il n'avait sans doute rien senti, ni le froid ni quoi que ce soit d'autre. Une fois de plus, un besoin irrépressible d'agir s'empara de lui. Peu importe que Haber et Welk aient tiré ou non sur Artie. La présence de leurs balises importunes autorisait bien un peu de grabuge. Elle le justifiait, même.

— La colère t'aveugle, tempéra Joe.

— Bien sûr que je suis en colère ! s'écria Noah.

— Tirer sur ces types ne résoudra rien.

— Je me sentirai mieux après.

Sa réplique soulagea quelque peu sa colère.

— Pas de coups de feu, déclara Elton. Pas tout de suite. D'abord, il faut leur envoyer un message.

— Vous voulez que je coupe quelques-unes de leurs lignes ? proposa Mike en observant les autres membres du groupe, en quête de leur approbation. En voilà un, de message !

— Il vaudrait mieux les emmêler, suggéra Joe en remontant ses lunettes. Des lignes emmêlées se coincent dans les treuils. Ils ne parviendraient jamais à relever leurs casiers.

— Tu parles ! Ils perdraient du temps, voilà tout, rétorqua Mike. Alors que des lignes coupées leur feraient perdre leurs casiers, ça leur coûterait plus cher.

— Et s'ils coupent les nôtres en représailles ?

— On en coupera d'autres. Ou alors, on relèvera leurs casiers puis on les videra.

— Merde ! Je n'ai pas envie de passer mes journées à relever leurs casiers, protesta Leslie. Et je n'ai pas les moyens de m'impliquer dans une guerre de balises à grande échelle. Trop coûteux ! Écoutez : on veut juste les chasser de notre zone de pêche. Peu importe où ils iront, tant qu'ils s'en vont. John a raison. Qu'on emmêle leurs lignes. S'ils emmêlent les nôtres, au moins on sera fixés.

— Tout le monde est d'accord ? demanda Joe en balayant l'assistance du regard.

Aucune protestation ne s'éleva. Voilà donc le projet adopté.

Noah se leva soudain de sa chaise, incapable de tenir en place plus longtemps. Il serra les mains de Joe et Leslie, salua les autres d'un bref signe de tête et se hâta de sortir. En regardant du côté du couchant, il aurait aperçu l'horizon strié d'orange et de gris, là où les derniers rayons du soleil se perdaient dans les nuages. Mais il garda les yeux baissés. Lucas le rejoignit dès qu'il bifurqua au tournant dans la rue principale.

Impossible maintenant de distinguer l'horizon. Le crépuscule venait de s'installer. L'épicerie accueillait encore des clients, sa porte moustiquaire claquait à chaque allée et venue. À cette heure, pourtant, l'essentiel de l'activité sur l'île se concentrait au grill. Aux oreilles de Noah parvenaient le bourdonnement étouffé des conversations sur la terrasse et le cliquetis des couverts entre les mains des plongeurs affairés à la fenêtre de derrière.

Noah et son chien ne se trouvaient pas seuls dehors. D'autres personnes marchaient en direction des quais mais Noah ne leur accorda pas la moindre attention. Il ne voulait plus entendre de condoléances, il n'était pas d'humeur à cela. Il songeait encore à Hutch, à Ian, mais aussi à Artie. Quelle aubaine que de s'imaginer l'épouse d'Artie engageant un tueur à gages ! Quelle aubaine que de supposer cet homme en train de placer Artie à la barre du *Fauve* avant d'envoyer le bateau en pleine mer jusqu'à ce que l'océan l'engloutisse comme un trou noir ! Alors Noah pourrait au moins se lancer aux trousses de quelqu'un !

Était-ce plausible ? Il en doutait. Noah possédait sa propre théorie, qui le troublait d'ailleurs quelque peu.

Il pouvait très bien se tromper. Il avait l'esprit ailleurs ce soir-là, tant il était remonté contre Hutch, tant il était épuisé. Il n'avait pas bien regardé les autres passagers à la poupe. Comment s'en assurer ? Passer sa colère sur les fruitiers, pourquoi pas ? Ils le méritaient amplement. Quant à proférer des accusations risquant de nuire à des innocents...

La seule personne à laquelle il pouvait s'adresser sans provoquer de dégâts immédiats était encore Julia Bechtel. Elle pouvait avoir aperçu quelque chose sans s'en rendre compte ou justement ne pas l'avoir aperçu. Il ferait bien de lui parler.

En attendant, il ne pouvait rester assis à ne rien faire. Il embarqua donc sur le *Leila Sue* avant de larguer les amarres. Lucas vint se coller contre sa jambe et c'est ainsi qu'il manœuvra hors du port. Une fois à l'écart de la côte, il accéléra. La nuit tombait. Il alluma ses instruments sans leur accorder plus qu'un coup d'œil. Guidé par sa connaissance intime de la zone et le sens aigu d'une mission à accomplir, il mit le cap sur l'endroit où se concentraient le plus de balises citron, prune, citron et entreprit de nouer les lignes. Il ne les emmêla pas toutes, épargnant délibérément des rangées entières. S'imaginer Haber et Welk tombant sur une série de nœuds, puis plus rien, croyant que c'en était terminé avant que d'autres lignes emmêlées un mille plus loin ne les contrarient de nouveau, lui procura un profond contentement.

Cela l'amusa au point qu'il y passa plus de temps et couvrit une zone plus vaste que prévu. Il nouait maintenant les lignes en mémoire de Hutch plus que pour sa satisfaction personnelle. Hutch croyait fermement à la loi de la mer. Il était persuadé que les pêcheurs des environs disposent sur leur zone de pêche d'une autorité morale nécessaire à sa protection. Noah ne pouvait songer à un hommage à Hutch plus approprié que celui-là, le jour de son enterrement.

7.

Julia ne voulait pas retourner en mer. Elle n'avait pas navigué depuis l'accident. Ne plus jamais mettre le pied sur un bateau ne lui aurait posé aucun problème. Bien sûr, elle savait qu'elle devrait s'y résoudre un jour ou l'autre puisqu'il n'existait pas d'autre moyen de quitter l'île et qu'elle ne pourrait prolonger son séjour indéfiniment.

En plus, Monte insistait pour qu'elle amène la voiture sur l'île et Molly voulait faire les boutiques sur le continent afin de remplacer les habits disparus dans le naufrage de l'*Amelia Celeste*. Elle espérait se changer les idées, se détendre un peu en compagnie de sa mère. Avant la fin de la soirée, elle avait déjà tout planifié. Que pouvait lui objecter Julia ?

Elle aurait voulu souligner qu'il s'agissait de ses vacances à elle et qu'elle agirait comme bon lui semblait quand elle en aurait envie.

D'un autre côté, l'idée de se divertir lui plaisait. Elle s'était réveillée la nuit passée, incapable de tenir en place. Elle en éprouvait comme des maux d'estomac qui ne voudraient pas s'atténuer. S'occuper restait le meilleur remède possible.

Faire les boutiques avec Molly résoudrait ses deux problèmes : les achats lui occuperaient l'esprit en l'obligeant à surmonter sa peur du ferry. Quel exemple donnerait-elle à Molly en refusant de remonter en selle après une chute ?

Encore que l'accident ne ressemblait pas vraiment à une chute, plutôt à une centaine de chutes en même temps, le genre d'événement qui se grave dans la mémoire en une fraction de seconde. Elle ne s'endormait jamais sans y penser, ne s'éveillait jamais sans s'en souvenir. Parfois même, un émoi subit la saisissait au cœur de la nuit et un besoin pressant d'agir s'emparait d'elle, dès que se calmaient ses accès d'angoisse. Les points de suture sur son bras s'effaçaient déjà et sa cicatrice ne tarderait pas à disparaître mais son choc émotif mettrait sans doute plus de temps à guérir. Son univers avait subi un profond bouleversement, elle venait de prendre conscience qu'elle pouvait mourir à tout moment. Elle ne se sentait plus capable de croire comme avant que tout lui était dû, qu'il était normal de voyager sans danger sur un bateau.

Molly ne voyait pas les choses de cette manière, bien entendu. Zoe non plus, visiblement, car ni l'une ni l'autre ne cilla lorsqu'il fut question de prendre le ferry jusqu'au continent. D'une certaine façon, Julia les comprenait. Le ferry faisait partie de la vie quotidienne de l'île. Il effectuait d'innombrables trajets chaque jour, en toute sécurité, depuis des années. Seul l'accident de la semaine précédente faisait exception. Elle se dit qu'il serait statistiquement impossible ou presque que quelque chose se produise sur un autre ferry à bord duquel elle voyageait. Celui d'aujourd'hui était plus grand, donc plus sûr, a priori. Elle tenta de s'en convaincre mais l'appréhension lui nouait encore l'estomac au réveil, mercredi matin, lorsqu'elle aperçut le brouillard.

Elle se lava le visage. Le brouillard persistait au-dehors. Elle enfila son alliance, ce qui ne lui apporta aucun réconfort. Elle se rendit à la cuisine d'où lui parvenaient les voix de Molly et Zoe puis, d'un ton qui se voulait désinvolte, suggéra :

— Si on remettait notre excursion à plus tard ?

— Oh, non, maman ! C'est une journée idéale pour faire les magasins. Tu as besoin de vêtements.

— À vrai dire : non. Ça t'embête, que je porte tes affaires ? demanda-t-elle à Zoe, occupée à préparer de la pâte à crêpes aux fourneaux.

— Absolument pas.

Mais Molly ne voulait pas en démordre.

— Tu auras besoin de tes propres habits si tu prolonges ton séjour. Tu crois qu'on peut encore attraper le ferry de 9 heures ?

— 9 heures ? Non. Il faudra encore attendre un peu. Avant tout, j'ai du travail.

Julia disait la vérité : elle devait s'occuper des lapins.

— Celui de 10 h 30, alors ?

Ainsi fut décidé. Auparavant, Julia s'accorda quelques moments de répit dans l'écurie. Les volets et les lucarnes ouverts laissaient entrer à la fois l'air frais du matin qui circulait entre les cages et les boxes, et une lumière diffuse pénétrant jusqu'aux recoins les plus sombres. Julia portait le survêtement et les tennis que Zoe lui avait prêtés pour travailler dans l'écurie. Ces habits lui tenaient bien chaud dans l'atmosphère humide.

Du brouillard nappait le bâtiment. Aucun bruit ne se faisait entendre, à part le pschit du nébulisateur de temps à autre, le frétillement des lapins et le chant d'un oiseau dans la prairie. Julia ne parlait pas, Zoe non plus. La tranquillité matinale leur apportait une précieuse sérénité.

Ici, Julia n'éprouvait pas l'envie irrépressible de bouger. Quelque chose chez les lapins, quelque chose de simple, d'essentiel, la calmait.

Savourant l'instant présent, elle changea l'eau des abreuvoirs fixés à chacune des cages puis mesura la quantité de croquettes à ajouter dans chaque mangeoire. Elle prit dans ses bras Gretchen en premier, ne voulant pas que sa camarade se sente négligée, puis serra contre elle d'autres lapins qu'elle n'avait pas encore appris à connaître.

Elle découvrit ce qui les distinguait les uns des autres. Les plus accommodants acceptaient qu'on les prenne à peu près n'importe comment tandis que d'autres ne se blottissaient dans le creux de ses genoux que les pattes arrière contre son ventre, ayant ainsi tout loisir d'observer les alentours. D'autres encore éprouvaient le besoin d'enfouir leurs museaux dans le creux de son coude.

Zoe s'affairait en murmurant des petits riens aux lapins. Elle s'adressa à Julia d'une voix douce de pédagogue.

— Voici Madeleine, commença-t-elle auprès d'une cage abritant un angora couleur lilas. Elle va donner naissance à ses petits dans le courant de la semaine. Tu vois comme elle reste blottie dans le fond de sa cage ? Elle ne veut pas qu'on la touche. J'y déposerai un nichoir un peu plus tard. Il faut qu'elle se prépare.

Julia continua de caresser le lapin à la fourrure chocolat sur ses genoux. Il se nommait Hershey.

— Comment s'y prend-elle ?

— Je lui donne du foin frais avec le nichoir puis elle l'installe et le façonne à sa convenance. Forcément, ça n'est pas très bien fait. Puis elle ajoute de la fourrure.

— La sienne ?

— Oui. Elle s'en arrache pour construire son nid. Les petits naissent glabres et aveugles. Le foin ne leur tiendrait pas assez chaud. C'est la fourrure qui les isole et les empêche de mourir de froid.

Julia reposa Hershey dans le fond de sa cage et ouvrit la suivante. À l'intérieur se tenait Maria ainsi qu'un nichoir renfermant ses sept petits. Les lapereaux étaient nés voilà presque deux semaines. Ainsi enfouis dans leur nid de fourrure bougeant lentement au rythme de leurs mouvements et de leur respiration, ils donnaient l'impression de ne former qu'un seul et unique organisme.

— Ils sont si chauds quand on les touche. Je n'arrive pas à croire qu'ils risquent de mourir de froid.

Zoe la rejoignit et sortit le nichoir de la cage.

— Je n'ai encore jamais perdu de portée entière. Le peu de lapereaux que j'ai perdus, c'était par accident, après la tétée. Leur mère les nourrit deux fois par jour. Elle grimpe sur le nichoir en présentant son ventre aux petits qui se ruent dessus pour téter. L'opération ne lui prend pas plus de cinq minutes, le temps d'épuiser sa patience. Ensuite, elle descend du nichoir et vaque à ses petites affaires.

Zoe posa le nichoir sur la table de travail et passa la main dans la fourrure du lapin, dont elle dégagea un tout petit lapereau gris.

— Régulièrement, la maman quitte le nichoir avec l'un de ses petits accroché à une mamelle, sans s'en apercevoir. Il finit par se laisser tomber. S'il est encore assez petit, il glisse entre les barreaux de la cage et tombe dans le plateau amovible au-dessous. Ce n'est pas la chute qui entraîne sa mort mais le froid. Il m'est déjà arrivé de repérer un lapereau tombé dans un plateau, à temps pour le sauver. Mais parfois, j'arrive un beau matin et il a disparu.

Elle fit glisser le bébé lapin dans le creux de ses mains en écartant ses paupières closes d'une légère pression du pouce.

— Regarde.

Julia lui obéit. En moins d'une minute, le lapereau écarta les paupières, l'une après l'autre. Julia elle-même écarquilla les yeux.

— C'est grâce à toi ?

— Les autres petits de cette portée y sont parvenus tout seuls mais celui-là avait besoin d'aide. Ils doivent être capables de voir au bout du dixième jour. Voici maintenant treize jours qu'ils sont nés. Si je n'avais rien fait, ce petit lapin serait sans doute resté aveugle.

Elle replaça l'animal dans son nichoir et jeta un coup d'œil aux autres cages.

— Je vais recueillir un peu de leur fourrure, aujourd'hui. Chipmunk est prêt. Gardener et Mae aussi.

— J'aimerais te regarder, proposa Julia, tant elle se plaisait dans l'atmosphère paisible de l'écurie. Je pourrais remettre à demain mon excursion avec Molly.

— Oh non. Vas-y. J'en épilerai d'autres la semaine prochaine.

— Tu pourras m'apprendre ?

Julia commençait à se sentir personnellement impliquée auprès des lapins. Tels des petits d'hommes, ils dépendaient entièrement de qui voulait bien les nourrir et les protéger.

Zoe acquiesça.

— Tu me montreras aussi comment me servir d'une quenouille ?

— Bien sûr.

— Si je restais un peu plus que les deux semaines prévues ?

— Hé, la taquina Zoe en souriant, c'est toi qui as insisté pour fixer une limite à ton séjour. Si ça ne tenait qu'à moi, tu resterais là tout l'été.

— Si Molly décidait de rester, elle aussi ?

Quelque chose au plus profond de Julia lui indiquait que Molly ne partirait pas sans elle.

— Tu vivrais dans une maison bien plus remplie que tu n'en as l'habitude.

— Ça me plairait beaucoup, dit Zoe, qui poursuivit en baissant la voix : Mais toi ? J'avais le sentiment, quand tu as décidé de venir, que tu voulais un peu de temps à toi.

Elle faillit ajouter que l'arrivée de Molly avait contrecarré ses projets.

Julia la comprit à mi-mot. L'idée lui était déjà venue plus d'une fois lorsque le souvenir d'une proue effilée rouge foncé jaillissant du brouillard la réveillait en sursaut en plein cœur de la nuit. *Qui suis-je ?* À l'arrivée de Molly, elle avait repris son rôle de mère active, acceptant de faire pour sa fille certaines choses qu'elle n'aurait peut-être jamais faites de son propre chef, prendre le ferry jusqu'au continent aussi vite après l'accident, par exemple.

— La présence de Molly m'enchante. Ces dernières années, c'est devenue une amie pour moi. Toutes les mères n'ont pas ma chance. En plus, Monte ne s'est pas vraiment précipité ici après le naufrage du ferry. Pas plus que mes parents.

— Que se passe-t-il entre toi et Monte ?

Julia serra les lèvres. Elle préférait ne pas en parler. Zoe n'insista pas.

— Et tes parents ? Qu'est-ce qui ne va pas, avec eux ? Bon, d'accord, s'ils ne voulaient pas venir, ils pouvaient au moins envoyer quelque chose, des habits, des fleurs, ne serait-ce qu'une carte.

— À moi ? releva Julia en esquissant un sourire penaud. En quel honneur ? Je suis forte. Je sais me débrouiller. C'est moi qui prends soin de tout le monde. Ils n'ont pas à se faire du souci pour moi.

— Ils ont pourtant failli te perdre.

— Il faut croire que l'idée de perdre quelqu'un ne dérange pas ma mère. Quand on songe à son attitude envers toi...

— Trop de choses nous séparent.

— La séparation suppose une distance réciproque alors que tu lui envoies toujours des cartes et des cadeaux. La porte reste ouverte de ton côté.

— D'accord. Disons qu'elle m'a reniée.

— Pourquoi ? demanda Julia, mais il s'agissait d'une question rhétorique, si souvent posée par le passé sans jamais obtenir de réponse qu'elle n'en revint pas d'en recevoir une maintenant.

— Elle et moi, on a aimé le même homme, il y a longtemps.

— Le même homme ? Janet est bien plus âgée que toi !

— Les hommes peuvent entretenir une relation avec quelqu'un de plus jeune sans que personne n'y trouve à redire.

— Qui c'était ? lui demanda Julia en s'efforçant de reconstituer le puzzle ; le résultat de ses calculs ne collait pas. Tu avais douze ans à ma naissance. Mes parents étaient déjà mariés. Avant, tu étais trop jeune. D'ailleurs à douze ans, c'est déjà inconcevable.

— Ce n'était pas avant mais après.

— Après ? Ma mère s'est entichée de quelqu'un d'autre ?

À peine eut-elle prononcé ces paroles qu'elle comprit soudain.

— Toi et... papa ? souffla-t-elle, abasourdie.

Laissant le nichoir à Julia, Zoe se dirigea vers une autre cage dont elle sortit un lapin. Elle l'installa dans le creux de son bras et se mit à caresser sa fourrure.

— Zoe ? insista Julia, soucieuse d'obtenir une réponse.

— Vous veniez tous me voir ici à l'époque. Janet se montrait plutôt gentille. Elle ne voulait pas perdre contact avec moi malgré ce que tout le monde pensait de moi.

— C'est-à-dire ?

— J'étais le vilain petit canard de la famille, j'élevais des moutons dont je filais la laine, je disais tout haut ce que je pensais sur des sujets que la plupart des gens préfèrent ne pas aborder.

— Du genre ?

— La politique, la religion. Les deux grands tabous, expliqua Zoe dont le regard animé croisa celui de sa nièce. Bon sang ! On a l'impression d'offenser quelqu'un, dès qu'on ne pense pas la même chose que lui, poursuivit-elle d'une voix vibrante d'émotion. J'ai grandi persuadée que l'intérêt d'une démocratie réside dans la possibilité pour n'importe qui de penser ce qu'il veut. C'est faux. Certains prennent la mouche dès qu'on ne partage pas leur opinion. Ma famille, par exemple.

Elle s'interrompit pour reprendre son souffle et retrouver son calme en caressant le lapin.

— J'avais vingt-sept ans à l'époque, reprit-elle d'une voix plus posée. Un problème de boulot a contraint Janet à partir plus tôt que prévu. George est resté ; les garçons et toi aviez toujours quelque chose à faire. Lorsque vous ne vous amusiez pas à la plage, vous traîniez à l'épicerie ou au cinéma de quartier. Tu te rappelles, le cinéma ? demanda-t-elle en souriant.

Julia ne l'avait pas oublié. Il occupait une petite salle à l'odeur de renfermé, pleine à craquer de gamins assis sur des rangées de sièges en bois, en train de manger du popcorn et des caramels mous – un souvenir méritant qu'on l'approfondisse. Pas maintenant. Ses pensées s'engouffrèrent dans une nouvelle perspective choquante. Elle ne parvenait pas plus à s'imaginer Zoe attirée par son père que son père attiré par Zoe. Ils incarnaient deux opposés : la ville et la campagne, les mathématiques et l'art, les costumes cravates et les survêtements, le jour et la nuit.

— À l'époque, on y passait les films dès leur sortie, reprit Zoe, s'attardant quelque peu sur ce souvenir, sans cesser de caresser le lapin. Même les cinémas de quartier diffusaient les nouveautés en ce temps-là. Puis c'est soudain devenu impossible, les cassettes vidéo sont arrivées et le cinéma a fermé.

Son sourire s'effaça.

— George est resté après le départ de Janet. Je trouvais depuis toujours que c'était l'homme le plus charmant du monde. Il était au sommet de sa forme et tentait de s'adapter à la réussite professionnelle de son épouse à une époque où les femmes envisageaient à peine de faire carrière. Il se sentait vulnérable. J'ai peut-être joué là-dessus.

De toutes les choses que Julia s'était imaginées au fil des ans entre sa mère et Zoe, en voilà une à laquelle elle n'avait jamais songé. Elle s'efforça d'assimiler cette révélation.

— Il y a eu quelque chose entre vous ? murmura-t-elle en n'osant hausser la voix, tant l'idée lui semblait bizarre.

Zoe laissa échapper un soupir. Le regard rivé à la fenêtre nimbée de brouillard, elle fit signe que oui. Julia n'en revenait pas.

— Et maman l'a su.

Les yeux perdus dans le lointain, Zoe se mordit la lèvre inférieure. Elle reprit d'un ton sec :

— En tout cas ce n'est pas moi qui ai vendu la mèche. Je savais que ça lui porterait le coup de grâce.

— Papa lui a tout avoué ?

— La culpabilité devait l'accabler. Il est si gentil.

— Alors tu ne lui en veux pas ?

— Parce qu'il m'a préféré Janet ? Comment pourrais-je lui en vouloir ? Janet a toujours été une femme remarquable. Déjà en ce temps-là. Puis, songe à la vie qu'il menait à ses côtés. Il avait trois enfants, une maison, une vie sociale qui semblait indissociable de son existence, même s'il la devait en partie à Janet. Qu'aurais-je pu lui apporter ? Je vis sur une île, bon sang !

— Oh, Zoe. Comme je le regrette.

— Non, Julia, c'est moi qui le regrette. J'aurais dû savoir à quoi m'en tenir et éviter que ça arrive.

— Ne nie pas sa part de responsabilité, la mit en garde Julia.

Pour l'heure, elle avait ses propres raisons d'en vouloir à son père, des raisons qui diminuaient d'autant l'affection qu'elle lui portait, sans parler de ses sentiments envers Monte, si étroitement, si importunément mêlés à toute l'affaire.

— Loin de moi cette idée ! Mais si j'avais refusé, rien ne serait arrivé, et vous auriez tous continué à me rendre visite ici, j'aurais une famille et Janet te parlerait en ce moment.

— C'est vraiment idiot de sa part de continuer à t'en vouloir après tout ce temps ! s'exclama Julia sous le coup d'une soudaine colère. Elle a gardé son mari. Elle a gagné. Tu as perdu. Elle ne s'en rend pas compte ou quoi ?

— Oh si, répondit Zoe, d'un ton raisonnable. Voilà pourquoi elle vous laissait encore me rendre visite, vous, les enfants. Mais rien que vous. Tu te rappelles ?

— On prenait le train jusqu'à Portland où tu nous retrouvais. Je devais m'assurer que mes frères se tenaient tranquilles. Mes parents ne venaient pas mais leur absence semblait tout à fait compréhensible puisque nous étions assez grands pour voyager seuls. Je me disais qu'il profitaient d'un moment d'intimité.

— C'était sans doute le cas.

— Pas comme on pourrait l'entendre, protesta Julia.

— Oserais-tu le reprocher à ta mère ? lui demanda Zoe. Songes-y. Elle s'est comportée comme toutes les femmes trompées par leur mari. La liaison a beau être terminée, pour de bon, le mari se montre attentif et prévenant des années durant, il suffit qu'il rentre tard du bureau un soir sans prévenir et l'épouse n'a qu'une idée en tête. Même s'il est possible de refaire confiance, c'est un peu comme un cœur : il reste forcément un point vulnérable après une attaque.

Julia ne connaissait que trop cette vérité. Voilà longtemps déjà qu'elle se sentait vulnérable face à Monte.

— Maman ? l'appela Molly depuis le seuil de l'écurie.

C'était la principale raison pour laquelle Julia restait avec son mari. Sans l'ombre d'un regret, elle posa les yeux sur sa fille. Molly avait grandi dans un foyer composé d'un père et d'une mère aimants, comme Julia en son temps.

Molly tapota le cadran de la Rolex qu'elle portait à son poignet, un cadeau de fin d'études offert par ses parents qui l'aimaient tant.

— Tu n'oublies pas le ferry, j'espère ?

Le brouillard masquait encore l'horizon lorsque le ferry de 10 h 30 s'éloigna du quai en prenant de la vitesse. Alors seulement, Julia s'aperçut à quel point le port était à l'abri des vagues par rapport à la pleine mer. Sur le ferry, il y avait une salle fermée équipée de sièges, des bancs dehors, à la proue, et un pont supérieur surplombait le toit de la cabine de pilotage. Le bateau transportait à l'arrière deux voitures embarquées aux précédents arrêts et s'enfonçait dans les flots avec une stabilité remarquable.

Pourtant Julia aurait préféré se trouver n'importe où ailleurs. Où s'asseoir ? À l'extérieur, dans le brouillard qui raviverait à coup sûr ses souvenirs ? À l'intérieur, confinée dans une salle d'où elle risquait de ne pouvoir s'échapper en cas de collision ? Elle s'en était sortie l'autre soir justement parce que sa place à l'avant du bateau l'avait écartée du danger.

De deux maux, elle choisit le moindre : un siège dehors, à la proue. Il y avait de la place sur les bancs et suffisamment de gens autour d'elle et Molly pour que ce trajet ne ressemble pas trop au précédent. Julia portait une tenue de Zoe : un pantacourt en toile bleue, un haut à bretelles et des sandales. Un magnifique sac en cuir à bandoulière, confectionné sur l'île par un ami de Zoe, pendait à son épaule. Sa tante venait de le lui offrir.

Malgré une sensation de bien-être, Julia ne se détendait pas. Le brouillard l'empêchait de s'assurer par ses propres yeux qu'aucun bateau ne traversait le chenal. Aucun bruit de moteur ne lui parvenait, mais le ronronnement du ferry, imposant, risquait de couvrir celui d'autres embarcations éventuelles. Elle espérait du moins que l'homme posté à la barre disposait d'un radar, même si celui de l'*Amelia Celeste* n'avait été d'aucun secours.

Julia scruta le brouillard, aux aguets. Elle se demandait comment elle réagirait au cas où un autre bateau foncerait droit sur eux. Elle ne savait pas comment faire pour empêcher une collision. Elle promenait lentement les yeux aux alentours sans perdre de vue la masse cotonneuse où elle distinguait des ombres qui n'allaient nulle part. Elle apercevait de temps à autre un éclair coloré, sans doute un repère du chenal. Ses pensées revenaient malgré elle au trajet en bateau de la semaine passée. Lorsque le ferry s'engagea dans la zone où, d'après ses estimations, l'accident s'était produit, son cœur se mit à battre la chamade.

Elle vit ou crut voir un bateau des gardes-côtes ainsi que des plongeurs – une présence fantomatique, peut-être le simple fruit de son imagination. Elle savait que les plongeurs tentaient encore en ce moment de récupérer ce qui pouvait l'être au fond de l'océan, avant que la marée ou les créatures abyssales, fouillant la vase, ne dispersent tout.

— Maman ? l'interpella Molly d'une voix lointaine. Tout va bien ?

Julia rassembla ses esprits, se força à inspirer puis elle prit la main de Molly.

— Ça ira.

Au bout de cinq minutes, le brouillard s'éclaircit. Au bout de cinq autres, Rockland apparut, aussi limpide que du cristal, à travers un reste de brume. Le port illuminé par le soleil miroitait, un véritable don du ciel pour Julia. Le ferry accosta, la proue la première, puis les deux voitures sortirent sur la rampe, bientôt suivies des passagers.

Julia, enchantée d'être encore en vie, se sentait d'excellente humeur. Molly faisait preuve d'un égal entrain, même si Julia n'aurait su dire ce qui la rendait aussi gaie : la simple joie de vivre, la présence de sa mère ou la perspective de faire les boutiques. Elles s'adonnèrent au lèche-vitrines, l'un des passe-temps favoris de Molly. Elles explorèrent tous les magasins de Rockland puis s'en furent chercher la voiture garée le long de la jetée afin d'aller en voir d'autres à Camden.

Molly jubilait ; elle choisissait des habits les uns après les autres sur des étagères ou des cintres, uniquement destinés à Julia, incapable quant à elle de retenir un sourire amusé. Pour la toute première fois, les rôles se trouvaient inversés. Julia avait emmené Molly s'acheter des vêtements d'école ou de colonies de vacances quantité de fois, or la mission de Molly consistait maintenant à rhabiller Julia.

— Il te les faut, maman, dit-elle en lui tendant un jean brodé, ou plutôt non, attends ! Et celui-ci, qu'est-ce que tu en penses ?

— Il me conviendrait parfaitement si j'avais ton âge, répliqua Julia en souriant, comme Molly l'avait si souvent fait à sa place, mais je le trouve un peu trop fantaisiste. Je voudrais un jean tout simple. Est-ce qu'il y en a dans cette boutique ?

Il y en avait bel et bien et Julia se laissa séduire. Elle acheta aussi des T-shirts tout simples. Dans un autre magasin, elle fit l'emplette de shorts et de pantalons, de chemisiers et d'une veste de sport pas très différente de celle qu'elle avait perdue. Dans un autre, elle acheta une robe de chambre en laine et, deux portes plus loin, s'offrit une chemise de nuit et de ravissants sous-vêtements parce qu'elle appréciait les jolis dessous et parce qu'elle était tellement ravie de découvrir une boutique où l'on en vendait qu'elle désirait l'encourager, et surtout parce que Molly insista.

— Tu le mérites, maman, dit-elle en tendant la carte de crédit à la vendeuse, endossant le rôle de la mère jusqu'au bout. Après tout ce que tu as subi ! Papa te le doit bien.

Julia se focalisa sur l'aspect éprouvant de son expérience. Au magasin suivant, elle fit l'emplette de tennis, de nu-pieds dotés d'un petit talon, et de sandales Birkenstock qu'elle n'avait encore jamais portées de sa vie. Elle en choisit en cuir souple couleur moka, pourvues de trois lanières en travers du pied. Elle se tourna de tous côtés face au miroir, imitant Molly en cela aussi, n'espérant qu'une chose : se laisser convaincre.

— Les gens sur l'île en portent tout le temps, songeat-elle à haute voix. Zoe en possède une demi-douzaine de paires.

— Prends-les, lui conseilla Molly. Je crois même que tu devrais en acheter une deuxième paire. Tu vois celles-là, avec une sangle unique à la cheville ? Prends-les en rouge.

Retenant son souffle, elle lui désigna une autre paire.

— Non, celles-ci plutôt, aux motifs de fleurs. Elles iraient trop bien avec un jean roulé dans le bas. Moi aussi j'en veux ! Mais toi d'abord ! Je crois que tu devrais en prendre trois : en cuir couleur moka, une autre paire avec des fleurs rouges et la dernière avec la grande lanière blanche.

— Je n'en ai pas besoin d'autant, Molly.

— Qui te parle de besoin ? Pense à ce qui te ferait plaisir ! rétorqua sa fille comme l'avait fait Julia quatre semaines plus tôt, lorsque, Molly ayant appris qu'elle figurait au tableau d'honneur le deuxième semestre, elles s'étaient offert un week-end de thalassothérapie.

Certains des traitements ne leur avaient apporté aucun bénéfice concret, or le moindre d'entre eux coûtait plus cher que les sandales, par contre tous leur avaient procuré un immense plaisir. Molly ajouta :

— Elles sont géniales ! Tu y as droit, après l'accident. Papa te doit bien ça. En plus, j'adore les rouges. Il faut que tu les prennes.

Au drugstore commença une nouvelle aventure. Julia acheta du dissolvant, de la crème hydratante et un brumisateur. Ainsi que du shampoing, une brosse à cheveux, du fond de teint, du fard à joues et de l'ombre à paupières. Elle ne connaissait pas ces marques introuvables à New York et choisit les cosmétiques les plus discrets. Un maquillage trop sophistiqué détonnerait à Big Sawyer. Julia pressentait d'ailleurs qu'elle n'en porterait pas la plupart du temps. Mais les vieilles habitudes sont tenaces. Elle s'était sentie nue aux funérailles et au dîner de la veille au grill. Peu importe si la plupart des autres femmes sur l'île n'étaient pas maquillées, elle n'avait rien à voir avec elles. Julia était unique.

Elle ajouta à sa liste de courses plusieurs savonnettes enrichies en crème qu'elle troquerait contre le savon ultrabasique de Zoe à la maison. Elle choisit ensuite un flacon de vernis à ongle nacré, des chouchous, et plusieurs barrettes en écaille. Elle se décida enfin pour une paire de lunettes de soleil puis, lorsque Molly lui confia que la monture rectangulaire n'était pas mal mais que les lunettes ovales lui allaient vraiment à ravir, elle les acheta aussi.

Quand elle arriva à la caisse, son panier regorgeait de tellement d'articles qu'elle en fut gênée.

— Regarde-moi ça ! dit-elle d'un ton accablé. Je ne sais même pas combien de temps je vais rester. Tu crois vraiment que j'ai besoin de tout ça ?

— Oh oui ! l'assura Molly en ajoutant encore trois flacons in extremis. Du gel douche, du lait hydratant et de l'eau de Cologne. Senteur muguet. Tout à fait ton style.

Décochant un large sourire à la jeune fille qui attendait de passer leurs articles en caisse, elle déclara :

— Nous sommes prêtes.

Puis elle se mit à vider le panier de courses. Elle chuchota à l'oreille de Julia :

— Tu remplaces le contenu de tes sacs, l'assurance couvre tout, n'est-ce pas ce que tu m'as dit ? Alors si papa récupère l'argent, pourquoi ne pas le dépenser ? Il le dépensera bien, lui, si tu ne le fais pas. Je préfère que ce soit toi qui en profites plutôt que quelqu'un d'autre.

Le cœur de Julia cessa un instant de battre sous le coup de soupçons trop familiers.

— Qu'est-ce que tu veux dire ?

Molly fit la grimace. Visiblement contrariée, elle finit par lâcher :

— Il achètera des cravates. C'est vrai, quoi ! Il en possède toute une collection. Mes copines du lycée s'en moquaient, elles faisaient semblant de vouloir les porter en guise de ceinture avec des jeans. La moindre de ses cravates vaut à coup sûr bien plus que la plus chère de mes ceintures.

Par souci de discrétion, Julia se tourna de côté pour la réprimander gentiment.

— Ton père travaille très dur. Il ne fume pas, ne boit pas, ne joue pas, les cravates sont son seul luxe. De quel droit le critiquerait-on ?

— Tout ce que je dis, se défendit Molly d'un ton calme, c'est que toi aussi tu as le droit de t'acheter des babioles.

— Est-ce que je me suis jamais refusé quoi que ce soit ?

— Oh ! Tu fais attention. Je l'ai bien vu. Tu dépenses plus facilement pour moi que pour toi.

Elle prit Julia par la taille et la serra contre elle en souriant.

— Voilà pourquoi c'est tellement amusant ! Pour une fois, tu fais des folies pour toi.

Julia sourit à la vendeuse et lui tendit sa carte de crédit.

— En plus, ajouta Molly, ce dont tu ne te serviras pas, Zoe pourra toujours l'utiliser.

— De l'eau de Cologne parfumée au muguet ? s'interrogea Julia, sceptique. Elle attirerait les insectes !

— Plutôt les hommes, oui ! Je n'ai jamais compris pourquoi elle vit seule. Elle est adorable. Des tas de mecs devraient lui courir après.

Julia éprouva un pincement au cœur. Un homme ne s'en était pas privé, des années plus tôt. George, l'incarnation du romantisme, le coureur de jupons, le mari infidèle. Chaque tentative de faire concorder cette image avec celle qu'elle avait de son père depuis toujours la perturbait. Elle supposait le mariage de ses parents sans tache. Il lui faudrait un certain temps pour s'habituer à l'idée que ce n'était pas le cas.

La vérification du ticket de caisse suivie de la réception d'énormes sacs pleins à craquer lui évita de répondre à Molly. Une fois les courses déposées dans le coffre de la voiture, mère et fille s'arrêtèrent dans une petite librairie où Julia racheta les livres et magazines disparus dans l'Atlantique. Puis, affamées, elles s'installèrent à un restaurant pittoresque où l'on disposait d'une vue sur le port. Des arbustes en fleurs, roses pour certains et blanches pour d'autres, pourvus d'un luxuriant feuillage, ombrageaient les tables et les chaises en fer forgé. Elles commandèrent des friands au homard accompagnés de pommes de terre en tranches, grillées façon barbecue. Après avoir dévoré le contenu de leurs assiettes, elles demandèrent une part de tarte aux fraises pour deux. On leur en apporta un morceau énorme avec deux cuillères.

— Complètement décadent, commenta Molly.

— C'est la saison des fraises, rétorqua Julia. Le serveur prétend qu'il s'agit de fraises cueillies dans les environs. Comment refuser des fruits du cru ?

— C'est ce qu'Adam a dit à Ève. Mais nous avons affaire à une authentique tarte à la crème avec d'authentiques fraises et de la crème fouettée tout ce qu'il y a de plus authentique aussi.

Elle engloutit une cuillerée avant de poursuivre, la bouche pleine :

— Où en est-on ?

— De quoi parles-tu ?

— Des vêtements, précisa-t-elle. Il te manque encore des pulls. Il faisait frais hier soir.

— Pas question. Zoe ne me pardonnerait jamais de porter un pull qu'elle n'aurait pas tricoté. Un sweat par contre, ce serait pas superflu.

— Un sweat-shirt à capuche, décréta Molly. Style décontracté.

— Pardon ? Tu détestes ça, tu trouves ça vulgaire !

— D'accord, en l'occurrence il s'agit d'un décontracté chic.

En fin de compte, son choix se porta sur des sweat-shirts barrés de l'inscription CAMDEN en travers de la poitrine. Molly s'en procura un bleu marine orné de lettres rouges, assorti à celui de Julia, un gris à l'inscription bleu marine.

— Prends ça aussi, ajouta Molly en joignant à la pile un ciré jaune et un autre sweat vert olive. Au moindre doute, ajouta-t-elle en souriant, rappelle-toi les cravates de papa.

Puis elle se dirigea vers la caisse afin de régler le montant de leurs achats.

Julia céda en raison des prix plus que raisonnables mais aussi parce que faire les boutiques lui procurait un réel plaisir. Dans une maroquinerie, elle se décida pour un article pratique : un grand sac en toile où glisser ses achats. Mais elle se cabra devant le magasin de photo, lorsque Molly voulut l'entraîner devant une vitrine où du matériel identique à celui perdu en mer était exposé.

— Non, je ne crois pas, Molly.

— Papa t'a bien dit de remplacer ce qui a disparu ?

— Je ne suis pas certaine d'en avoir envie.

— Pourquoi ? Il te le doit bien.

Le cœur de Julia se serra.

— Pourquoi répètes-tu sans arrêt cette phrase ? Ton père ne me doit rien.

— Oh si ! Tu lui facilites la vie. Il se concentre sur son travail pendant que tu penses à tout le reste. Tu lui as consacré toute ton existence.

— Je ne m'en plains pas, fit observer Julia. J'ai une fille superbe, une maison superbe. Je dîne dans les meilleurs restaurants, je fais des courses dans les meilleures boutiques. J'ai parcouru l'Europe, l'Australie, le Proche-Orient. Je suis allée très souvent aux Caraïbes alors qu'il faisait glacial à New York. Et tout ceci sans le moindre souci d'argent. La plupart des femmes donneraient n'importe quoi pour mener le genre de vie que je mène ou pour avoir un mari qui les traite comme me traite ton père.

Molly émit un sifflement méprisant.

— Molly ! soupira Julia, mal à l'aise. Qu'est-ce qui se passe ?

— Papa m'a contrariée. D'accord ? Je dois avoir une dent contre les hommes, voilà tout.

Julia ne demandait qu'à la croire. Mieux valait ne pas penser que son ressentiment s'expliquait par l'une ou l'autre bêtise de son père. Sans doute le fiasco de Molly à Paris avait-il déçu Monte.

— Ils ne sont pas tous mauvais, lui fit-elle observer. Je ne serais pas là aujourd'hui sans le secours d'un homme, la semaine passée. Rien ne l'obligeait à traîner un coussin gonflable à travers l'océan pour m'aider, mais il l'a fait.

— Ah ! Le mâle dominant, plaisanta Molly, soudain ragaillardie, pour aussitôt chasser Noah de ses préoccupations. Je maintiens que tu devrais t'acheter un appareil photo. Ton vieil automatique est au bout du rouleau. Tu n'as donc envie de rien prendre en photo sur l'île ?

Bien sûr. Julia doutait cependant de parvenir à fixer sur la pellicule la tranquillité qui régnait dans l'écurie à l'aube ou la quiétude de la prairie au crépuscule, or c'était justement ce qu'elle chercherait à se rappeler une fois rentrée à New York.

La tentation lui parut trop forte.

— Montrez-moi celui-ci, demanda-t-elle au vendeur en s'approchant de la vitrine.

— Parfait ! s'exclama Molly en joignant les mains d'un air ravi. Une minute ! Celui-là plutôt.

— Ce n'est pas celui que je veux, déclara Julia en posant une main sur le bras de sa fille.

— Il a l'air tellement mieux.

— Il possède des options dont je ne veux pas et coûte beaucoup plus cher. Je me fiche de savoir qui paye. Je ne veux pas d'un appareil plein de boutons et d'indicateurs facultatifs dont je ne me servirai pas une seule fois en un siècle.

— Qui sait ? risqua Molly.

— À ce moment-là, reprit Julia en souriant, je réclamerai à ton père un nouveau modèle. Pour l'instant, c'est cet appareil que je veux.

Molly fit mine de répliquer mais Julia leva aussitôt la main.

— Qui va s'en servir ? Moi ou toi ?

— Toi, admit Molly. Achète au moins un trépied. Et un boîtier. Tous les accessoires nécessaires, quoi !

— D'accord.

Julia maîtrisait à fond le sujet des accessoires grâce aux listes établies lors de ses recherches initiales. Elle ne disposait pas de ces fameuses listes en cet instant mais le vendeur s'empressa de suppléer à ses oublis.

Une heure plus tard, elles sortirent de la boutique en possession de tout ce qu'il faudrait à Julia pour prendre, imprimer et envoyer par e-mail des photos. L'appareil pendait à son épaule, batterie chargée et premiers clichés déjà enregistrés, grâce aux instructions du vendeur et grâce aussi à un charmant ponton à l'arrière du magasin. Ils représentaient Molly en gros plan sous tous les angles et tous les types d'exposition ou de flash imaginables. Julia jubilait : elle adorait appuyer sur le déclencheur en sachant qu'elle déciderait par la suite quoi imprimer et quoi effacer. Elle adorait voir apparaître l'image sur l'écran en zoomant à loisir sur la zone désirée. Elle adorait tenir en main cet appareil tellement plus petit et plus maniable que le précédent, aujourd'hui perdu.

— Voilà exactement ce dont j'avais envie, déclara-t-elle en regagnant la voiture.

— Je suis fière de toi, maman, avoua Molly, rayonnante.

— Moi aussi, lui répondit Julia, en lui rendant son sourire.

Julia se raccrocha à cette pensée en embarquant sur le ferry, une heure plus tard. Son instinct lui suggéra d'abord de ne pas quitter la voiture, le temps du trajet jusqu'à l'île. Elle connaissait parfaitement son véhicule où elle ne craignait rien. En restant à l'intérieur, elle pourrait très bien se croire sur la terre ferme.

Molly voulut s'installer au soleil, sur le pont supérieur où soufflait un vent chaud. Julia dut s'avouer qu'en l'absence de brouillard, ça ne lui déplairait pas de profiter de la traversée dont elle avait été privée la semaine précédente.

Aussi sortit-elle de sa voiture pour se rendre en haut du bateau en gardant l'œil sur les vagues et les embarcations aux alentours. Elle s'inquiéta quelque peu lorsque le moteur du ferry émit le même bruit intermittent qu'à l'aller le matin. La foule de choses qui s'offrait à sa vue réussit toutefois à dissiper son inquiétude. Des vacanciers profitaient du beau temps pour naviguer en respectant l'espace dévolu au ferry et en maintenant leurs distances. La jetée de Rockland, ses quais et ses petites maisons disparurent sous ses yeux tandis que grandissaient au loin les îles dont la forme se précisait peu à peu. Au nord se découpaient les falaises de granit de West Rock et de Hull, à l'est émergeaient les prairies de Little Sawyer. Plus loin se dressaient les crêtes boisées de Big Sawyer, gagnant en netteté au fur et à mesure qu'elles approchaient. La simple taille de l'île aurait suffi à la distinguer des autres, outre sa végétation luxuriante.

Bien sûr, Julia ne posait pas un regard neutre sur l'île. Elle conservait des souvenirs d'enfance de Big Sawyer uniquement. Elle eut l'impression de rentrer chez elle quand le ferry accosta. Quelques instants plus tard, elle éprouva une autre sensation en conduisant à terre. Elle tentait de mettre un nom sur cette émotion lorsque Molly la pria de s'arrêter en lui désignant une place de stationnement.

— Il faut que je passe au grill une minute.

Julia ne lui en voulut pas. Les toilettes du restaurant lui paraissaient de loin préférables à celles du ferry. Peu lui importait d'attendre. Dieu sait qu'elle y était accoutumée ! N'avait-elle pas passé une bonne partie des dix-huit premières années de Molly à l'attendre à la sortie de l'école ou chez le dentiste ou à une leçon de danse ou une quelconque activité de ce genre ? En général, elle emportait un livre. Ou un bloc-notes afin de dresser une liste de courses. Voire des cartes de visite, pour remercier des amis d'un week-end chez eux à la campagne.

Comme rien de tout ceci ne se trouvait à sa portée, elle baissa la vitre côté conducteur et se cala sur son siège afin de savourer les premiers instants de calme depuis des heures. C'est alors qu'une émotion s'empara d'elle. Plus d'une, à vrai dire. Elle se sentait privilégiée. Elle se sentait forte. Elle se sentait... libérée. Tout à fait. Libérée. Elle s'était débattue contre le destin mais elle avait survécu. Voilà qui lui ouvrait de nouvelles perspectives.

Puis, en un clin d'œil, lui revint son besoin subit d'agir, cette drôle de sensation au creux de l'estomac, une impression de quelque chose en suspens. Elle aurait pu en accuser le périmètre limité de l'île si elle n'avait su à quoi s'en tenir. Ce qu'elle éprouvait concernait sa vie dans son ensemble.

Elle ouvrit la portière puis chercha son téléphone. Qui appeler ?

Elle n'avait aucune raison de joindre Monte après leur entretien de la veille au soir. Il ne saurait comment réagir face à son incapacité à rester en place. Il se tiendrait sur la défensive et elle finirait par se sentir encore plus mal.

Julia songea alors à contacter ses parents. Sa mère refusait de s'adresser à elle et son père se contenterait de lui parler par énigmes à portée de voix de sa mère. De toute façon, que lui dirait-elle maintenant qu'elle savait ce qu'elle savait ?

Elle se redressa et accorda un bref regard au grill, à sa montre, à la jetée.

Puis, son nouvel appareil photo en main, elle descendit de voiture.

8.

Trois hommes discutaient à côté d'un pick-up. L'un avait les bras croisés, l'autre s'appuyait sur le marchepied et le troisième se tenait un peu à l'écart. Tous habitaient l'île et tous jetèrent un coup d'œil à Julia lorsqu'elle passa devant eux. Ils ne la saluèrent pas, alors qu'ils savaient qui elle était.

Une jeune femme assise sur un pilier de la jetée parlait à son petit ami. Eux aussi lancèrent un bref regard à Julia lorsque celle-ci bifurqua en direction des quais. Ils ne lui adressèrent ni sourire ni paroles, pourtant ils la connaissaient au moins de vue.

Deux pêcheurs transportaient sur la terre ferme un coffre visiblement lourd. Ils luttaient contre son poids en avançant. L'un deux adressa un signe de tête à Julia mais l'autre se contenta de la regarder. Aucun ne lui dit mot.

Elle se sentait bien trop voyante. Elle portait le même haut à bretelles et le même pantacourt en toile bleue que ce matin, mais elle ne serait pas passée moins inaperçue en rose fluo ou si elle avait eu une mèche verte dans ses cheveux. Et dire que toute sa vie elle s'était arrangée pour se faire remarquer le moins possible ! Quelle ironie ! Quand Julia était encore enfant, sa mère accaparait toute l'attention et Jerry et Mark se bagarraient pour la seconde place. Après son mariage, Monte devint le principal centre d'intérêt et Julia apprit à se contenter de sa place au second plan, en parfait accord avec son goût de la discrétion.

Rien ne l'avait préparée à devenir un point de mire, cela la mettait mal à l'aise.

Peut-être aussi que tout se passait uniquement dans sa tête.

Bien sûr : dans sa tête. Attirer quelques coups d'œil n'a rien à voir avec le fait de se retrouver le point de mire. La différence ne changeait toutefois rien à ce qu'elle éprouvait. Voilà pourquoi elle désirait voir Noah Prine. Il avait beau ne pas faire partie de sa famille ni même de son cercle d'amis, il la comprenait.

À l'entrée du ferry dans le port, Julia avait aperçu le *Leila Sue* en train de regagner le mouillage. Elle retrouva le bateau en contournant un bras du quai. Noah le nettoyait au jet d'eau après sa journée de travail. Le peu que Julia distinguait de son T-shirt semblait gris, maculé de taches de peinture orange et bleue. Une combinaison en ciré jaune lui couvrait le bas du corps depuis la taille. De larges sangles la fixaient sous ses genoux. De grosses bottes en caoutchouc lui protégeaient les chevilles. Ce n'était pas un luxe : le ciré comme les bottes ruisselaient.

Les cheveux ébouriffés de Noah retombaient mollement sur son front, ses oreilles et même sur sa nuque. Il avait repris quelques couleurs, le temps d'une journée en pleine mer. Un léger hâle couvrait son visage. Ses bras nus luisaient au soleil et ses muscles jouaient sous sa peau tandis qu'il vaquait à ses occupations de sa main gantée.

Il ne vit pas Julia s'arrêter à quelques pas du bateau. Elle brûlait d'envie de prendre une photo ou deux mais elle aurait eu le sentiment de violer son intimité. Elle profita donc de la concentration de Noah pour examiner l'embarcation. Il s'agissait d'un long bateau à la même proue dressée que les autres aux alentours. Le même type de lisse courait le long de la coque. La même sorte de plate-forme de cale pourvue de poutres en caoutchouc occupait l'arrière. Les vitres avant de la timonerie fermée de trois côtés formaient un angle ouvert. Des marches menaient à la cabine sous une rangée des patères supportant des casquettes et des vestes. Sur un tableau de bord à l'opposé se trouvaient la manette des gaz, trois écrans distincts, de nombreuses jauges ainsi que la barre, saillante.

Il n'y avait pas de siège face au gouvernail. Noah ne devait jamais cesser d'aller et venir. Tout de suite à droite au bout de la timonerie se dressaient de longs crochets, des cabestans et des poulies. Un plan de travail vissé au sol occupait le centre du bateau. Noah le nettoyait. Deux grandes caisses ainsi que trois bidons renversés s'alignaient à la poupe. L'eau s'écoulait par de petits orifices sur les côtés du pont.

Julia n'aperçut pas de homards, pourtant, à la façon dont Noah nettoyait le bateau et à l'odeur savonneuse du produit dont il se servait, elle supposa qu'il devait y en avoir eu peu de temps auparavant.

Noah leva les yeux en se tournant afin d'asperger d'eau les caisses. L'espace d'une seconde, son visage revêtit une expression concentrée. Ses yeux bleus semblaient aussi sombres que l'Atlantique Nord. Puis, aussi incroyable que cela puisse paraître, il lui adressa un sourire, pas bien franc mais spontané.

— Bonjour ! lança-t-il en poursuivant son travail d'une manière plus détendue.

Julia se détendit à son tour puis lui sourit en s'avançant d'un pas. Elle se posta auprès du bateau afin de le regarder faire. Il était plutôt séduisant. Il contrôlait parfaitement ses gestes. Oui : il avait tout du mâle dominant. Voilà pourquoi elle prenait tant de plaisir à l'observer. Au bout d'une minute, il pointa le jet sur sa combinaison et ses bottes puis il coupa l'arrivée d'eau avant d'enrouler le tuyau qu'il déposa de côté.

— Où sont passés les homards ? lui demanda-t-elle.

Il désigna du menton l'autre bout du port.

— Dans le bâtiment carré, là-bas. La poissonnerie Foss. Les négociants de l'île. J'attrape les bêtes. Ils les vendent.

— Vous avez fait bonne pêche aujourd'hui ?

— Ça peut aller, répondit-il en jetant ses gants au pied de la timonerie. Je ne suis pas beaucoup sorti en mer ces derniers temps alors j'ai trouvé la plupart de mes casiers pleins.

— Mais pas tous ? le taquina-t-elle.

— Non.

— Pourquoi ?

Arborant toujours un petit sourire aux lèvres, en coin cette fois-ci, il lui répondit en haussant les épaules.

— Ils étaient mal placés ? Les appâts n'ont pas plu aux homards ? Ils ont été victimes de vandalisme ? Qui sait !

— Du vandalisme ?

— Des phoques. Ou des hommes.

— Oh ! Ne dites pas une chose pareille.

Il s'épongea le front du dos de la main, emmêlant encore plus ses cheveux.

— Des hommes ? Je préférerais éviter d'en parler mais j'ai trouvé deux casiers complètement vides. Deux sur la même filière. Comme si quelqu'un s'était servi en remontant la ligne.

— Un phoque ne peut pas attraper de homards dans deux casiers contigus ?

— Oh si, bien sûr. Les phoques réussissent à en attraper autant qu'ils veulent.

— Mais vous ne croyez pas à l'hypothèse des phoques.

Son expression ne laissait aucun doute là-dessus.

— Les phoques abîment les casiers. Pas les hommes. Les casiers en question ne portaient aucune trace de violence.

— Je croyais que les pêcheurs partageaient un certain code de l'honneur.

— C'est le cas, confirma-t-il en détachant les sangles de sa combinaison.

Il se pencha pour se débarrasser des attaches maintenant ses bottes puis les ôta en quelques mouvements adroits et fit glisser son ciré. Il avait de magnifiques pieds nus. Son jean usé lui allait à ravir.

— Il arrive qu'on tombe sur de sales types. Enfin, on s'en occupe.

D'un geste facilité par la longueur de ses bras, il suspendit sa combinaison à une patère à l'intérieur de la timonerie puis attrapa une serviette.

— Qu'entendez-vous par là ?

Il enfila une paire de galoches après s'être séché les pieds.

— On fait passer un message à la partie adverse.

— Donc vous savez de qui il s'agit ?

— Oh oui !

Elle se rendit alors compte qu'elle aussi le savait.

— Les fruitiers ?

Il lui décocha un regard intrigué.

— Matthew Crane m'a raconté, expliqua-t-elle avant qu'une autre pensée lui vienne à l'esprit. S'agirait-il d'une guerre de balises ?

— Pas encore. Ça risque d'arriver s'ils ne tiennent pas compte du message.

— Qu'est-ce qui se passerait au juste ?

— Pas grand-chose de bon. Il est même possible que ça dégénère. Au fond, je ne demande pas mieux. Une bonne bagarre ne me déplairait pas. Vous avez joué les touristes sur le continent ? ajouta-t-il en désignant du menton son appareil photo.

— Oh, j'ai surtout fait les boutiques.

— Comment ça s'est passé ? s'enquit-il.

Ses yeux bleu sombre reflétèrent soudain un profond sérieux. Il ne faisait pas allusion à son excursion sur le continent ni à ses emplettes. Voilà pourquoi elle tenait à le voir.

— Le trajet à l'aller m'a paru pénible, reconnut-elle. Le retour s'est mieux passé. Vous aussi, vous éprouvez ce genre de sensations ?

— Non. De toute façon, ce serait contre-indiqué ! J'ai passé le plus clair de ma vie en mer. Ceci dit, j'évite la zone où ont coulé les bateaux. Ce n'est pas évident. Sinon, vous dormez bien ?

— Oh non. Des rêves me réveillent.

— Moi, je me réveille parce que ça me démange.

— Qu'est-ce qui vous démange ?

Il s'approcha du plat-bord. Son regard trahissait son trouble. Il s'exprima d'une voix basse :

— Je ne tiens plus en place. Comme s'il fallait que je fasse quelque chose, n'importe quoi, sous peine de mourir. Comme s'il me restait une œuvre à accomplir.

— Oh Seigneur ! s'exclama-t-elle, tant ce qu'il décrivait lui semblait familier.

— Comme s'il fallait que je termine quelque chose d'inachevé, ajouta-t-il en hésitant.

— Quelque chose qu'il faudrait mener à terme ? suggéra-t-elle.

Il laissa échapper un soupir d'acquiescement.

— C'est tout à fait ce que je ressens, renchérit-elle, soulagée.

— Vous avez découvert ce que vous devez accomplir ? poursuivit-il d'un ton prudent.

— Pas encore.

— Que faites-vous quand vous ne tenez plus en place ?

— Je cuisine ou je m'occupe des lapins. Des tâches apaisantes. Votre travail vous fait le même effet ?

— Oui. J'en ai plus maintenant que je suis seul, ça m'absorbe.

— Vous ne risquez rien, sans personne pour vous aider ? Si jamais il vous arrivait un pépin ?

— Il me reste la radio. Les autres ne pêchent jamais bien loin.

Julia se demanda s'il emploierait un autre coéquipier lorsque la vie reprendrait son cours normal, mais poser la question alors que Hutch ne reposait en terre que depuis la veille lui semblait manquer de tact. Aussi lui demanda-t-elle :

— Où est passé votre chien ?

— Lucas ? reprit Noah en balayant du regard les bateaux alignés le long du quai. Oh, il est dans les parages.

— Il ne vous accompagne pas ?

— Si, mais il s'enfuit à l'heure du nettoyage. Le voilà !

Son regard s'arrêta sur un bateau à quelques encablures de là. Lucas se tenait sur le pont arrière, les yeux plongés dans ceux de Noah.

— Il ne m'aide pas beaucoup à laver le bateau ou même à attraper des homards.

— Je pourrais vous donner un coup de main, moi ? proposa Julia.

— Nan ! C'est un sale boulot.

— J'y arriverai.

— Si vous ne vous sentiez déjà pas à l'aise à bord du ferry... C'est un bateau énorme alors que même l'*Amelia Celeste* dépassait le *Leila Sue* par sa taille.

— Ça ne me poserait pas de problème, insista Julia qui se sentait encore pleine de vigueur.

Elle venait de survivre au trajet en ferry. La mer ne lui faisait plus rien. En outre, Noah lui avait déjà sauvé la vie une première fois. Il ne la laisserait pas se noyer.

— Vous avez déjà manié un homard vivant ?

— Oui.

— Avec les pinces attachées ?

— Hum... oui.

— Vous savez pourquoi on les lie avec ces élastiques ?

Oh oui. Elle avait posé la question à son poissonnier dont l'étalage abritait un grand bassin de homards.

— Pour les empêcher de se dévorer les uns les autres.

— Et de couper un doigt à celui qui les attrape. C'est dans le bateau qu'on leur fixe ces élastiques. Ce n'est pas facile.

— Changer les couches d'un petit de deux ans, atteint de diarrhée, en train de gigoter, non plus.

Une profonde stupéfaction se peignit sur ses traits. Elle lui décocha un franc sourire qu'il lui rendit aussitôt.

— Pensez un peu aux algues en décomposition ou aux fientes de mouettes. Sans compter les poissons à demi dévorés par les homards dans les casiers.

Julia ne s'en laissa pas conter.

— Il arrive aux enfants de vomir. Ils en mettent partout ; il faut bien que quelqu'un nettoie.

— Et les morceaux de chair de hareng ? riposta Noah. Je m'en sers comme appât. Chaque casier dispose d'une garcette à laquelle il faut rattacher de nouveaux bouts de poisson. Jamais aucun parfum n'a dégagé pareille odeur.

Julia ne s'estima pas vaincue.

— Vous avez déjà découvert un nid de souris rempli de crottes à l'intérieur d'une boîte à fusibles ? Troublé un festin de cafards dans une penderie ?

— Ne me dites pas qu'une chose pareille vous est arrivée !

— Mais si ! Je vis à Manhattan. Le quartier pullule de bestioles de ce genre.

Renonçant à une surenchère d'exemples dégoûtants au profit d'une nouvelle approche, il la jaugea d'un rapide coup d'œil de la tête aux pieds.

— Vous êtes... toute fine. Il faut de la force pour pêcher le homard.

— Le cabestan fournit le plus gros du travail, non ? protesta Julia en se redressant.

— Oui, mais pas la totalité. Il faut aussi de la force pour fixer les élastiques.

— Pas plus que pour se servir d'un ouvre-boîte manuel en cas de panne d'électricité. Ou sortir des packs d'eau minérale d'un coffre de voiture. Ou retourner un matelas deux places.

— Vous ne vous en chargez pas vous-même, hasarda-t-il d'un air sceptique.

— Même si je me fais aider, je ne suis pas une mauviette. Puis j'aimerais beaucoup vous voir attraper des homards. Considérez-le comme mon apprentissage sur l'île. Et puis, ça m'occupera l'esprit.

— En attendant de découvrir ce qu'il vous reste à faire ?

— Oui, reconnut-elle en esquissant un sourire mélancolique. En attendant. Vous avez vu Kim Colella ?

— Non. Et vous ?

— Moi non plus. D'ailleurs je ne crois pas que je la reconnaîtrais dans la rue. Je ne l'ai vue que toute trempée après l'accident.

— Vous ne l'avez pas aperçue à bord du bac ?

— Non. Vous croyez qu'elle éprouve la même chose que nous ?

— Je n'en sais rien, répondit-il en haussant les épaules. Elle est toujours muette.

— Peut-être qu'elle me parlerait à moi, une femme ? Elle se fait aider par un professionnel ?

— Un psychologue ? J'en doute. Ce n'est pas le genre des Colella. Votre bras cicatrise bien ?

— La plupart du temps je n'y pense même plus, avoua Julia en tournant son poignet afin de lui laisser apercevoir la marque rouge en zigzag.

Noah détourna les yeux. En suivant son regard, elle aperçut Molly le long du quai.

— J'ai réussi ! annonça-t-elle à Julia en la rejoignant, un sourire satisfait aux lèvres.

— De quoi parles-tu ?

— J'ai convaincu Rick Greene de m'embaucher. Il m'a fallu pas mal de bagout ! Il préfère ne pas employer trop de monde mais il connaissait le restaurant où je travaillais à Paris et je lui ai donné l'idée de quelques recettes à base de homard apprises là-bas. Surtout je l'ai prévenu que je ne lui demanderais rien en échange. Il n'y a pas à hésiter dans un cas pareil ! déclara-t-elle, un grand sourire aux lèvres. Donc je reste ici aussi longtemps que toi. Je te servirai de chaperon.

— De chaperon ? reprit Julia d'un ton moqueur.

— Disons que je m'assurerai que tout va bien, reprit Molly avant de se tourner vers Noah d'un air de défi. Je me présente : Molly. Vous devez être Noah ? lança-t-elle, la main tendue.

Noah tendit à son tour la main. Puis il se ravisa au dernier moment pour l'essuyer sur son jean.

— C'est une main esquintée par une journée de travail. Vous ne tenez peut-être pas à la serrer ?

— Mais si ! insista Molly. Merci d'avoir sauvé la vie de ma mère.

— Je n'ai rien fait de tel !

— Elle croit que si, c'est ce qui compte, répliqua-t-elle puis, sans plus se soucier de lui, elle se tourna vers Julia. Il faut que je rentre me doucher. Je commence ce soir.

Elle prit sa mère par le bras mais Julia tint bon et sortit les clés de sa poche.

— Vas-y. Je reprendrai la voiture à ton retour.

— Tu restes ? s'enquit Molly d'un air soudain moins réjoui. Ici ? Sur les quais ?

— L'envie me démange de m'amuser avec mon appareil.

Molly décocha un regard perplexe à Noah.

— Et Zoe ? Elle t'attend pour dîner.

— Il est encore trop tôt pour passer à table. Je rentre dans une heure. Préviens-la, s'il te plaît.

— Ce n'est pas très poli, chuchota Molly. N'oublie pas qu'elle t'héberge !

— Qui a insisté pour laisser Zoe à la maison toute la journée aujourd'hui ? riposta Julia, déconcertée, sur le même ton. Qui a insisté pour acheter cet appareil ? Qui fera faux bond à Zoe tous les soirs pour travailler au grill ?

— Mais elle comptait sur toi, rétorqua Molly. C'est toi qui as décidé de passer tes vacances ici auprès d'elle.

— Exact, poursuivit Julia d'un ton toujours aussi posé, qui ne souffrait cependant pas la réplique. Il s'agit de mes vacances. J'ai envie de passer une heure de plus ici. Fin de la discussion.

Molly était manifestement stupéfaite. Julia aussi. D'ordinaire, elle ne se montrait pas aussi déterminée. Pourtant, cela lui faisait du bien. Elle désirait vraiment rester ici, pas longtemps, rien qu'un peu, peut-être même dans le seul but de manifester son indépendance, au lieu de se laisser docilement entraîner.

— Très bien, conclut Molly, retrouvant ses esprits.

Elle s'en alla. Julia l'observa une minute avant d'adresser un sourire gêné à Noah.

— L'envie me démange vraiment de jouer avec mon appareil. Je peux vous prendre en photo ?

— Non. Le bateau, tant que vous voudrez. Moi, j'ai besoin d'une bonne douche et d'un bon repas.

Il retourna à la timonerie dont il ressortit avec son carnet de bord, son thermos, un pull et une glacière. Il siffla son chien puis sauta de la lisse à terre. Lucas bondit aussitôt dans sa direction. Noah agita la main à l'adresse de Julia et s'en fut à la suite du chien.

L'humeur de Noah vira au noir, au moment où il rentra chez lui. Il serait volontiers resté encore un petit moment à bord du bateau. C'est là qu'il se sentait le plus en paix. Des fantômes hantaient la maison. La pénombre n'arrangeait rien mais à quoi bon ouvrir les volets, puisqu'il s'absentait le plus clair du temps ? D'ailleurs, la lumière ne ferait qu'éclairer le vide.

Il traversa en hâte la maison jusqu'à la lingerie où il se déshabilla avant de mettre tout ce qu'il portait à la machine. Il se rendit nu dans la salle de bains où il ouvrit le robinet de la douche puis il entra dans la cabine. L'eau lui parut froide, peu lui importait. La souffrance physique lui apporta une diversion bienvenue. Il se concentra là-dessus jusqu'à ce que l'eau chauffe puis s'empara du savon et se lava d'abord à mains nues, ensuite à l'aide d'une brosse. Une fois l'opération terminée, il se tint la tête penchée sous le jet en savourant l'instant jusqu'à ce qu'une irrépressible envie de bouger le démange à nouveau.

Il coupa l'eau, saisit une serviette et se sécha rapidement. *Inachevé*. Le mot revenait sans cesse à ses oreilles. Il faudrait vraiment être stupide pour ne pas en comprendre le sens. L'accident avait infligé une blessure à son existence que la disparition de Hutch n'expliquait pas complètement.

Il drapa la serviette autour de sa taille puis se rendit à la cuisine où il composa le numéro de Sandi. À peine la sonnerie eut-elle retenti qu'il s'imagina en proie à sa colère trop familière, aux accusations dont elle le bombardait sans cesse, aux analyses infinies de ses moindres paroles, qui lui donnaient toutes le sentiment d'être encore moins que rien... même si Sandi avait sûrement raison. Il aurait pu se le répéter un million de fois d'ici dimanche sans rien y changer, du moins vis-à-vis de Sandi. Le son de sa voix lui remit tout ceci en mémoire.

— Allô ?

— C'est moi, commença-t-il d'un ton qu'il s'efforça de rendre gentil. Ian n'a jamais appelé.

Un silence s'installa.

— Je sais, admit-elle, résignée. Lui et moi, on s'est disputés à cause de ça. Je crois que la mort de Hutch l'a vraiment perturbé. Il ne savait pas comment réagir. J'ai bien tenté d'en discuter avec lui, sans résultat. Je lui ai demandé de t'appeler mais te donner un coup de fil lui semblait pire encore. Il passe par une phase d'hostilité. En ce moment, c'est toi qui en fais les frais.

— Qu'est-ce que j'ai fait ?

— Rien, répondit Sandi comme si elle se contentait de constater un fait. Rien du tout depuis dix ans. Tu vis sur ton île et Ian, ici. Bien sûr, tu appelles toutes les semaines mais s'il ne se trouve pas à la maison, tu me parles à moi et voilà. Enfin... parler, c'est beaucoup dire ! Je te raconte ce qu'il lui arrive et tu me poses juste assez de questions pour que la conversation se poursuive. Je sais que tu l'aimes mais tu gardes un tel silence ! Comment veux-tu qu'il s'en aperçoive ? Il doit en conclure que tu l'aimais jusqu'à son septième anniversaire puis tu as déménagé et tout a changé.

— Je le vois régulièrement.

— À New York, deux fois par an. Jamais ici alors que c'est ici qu'il vit. Lorsque je lui ai dit qu'il devrait aller à l'enterrement, il a répliqué en énumérant toutes les choses importantes à ses yeux que tu as laissées passer. Il ne comprenait pas pourquoi il aurait dû te consacrer du temps.

— Pas à moi. À son grand-père.

— C'est ce que je lui ai expliqué. J'ai aussi ajouté que tu souhaitais sa présence mais il faut regarder les choses en face, Noah. Tu ne l'as pas appelé. Tu ne t'es pas adressé à lui en personne. Tu ne le lui as pas demandé toi-même. Tu pouvais essayer de lui passer un coup de fil. Tu pouvais laisser un message. Tu pouvais même le houspiller un peu. Parfois c'est la seule manière d'obtenir quoi que ce soit à cet âge-là. Non. Tu laisses courir, voilà tout. Tu te contentes d'attendre qu'il rappelle. Les choses ne se passent pas ainsi. Peut-être que le jour où il se comportera en adulte, tu pourras te permettre d'attendre qu'il prenne l'initiative, mais à dix-sept ans ? N'y songe pas ! Ian n'est pas le seul dans son cas. J'en vois sans arrêt, des parents pétris de bonnes intentions qui veulent argumenter face à leurs enfants alors que, parfois, seuls les ordres produisent de l'effet.

Noah attendit qu'elle ait terminé pour ajouter sans hausser le ton :

— Je vais donc lui donner un ordre. Il faut qu'il vienne ici la semaine prochaine.

Un silence lui répondit.

— Tu as perdu la tête, Noah ? lança Sandi, incrédule. Les cours d'été débutent la semaine prochaine. Je te l'ai déjà dit !

— Tu prétendais qu'il y avait deux sessions. Il peut passer trois semaines avec moi puis revenir à temps pour la seconde.

— On devait visiter des universités, à ce moment-là.

— Pourquoi ne pas remettre ça à plus tard ?

— Impossible. J'ai des tests d'orientation à faire passer aux élèves. En plus, Ian ne semblait pas très motivé pour y aller.

— La voilà, ta réponse ! S'il change d'avis, je le conduirai moi-même. Sinon, tu pourras toujours t'en occuper cet automne.

Sandi demeura silencieuse puis elle lui demanda d'un ton sceptique :

— Pourquoi cette envie soudaine de l'accueillir chez toi ? Ian voudra le savoir. Parce qu'après la disparition de Hutch, il ne te reste plus que ton fils ? Ou parce que tu souhaites vraiment passer du temps avec lui ? Ou parce que tu as besoin d'aide sur le bateau et qu'il t'en apportera sans te coûter un centime ?

Noah n'avait pas encore songé à ces détails. Il lui répondit la seule chose qui lui paraissait évidente :

— C'est mon fils. Je veux qu'il vienne. Où se trouve-t-il en ce moment ?

— Il passe la nuit chez Adam. Il revient demain matin.

— À quelle heure ?

— En fin de matinée. Ça ne va pas lui faire plaisir, Noah. Trois semaines loin de ses amis ? Qui va lui tenir compagnie ?

— Moi.

Elle accueillit de nouveau ses paroles par un silence.

— Tu es bien certain de le vouloir ? reprit-elle d'un ton circonspect. Tu devrais y réfléchir. Tu ne pourras plus changer d'avis lorsque tu lui en auras parlé. Il te faudra faire preuve de détermination.

— N'en ai-je pas l'air capable ? l'interrogea Noah d'une voix ferme.

Sandi trouverait son ton glacial, parce qu'elle n'avait pas passé suffisamment de temps auprès des hommes du Maine pour comprendre la différence entre la froideur et la détermination.

Elle dut ensuite se raviser. À moins que la perspective d'échapper à Ian et sa hargne d'adolescent pendant trois semaines ne lui ait paru trop tentante. Elle céda avec gentillesse :

— En effet. Veux-tu que je lui demande de t'appeler ?

— Non.

Noah ne recommencerait pas deux fois la même erreur.

— Moi, je vais l'appeler.

C'est un Noah résolu qui composa le numéro de son fils, jeudi matin, à 11 heures, à bord du *Leila Sue*. Le bateau où traînaient des casiers attendant d'être vidés voguait sans but entre les remous de l'océan. Noah rappela toutes les dix minutes jusqu'à ce qu'à midi, son fils, de retour à la maison, décroche le téléphone. Curieusement, Noah dut affronter son indifférence plus que son hostilité. Ian ne manifesta pas le moindre étonnement. Il ne tenta pas de discuter. Il ne posa aucune des questions suggérées par sa mère. S'il se réjouissait de la proposition de Noah, il n'en laissa rien paraître. Il employa un ton tellement neutre qu'il frisait le détachement.

Un conflit eût sans doute été plus aisé à gérer. Noah, qui s'attendait à une dispute avait préparé ses arguments. Comment réagir à la désinvolture ? L'attitude de Ian ne trahissait rien de ses sentiments ni de ses pensées. Elle indiquait simplement qu'il restait à Noah du pain sur la planche.

Au moment même où Noah s'adressait à son fils, Julia se rendait en voiture au sud de l'île. Des rues où s'alignaient des bungalows bordaient la plage. Quelques-uns appartenaient à des estivants qui les louaient en leur absence et la plupart commençaient à revivre, le temps d'une saison. On y apercevait des chaises longues sur les vérandas, des barbecues au milieu des pelouses et parfois même des voitures dans les garages. Quelques fenêtres restaient encore masquées par des planches.

Dans d'autres maisons vivaient les résidants à l'année comme Kimmie Colella. Julia s'engagea dans sa rue avant de ralentir face au numéro 43. Les bardeaux y paraissaient battus par les intempéries et les volets, aussi abîmés que dans le reste du quartier. La maison de Kim se distinguait par sa porte rose d'une teinte, non pastel, mais fuchsia. Ses occupantes affichaient leur personnalité.

Des gravillons recouvraient l'allée où un petit pick-up rouge stationnait à côté d'une Mustang de collection. Après s'être garée dans la rue, Julia emprunta un sentier ensablé, creusé dans l'herbe par le temps et les pas. Ne trouvant pas de sonnette, elle frappa à la porte.

La femme qui lui ouvrit ne semblait, à première vue, pas beaucoup plus âgée que Julia, aussi eut-elle bien du mal à décider s'il s'agissait de la mère ou de la grand-mère de Kim. Ses cheveux blond roux s'enroulaient au sommet de son crâne sous une paire de lunettes de soleil. Elle portait un chemisier et un jean mais pas de chaussures. Sa peau finit par la trahir. En l'examinant de plus près, Julia s'aperçut que le soleil l'avait tannée comme du cuir. Cette femme avait de jolies mains dont les doigts fins qui tenaient la porte n'avaient pourtant rien de frêle. Ses yeux noisette posèrent sur Julia un regard pénétrant.

— Je me présente : Julia Bechtel, la nièce de Zoe Ballard, commença-t-elle en esquissant un sourire contraint.

La femme lui répondit par un « hum... oui » si rauque que Julia en conclut qu'elle était plus âgée que ce qu'elle avait supposé.

— Je me trouvais à bord du bac...

— Que puis-je faire pour vous ?

— Je me demandais comment se portait Kim.

— Elle va bien.

— Oh non ! la contredit une voix.

Une autre femme apparut.

Elles avaient incontestablement un air de famille. On retrouvait chez l'une comme chez l'autre les mêmes cheveux roux pâle, les mêmes yeux noisette, les mêmes doigts effilés à demi enfouis dans les poches avant de jeans moulants, mais le visage de la seconde semblait moins buriné, elle s'exprimait d'une voix plus claire et fixait Julia d'un regard moins dur.

— Je suis la mère de Kim : Nancy. Voici ma propre mère : June. Kimmie refuse toujours de parler.

— Elle s'entête, ajouta June en colère.

— Elle a besoin d'aide.

— Elle a besoin de temps.

— On lui en a déjà suffisamment laissé ! insista Nancy. Voilà plus d'une semaine qu'elle n'a pas lâché un mot.

— Comment peux-tu en être sûre ? Peut-être qu'elle parle à d'autres gens.

— En tout cas, pas au médecin, ni à l'officier de police, ni à ses amis.

— Elle a frôlé la mort. Peut-être qu'elle s'adresse à Dieu. À qui d'autre, sinon, là-bas sur la falaise ?

— Elle ne parle à personne, affirma Nancy en jetant un coup d'œil à Julia. Elle se contente de rester là, le regard perdu dans l'océan.

— Comment peux-tu en être sûre ? répéta June.

— J'y suis allée, rétorqua Nancy. Trois fois dans la journée d'hier. Je lui ai apporté à manger. Je lui ai même apporté de la bière. Quand, à ta connaissance, lui est-il déjà arrivé de refuser une cannette de bière ? D'accord, à vingt et un ans, elle est majeure et vaccinée, poursuivit-elle en se retournant vers Julia, mais je me fais un sang d'encre à cause d'elle.

Cela se devinait à son regard.

— Vous craignez qu'il ne lui vienne des pensées suicidaires ?

— Bien sûr que non ! protesta June d'un ton sec.

Nancy n'en semblait pas aussi sûre. Elle haussa les épaules, exprimant par là frayeur et doute.

— Jusqu'ici, elle ne posait aucun problème. Mais elle n'avait encore jamais rien fait de tel.

— Qu'est-ce qu'elle a fait ? répliqua June. Ce n'est pas elle qui conduisait ce bateau.

— Oh, tais-toi, répondit Nancy sans même lui jeter un regard.

— C'est toi qui ferais mieux de te taire, conclut June en se redressant. Cette femme est une étrangère. Elle n'a pas à se mêler des affaires de Kimmie. Mais si tu veux lui parler, vas-y. C'est ta fille, après tout. Je me suis juste contentée de l'élever pendant que tu courais à droite et à gauche.

Nancy décocha un regard noir à sa mère.

— Fais ce que tu veux, murmura June avant de disparaître à l'intérieur.

Julia se sentit de trop.

— Je vous demande pardon. Je ne voulais pas vous créer d'ennuis.

Nancy balaya ses protestations du revers de la main.

— Les ennuis ne datent pas d'hier. Elle a raison. C'est elle qui s'est occupée de Kimmie. Je n'avais que dix-sept ans à sa naissance. De même que June n'avait que dix-sept ans quand elle m'a eue. Mais il n'y avait personne pour l'aider alors elle n'arrête pas de me répéter que c'était facile pour moi. C'est vrai que je courais à droite et à gauche quand Kimmie était petite. Ça ne veut pas dire que je n'aime pas ma fille.

— Vous ne la voyez plus à la maison ?

— Elle ne reste que le temps de dormir. Du lever jusqu'au coucher du soleil, dit-elle en pointant le menton en direction du nord, elle reste plantée sur la falaise.

— Vous pensez qu'elle accepterait de me parler ? Elle ne me connaît pas du tout. Ça pourrait jouer en ma faveur.

— On ne risque rien à tenter le coup, admit Nancy en haussant de nouveau les épaules. Vous faisiez le trajet à bord du bateau. Vous êtes une rescapée comme elle. Ça comptera peut-être à ses yeux

Julia l'espérait. Noah et elle partageaient les mêmes émotions. Kimmie aussi sans doute, du moins en partie. Bien sûr, il y avait le problème de son mutisme. Ni elle ni Noah n'avaient vécu pareille expérience.

En y repensant sur le chemin du retour, Julia ne put réprimer un sourire. Noah avait beau être parfois avare de paroles, il y a une différence entre laconisme et mutisme. Noah s'exprimait sans hésiter, une fois lancé.

Cette pensée la conforta dans sa résolution de s'entretenir avec Kimmie. Elle quitta la plage pour se diriger plein nord. Une route toute droite la mènerait à la falaise, au point le plus élevé, de l'autre côté de cette partie de l'île. Des prairies et des épicéas couvraient d'un tapis de verdure le reste de Big Sawyer mais ici se dressait à la verticale des flots une masse de rocs en granit. Un phare montait la garde. Il fonctionnait de manière automatique. La maison du gardien se trouvait depuis longtemps à l'abandon, pourtant il s'en dégageait une impression d'authenticité. Julia, qui avait déjà visité les lieux, en avait été frappée.

Le revêtement de la route menant à la falaise portait des marques d'usure par endroits mais son 4×4 s'en sortit sans problème. Les arbres le long de la voie se raréfièrent au fur et à mesure de sa progression avant de disparaître complètement. Julia distingua des éboulis, le ciel et une tour en pierre pourvue d'un feu rotatif en son sommet. Le bris des vagues exalté par toute cette étendue déserte était d'une force telle qu'il lui parvenait à travers les vitres de la voiture.

Julia parqua son véhicule à côté des ruines de la maison du gardien, derrière une petite Honda bleue. Le rugissement de la mer l'atteignit dans toute son intensité, aussitôt la portière ouverte. Un vent violent la frappa de plein fouet, dès le premier pas dehors. Sans chercher à lui résister, elle gravit un monticule de granit pour rejoindre le phare mais elle n'aperçut personne avant de l'avoir dépassé. Elle se demanda alors s'il s'agissait bien de celle qu'elle cherchait. La femme qui se tenait sur les rochers face à la mer formait une petite masse compacte d'allure enfantine, aux genoux relevés que ses bras ramenaient contre sa poitrine. Ce n'est pas sa posture qui parut étrange à Julia, mais ses cheveux, ou plutôt leur teinte fauve, qui n'avait pourtant rien d'étrange vu la couleur des cheveux de Nancy et June.

Julia s'en étonna, parce qu'elle s'intéressait toujours aux cheveux des gens avant tout. Elle les remarquait en premier, que ce soit au cours de gym, au restaurant ou au théâtre. Monte prétendait qu'elle voulait juste s'assurer que les autres se donnaient autant de mal qu'elle pour conserver leur teinte naturelle. En fait, elle avait toujours prêté une attention particulière aux cheveux, même à l'époque aujourd'hui lointaine où elle ne teignait pas encore les siens. D'où l'étrange sensation qu'elle éprouva.

Elle ne se rappelait pas avoir vu de chevelure rousse à l'arrière de l'*Amelia Celeste*. Elle ne pensait pas qu'elle aurait pu ne pas remarquer ce détail malgré sa fatigue et sa hâte à embarquer. Elle se serait forcément souvenue d'une masse de cheveux aussi roux à la poupe du bac. Or si Kim ne se trouvait pas à la poupe, elle ne pouvait être qu'en un seul autre endroit.

9.

— Bonjour ! lança Julia d'une voix assez forte pour couvrir le fracas des vagues.

Kimmie Colella se tourna un instant de son côté. Pâle, le regard dépourvu de toute expression, elle ne parut pas reconnaître Julia – et pour cause. Si elle ne voyageait pas à bord de l'*Amelia Celeste* le soir de l'accident, elle ne devait encore jamais avoir vu Julia, surtout pas au milieu de la foule massée sur les quais dans l'obscurité.

Julia pouvait aussi se tromper. Impossible de jurer que Kim ne se trouvait pas à bord du bac. Sa mémoire pouvait lui faire défaut. Certes, elle prêtait toujours attention aux cheveux des gens mais, à ce moment-là, elle s'était surtout souciée d'embarquer avec tous ses sacs. Julia pouvait ne pas avoir aperçu la chevelure de Kim, assise derrière un autre passager, ou couverte d'une casquette.

Voilà qui expliquait tout, conclut Julia. Une casquette.

Elle s'arrêta à bonne distance de la jeune fille. Pas plus que le soir de l'accident, elle ne parvenait à voir en Kimmie une femme accomplie, malgré ses vingt et un ans. Ce fameux soir, Kim n'était qu'une silhouette trempée enveloppée dans une couverture. La couleur de ses cheveux demeurait indiscernable dans l'obscurité. Elle ne portait plus aujourd'hui de vêtements trempés mais un jean, un sweat-shirt et des tennis. Elle paraissait cependant plus petite, plus pitoyable encore. Le vent transformait en un voile ondoyant ses cheveux d'un roux vif aussi raides que ceux de Julia, quoique plus longs.

— Je m'appelle Julia Bechtel, commença-t-elle d'une voix douce. Je me trouvais à bord de l'*Amelia Celeste*.

Kim soutint son regard une minute. Puis elle étudia ses habits et sa voiture avant de s'absorber à nouveau dans la contemplation de l'océan. Julia s'assit sur un rocher non loin d'elle.

— Je me demandais comment tu allais. Trois d'entre nous ont survécu : toi, moi et Noah Prine. Lui et moi, on discute de temps en temps. On a ce point en commun. Ce n'est pas tous les jours que des gens réchappent à des accidents qui emportent tant de vies.

De longues mèches de cheveux roux soyeux balayaient la joue de Kim. Elle les coinça derrière son oreille.

Interprétant ce geste comme un signe d'attention, Julia poursuivit :

— L'accident est bien la dernière chose à laquelle je m'attendais en quittant New York mardi matin. Un accident de voiture ? Pourquoi pas. J'y pense toujours quand je prends l'autoroute. Comment faire autrement ? Il suffit de rouler un moment pour en voir un. C'est ce qui m'est arrivé au cours du trajet, mardi. Rien qu'un incident sans gravité, je crois, il n'y avait que la police, pas d'ambulance.

Julia se contenta de parler. Elle désirait avant tout se montrer agréable, avenante. Peut-être que sa stratégie porterait ses fruits. Kim ne lui disait pas de s'en aller, or il existe bien des manières de le faire sans prononcer un mot. Elle aurait pu accabler Julia de regards noirs, lui tourner le dos, aller s'asseoir plus loin ou même s'enfuir loin de la falaise.

— Je suis venue rendre visite à Zoe Ballard, poursuivit Julia. C'est ma tante mais je la considère plutôt comme une amie, vu qu'elle n'a que douze ans de plus que moi. Ce n'est pas la première fois que je viens. Je passe de temps en temps avec ma fille. Elle a vingt ans, elle veut devenir chef cuisinier. Ce n'est pas facile de nos jours. C'est tout un art de présenter les plats. Sans parler de la célébrité de certains chefs.

Vous avez une fille ? aurait pu lui demander Kim. *Une fille de mon âge ?* Au lieu de quoi, elle posa son coude sur son genou puis cala sa tête dans le creux de sa main.

— Au départ, je projetais de ne rester que deux semaines mais je compte prolonger mon séjour, poursuivit Julia. Mes parents me prennent pour une folle. Ils pensent qu'après l'accident, je ferais mieux de rentrer à la maison sans tarder.

Vos parents aussi vous prennent pour une folle ? Encore une ouverture que Kimmie ignora.

— Tu es retournée à bord d'un bateau depuis ? demanda Julia. (Comme Kim ne réagissait pas, elle précisa :) J'appréhendais le trajet. Mais j'avais laissé ma voiture sur le continent et il me fallait de nouveaux habits pour remplacer les autres, disparus avec le bateau. En outre, je n'avais pas le choix, sous peine de passer pour une vraie nouille aux yeux de ma fille.

Aucun sourire de Kim.

— Il y avait du brouillard, comme le jour de l'accident. Je m'attendais toujours à voir surgir l'avant d'un navire rouge foncé. L'image de ce bateau me réveille en plein cœur de la nuit.

Elle eut envie de demander à Kim si la même vision s'imposait à elle au réveil. Sauf que si Kim ne se trouvait pas à bord de l'*Amelia Celeste* mais du *Fauve*, sa question lui paraîtrait menaçante, or c'était bien la dernière chose que souhaitait Julia. Kim avait beau garder le silence, elle écoutait. C'était un bon début. Julia poursuivit :

— Le trajet du retour à Big Sawyer s'est mieux passé. Le soleil me permettait de distinguer les alentours. Je me disais aussi que l'océan aurait très bien pu m'avaler mardi soir mais il n'en a rien fait. Comme si nous avions conclu une trêve, lui et moi, précisa-t-elle avant de s'interrompre un instant puis, sur un ton de curiosité sincère, presque implorant, elle demanda à la jeune fille : Toi aussi, tu éprouves quelque chose de cet ordre ?

Une vague plus grosse que les autres vint se briser sur les rochers en contrebas, projetant de l'écume presque jusqu'au sommet de la falaise. Julia guetta la formation d'une autre déferlante de même force. Elle n'apparut qu'après une série de petites vagues inoffensives que Julia prit autant de plaisir à observer. L'énergie brute que déployait la mer exerçait sur elle un effet hypnotique.

— Il paraît que l'océan occupe une place aussi essentielle dans notre existence que le liquide amniotique, songea-t-elle tout haut. Dans ce cas, le lien qui nous attache à la mer relèverait de notre essence même ?

Elle observa Kim. La jeune fille, lointaine, avait un regard impénétrable. Un frisson la parcourut puis elle écarquilla les yeux qu'elle posa soudain sur Julia.

Elle ne cessait de revivre l'instant de la collision. Aucun doute là-dessus.

— On prétend que ça passe, avec le temps, reprit doucement Julia.

Kim cligna des yeux. Elle cala son menton dans le creux de ses genoux et son regard se perdit dans l'océan.

— Ta situation n'est peut-être pas la même, ici sur une île ? Tu es née à Big Sawyer, non ?

Kim ne répondit rien.

— L'accident, c'est autre chose. Tout ou rien. On y laisse la vie ou on en sort indemne. J'y pense beaucoup. Je me demande pourquoi j'ai été épargnée, ce que je vais faire de ma vie. Comme si je disposais désormais d'une chance de devenir quelqu'un d'autre. À moi de décider qui.

Elle s'interrompit puis ajouta d'une voix posée :

— Toi aussi, tu ressens un peu la même impression ?

Kim planta son regard droit dans le sien. Julia y perçut un tel désespoir qu'elle faillit lui tendre les bras. En une fraction de seconde, elle s'imagina la jeune fille en train de se jeter de la falaise pour trouver la mort sur les rochers au-dessous.

— Toi et moi, on partage un point commun, Kim, poursuivit-elle d'un ton pressant. On a vécu une expérience que peu de gens vivent. Ça m'a fait du bien de parler avec Noah, mais c'est un homme. J'aimerais m'adresser à une autre femme. Je suis une étrangère ici, une New-Yorkaise en plus ! précisa-t-elle avec humour en s'efforçant de détendre l'atmosphère. Je doute que l'un ou l'autre de mes amis là-bas parvienne à se faire une idée de ce que je ressens. Mon mari, non, en tout cas. Mes parents, non plus. Même Zoe ne me comprend que jusqu'à un certain point. L'officier de police ne veut que des faits bruts, le pasteur prie pour moi, mais j'ai besoin d'autre chose. Discuter avec toi me soulagerait sans doute. Peut-être que tu en retirerais un bénéfice, toi aussi.

Le regard de Kim se fit accusateur.

— Personne ne m'envoie, la rassura-t-elle. D'ailleurs personne ne sait que je me trouve auprès de toi, à part ta mère et ta grand-mère. Je suis passée chez toi en espérant t'y trouver.

Kim parut se détendre sans pour autant baisser la garde.

— L'une des raisons pour lesquelles j'apprécie de discuter avec Noah, c'est qu'il ne me connaît pas, ni moi ni mes amis. S'il m'arrive de sortir une horreur ou juste une grosse bêtise, ce n'est pas grave. Je suppose qu'il ressent la même chose vis-à-vis de moi. Je veux dire que je n'irais pas le répéter à ses amis pêcheurs s'il m'avouait qu'il se sent faible, vulnérable ou même coupable.

Son dernier mot plana quelques instants dans l'atmosphère entre le bris de deux vagues successives contre un roc. La présence éventuelle de Kim à bord du *Fauve* confirmerait les rumeurs de liaison entre Artie Jones et elle ; ce qui suffirait à nourrir la culpabilité de Kim, abstraction faite de qui avait survécu ou pas.

Julia esquissa un sourire empreint de tristesse.

— Ce que j'essaye de te faire comprendre, au fond, c'est que je pourrais peut-être t'aider. Tu ne parles à personne mais je suis une étrangère ici sur l'île. Si jamais tu souhaites discuter de l'accident avec quelqu'un, sache que tu ne crains rien en t'adressant à moi.

Elle se mit debout. Kim ne quitta pas son visage des yeux.

— Je loge chez Zoe. Tu sais où elle habite ?

Elle prit son silence pour un signe d'assentiment.

Julia dut en cet instant lutter contre une envie pressante de traîner Kim par la main loin du bord de la falaise. Mais elle ne se fit pas d'illusions. Si Kim voulait mourir, elle mettrait fin à ses jours, que Julia tente de l'en empêcher ou non. L'abandonner là toute seule lui posait un autre problème. Julia eut l'impression de renoncer à ses responsabilités d'adulte en regagnant sa voiture.

Aussi tenta-t-elle le coup une dernière fois :

— Tu n'as pas faim ? Tu veux aller déjeuner quelque part ?

Kim s'absorba de nouveau dans la contemplation de la mer.

— Tu as déjà visité l'écurie de Zoe ? C'est tellement apaisant de s'occuper des lapins. Ça te dirait de m'aider ?

Kim ne dit mot.

— On pourrait même sortir en mer toutes les deux. Personne ne nous dérangerait. Tu pourrais dire ce que tu veux sans que personne d'autre que moi ne t'entende. Bien sûr, je ne possède pas de bateau, d'ailleurs je ne sais même pas en piloter. Il faudrait que tu t'en charges.

Kim n'ébaucha pas même l'ombre d'un sourire.

Ne sachant que faire, si ce n'est admettre pour le moment sa défaite, Julia s'en alla.

Julia s'en alla.

En s'éloignant de la falaise dans son véhicule, elle s'irrita de sa propre attitude. *Julia s'en alla.* Voilà le refrain qui rythmait son existence. Julia ne se faisait pas remarquer. Elle ne disait jamais ce que les gens ne voulaient pas entendre. Elle ne mettait de bâtons dans les roues de personne.

Julia commençait à se juger d'une lâcheté incurable lorsqu'elle songea à rebrousser chemin. Par prudence, elle n'en fit rien. Kimmie Colella avait besoin du soutien d'un professionnel, or Julia ne correspondait pas au profil. Elle ne voulait surtout pas compliquer la situation de la jeune fille.

Ceci dit, Julia savait pertinemment qu'elle lui rendrait une autre visite. Kim et elle avaient quelque chose en commun. La sympathie qu'elle éprouvait pour la jeune fille n'allait pas sans quelques soupçons à propos de sa relation avec Artie Jones ou de sa présence éventuelle à la poupe de l'*Amelia Celeste*, pourtant un lien subsistait entre elles. Sur une douzaine de personnes, seules trois avaient survécu. Kim était la plus jeune du lot et la plus vulnérable et Julia avait pour vocation de prendre soin des gens. Quoi de plus naturel dans son désir de secourir la jeune fille ?

Ne sachant comment s'y prendre, elle rentra chez Zoe et entreprit de cuisiner. Elle confectionna des biscuits aux pépites de chocolat, surnommés « bâtons du Congo » d'après une recette qu'elle aurait pu suivre dans son sommeil tant elle s'en était servie au fil des ans. Ce dessert, hérité de la mère d'une de ses amies d'enfance, comptait au nombre de ses préférés. Il se composait d'une couche de pâte au sucre roux saupoudrée de pépites de chocolat, de cassonade, de pétales de noix de coco, de marshmallows et de noix de pécan. Leur simple nom répugnait à sa mère – *Pourquoi les appelle-t-on « bâtons du Congo » ?* demandait-elle chaque fois que Julia en préparait. Julia lui proposait une foule de réponses dont aucune n'importait vraiment. Janet se fichait de connaître la signification du nom. Elle voulait juste classer les biscuits dans une catégorie trop farfelue pour mériter un effort de sa part. Ses occupations ne lui laissaient pas le temps de cuisiner, ce qui ne l'empêchait pas de savourer le dessert en question.

Ce jour-là, Julia en prépara pour les enfants Walsh. Une fois les biscuits refroidis, elle les découpa, les enveloppa d'alu et prit la voiture pour les apporter. Les enfants jouaient devant la ferme délavée par les intempéries dans une piscine en plastique remplie de sable. Leur tante se tenait assise sur la pelouse, vêtue d'un T-shirt et d'un short fripé, les cheveux auburn dépeignés. Ses taches de rousseur se détachaient sur son visage pâle. Elle semblait épuisée.

— Voici des friandises pour les enfants, déclara Julia en s'agenouillant près d'elle. Ils sont allergiques à certains aliments ?

— Encore une chose que j'ignore, avoua Ellen en lui lançant un regard désemparé. Jeannie n'en parlait jamais. Elle ne quittait pas les enfants lors de mes visites. Je n'avais pas besoin de le savoir. Elle n'avait rien prévu de tout ceci.

— Ils consultaient un pédiatre ici, sur l'île ?

— J'ai simplement entendu parler d'un certain Jake. S'il y a un dossier médical à récupérer, il doit être en sa possession. Je passerai à son cabinet avant notre départ.

Julia supposa qu'il s'agissait d'un nouvel élément s'ajoutant à une liste sans cesse croissante ; sans parler du choc lié à la perte d'une sœur, d'un beau-frère et d'une nièce.

— Et les cartons, ça avance ?

— Lentement, répondit Ellen, en soupirant : J'essaye de me charger du plus gros pendant que les filles dorment, je laisse juste assez d'affaires pour que la maison ne leur paraisse pas complètement déserte. Elles savent qu'elles s'en vont vivre à Akron avec moi mais elles croient que Jeannie, Evan et le bébé nous retrouveront sur place. J'ai bien tenté de leur expliquer qu'ils étaient au paradis mais je n'y arrive pas.

— Elles sont encore si petites ! Le paradis n'est qu'un mot pour elles, dont elles ne comprennent pas le sens. Il leur faudra du temps.

Vanessa, la petite de trois ans aux cheveux noirs, sortit du bac puis fila droit sur Julia en se frottant les mains afin d'en détacher le sable. Elle pointa un minuscule doigt en direction du paquet puis lui demanda d'une voix de bébé :

— Qu'est-ce que c'est ?

— Des sucreries.

— J'ai faim.

Julia déplia le papier alu. Vanessa, penchée, l'observait de près, s'appuyant de ses petites mains sur ses genoux. « Oh », fit-elle en découvrant la première barre. Elle posa sur Julia ses jolis yeux bleus :

— Je peux en avoir une ?

— Bien sûr !

Julia en détacha un morceau que Vanessa mastiqua une bonne minute d'un air absorbé avant de lui adresser un large sourire. Enfournant le reste de la barre dans sa bouche, elle se blottit contre la cuisse de Julia.

À ce moment, sa sœur Annie les rejoignit.

— Qu'est-ce qu'elle mange, Vanessa ?

— Un bâton du Congo, répondit Julia en tendant un morceau à la petite de cinq ans.

Elle présenta ensuite le reste du paquet à leur tante. Ellen secoua la tête, un sourire contraint aux lèvres.

— Je n'ai pas grand appétit !

— Avez-vous envie de souffler ? Je peux rester ici m'occuper des filles.

À ces paroles, Ellen s'anima.

— Vous voulez bien ? Il y a des corvées dont je ferais mieux de me charger seule.

— Allez-y.

Julia se laissa suffisamment absorber par les fillettes au cours des deux heures qui suivirent pour ne pas se soucier de Kim, de Monte ou de Janet ni éprouver l'envie de bouger sans savoir pourquoi. Elle emmena les petites se promener dans la prairie, elle leur fit la lecture, les aida à construire des châteaux de sable et les autorisa à se débarbouiller sous le jet du tuyau d'arrosage. C'étaient de petites filles adorables, avides de connaissances, bien élevées, à l'esprit vif. La cadette appréciait plus les contacts physiques que sa sœur, elle voulait toujours prendre la main de Julia, s'asseoir sur ses genoux, se caler contre sa jambe. L'aînée, quant à elle, la bombardait de questions.

C'est quoi, cette fleur ? Pourquoi elle est jaune ? Tu connais ma maman ? Où tu habites ? Pourquoi ça s'appelle un bouton d'or ? Je peux en cueillir un pour Kristie ?

Chacune à leur manière, elles réclamaient beaucoup d'attention. Elles ne comprenaient peut-être pas ce qui leur arrivait mais elles savaient qu'il se passait quelque chose. *Mon papa a sculpté mon visage dans l'argile, tu veux le voir ?*

En songeant à elles, Julia sentait son cœur se briser. Au retour d'Ellen, à l'heure du départ, il lui en coûta beaucoup de quitter la plus petite, Vanessa, qui s'accrochait à elle.

— Je reviendrai, lui promit Julia en la serrant dans ses bras, puis elle lui souffla dans le creux de l'oreille : J'apporterai des biscuits aux pépites de chocolat.

— J'adore le chocolat, chuchota Vanessa d'un ton solennel.

Sur le chemin du retour, Julia réfléchit à l'amour, à la perte des proches. Elle n'avait pas encore parcouru la moitié de la route lorsque ses pensées se concentrèrent sur sa mère. Les fillettes Walsh venaient de perdre leurs parents. Quelle chance elle avait que les siens soient toujours vivants ! Quel dommage que Janet et elle n'arrivent plus à communiquer !

S'arrêtant sur le bas-côté à l'ombre d'un vieux chêne noueux, elle baissa les vitres pour laisser entrer l'air dans son véhicule, le temps de leur passer un coup de fil. Son père décrocha.

— Bonjour, papa, commença-t-elle d'un ton hésitant.

— Julia. Comment vas-tu ?

— Bien, mais il faudrait vraiment que je parle à maman. Elle est là ?

— Dehors, dans le jardin.

— Tu veux bien lui passer le combiné ?

Un silence s'installa, puis son père chuchota :

— Elle se détend, Julia. Il vaudrait mieux ne pas la déranger.

Julia craignit de faiblir dans sa résolution si jamais elle laissait passer cette occasion.

— S'il te plaît, papa, donne-lui ce téléphone.

— Tout va bien ?

— Papa !

— Je suis de ton côté, Julia. Dès qu'une occasion se présente, je la saisis, mais tu la connais, elle s'entête.

— Moi aussi, décréta Julia d'une voix qui dut paraître suffisamment assurée à son père pour qu'il ne réplique rien.

Après un « d'accord » prononcé du bout des lèvres, il la mit en attente. Ainsi, Julia ne se rendrait pas compte de la force de persuasion nécessaire pour convaincre Janet de prendre le téléphone. Un certain laps de temps s'écoula, pendant lequel Julia rassembla ses forces en prévision d'un nouveau refus abrupt.

Puis la voix sèche de Janet lui parvint :

— Oui, Julia ?

Son cœur battait la chamade.

— On peut discuter ?

— Tout dépend. Serais-tu en train de me présenter des excuses ?

— Si tu le souhaites. Si jamais je t'ai fait de la peine, crois bien que je le regrette.

Janet ne répondit pas.

— Je le regrette, maman. Je ne sais pas ce que tu veux que je te dise. Ma présence ici te contrarie. Pourtant je ne te force pas à venir ! C'est mon affaire et non la tienne. J'ai besoin de changer d'air mais ça n'a rien à voir avec toi. Je ne comprends pas ce qui te met dans une telle colère.

— Zoe m'a trahie. Point final.

— Non : il n'y a pas de point final qui tienne, tant que vous vivrez encore toutes les deux. Cette histoire ne s'achèvera qu'à votre mort, or c'est ce que j'ai vu se produire ici, maman. Je viens de passer du temps avec deux fillettes qui ont perdu leurs parents. En voilà un, de point final !

Janet ne dit mot.

— Maman ?

— Tu n'essaierais pas de me réconcilier avec Zoe, par hasard ?

— Non. J'ai besoin de te parler, j'ai besoin de savoir que tu es là et que je compte pour toi.

— On en discutera dès ton retour.

— Je voudrais te parler de l'accident. De ce que je ressens.

— Ça peut attendre ton retour à la maison.

— Mais je ne vais pas revenir de sitôt.

— C'est ce que dit ton père. Ce n'est pas très avisé de ta part, Julia.

— J'ai besoin d'un peu de temps.

— Tu l'as dit à Monte ? Qu'est-ce qu'il a répondu ?

— Ça ne lui pose aucun problème.

— C'est ton mari. Tu devrais rester auprès de lui. Les hommes font n'importe quoi lorsqu'ils se sentent abandonnés.

Au comble de l'exaspération, Julia s'écria :

— Oh ! Mais c'est déjà le cas ! Maman, j'ai besoin de te parler de ce que je suis, d'où je vais, de ce que tu penses de moi, parce que je n'ai jamais rien fait de comparable à ce que toi tu as fait. Parfois, j'ai l'impression que je vaux moins pour cette raison. J'ai encore la moitié de ma vie devant moi et j'ai le sentiment qu'il me reste des choses à réaliser, seulement je ne parviens pas à mettre le doigt dessus. Puis c'est vrai que je voudrais te parler de Monte parce que je ne sais pas quoi faire de mon couple, et tu es passée par là.

La dernière phrase lui avait échappé, elle l'aurait volontiers ravalée si elle l'avait pu.

— Maman ? reprit-elle d'un ton craintif.

Pas de réponse.

— Tu es là, maman ?

Janet venait de raccrocher. Julia ignorait si c'était avant ou après ses paroles fatidiques.

10.

Julia se tenait assise dans sa voiture, le cœur lourd et les mains sur les genoux. Un petit vent frais s'engouffrait par une vitre pour ressortir de l'autre. Il jouait dans sa chevelure en effleurant sa peau.

Un peu de douceur ne lui aurait pas fait de mal. Elle se sentait les nerfs à vif, en pleine effervescence.

Aucun bruit de vagues ne lui parvenait sur cette route. Les rangées d'épicéas, de pins et de bouleaux les étouffaient. Julia aurait pu se croire le long de n'importe quelle route de campagne, dans n'importe quelle bourgade du centre de l'Amérique mais ce n'était pas le cas et, soudain, la force qui l'attirait depuis des années vers Big Sawyer lui parut plus irrésistible que jamais. Il ne s'agissait pas d'un simple sentiment de familiarité. Cela lui parut une bonne chose de se trouver ici.

Au loin, sur la route, une camionnette bleu foncé d'un modèle récent, aux pare-chocs étincelants, épousa la courbe du virage. Les pneus soulevèrent un nuage de poussière puis le véhicule ralentit pour s'immobiliser à hauteur de sa fenêtre.

— Hé ! s'écria Noah Prine d'un air plus impénétrable que jamais. Vous avez bien failli me semer !

La douleur qui déchirait le cœur de Julia s'atténua un peu.

— Alors, vous me suiviez ?

Ses yeux d'un bleu sombre à l'extrême lui lancèrent un regard franc.

— Vous m'avez l'air un peu déprimée. Je dois me charger de quelques corvées. Si vous m'accompagniez ?

Voilà la proposition qu'elle attendait. Elle quitta sa voiture sans plus se poser de questions puis contourna l'avant de la camionnette. Noah lui ouvrit la portière et elle grimpa sur le siège passager. En inspectant l'habitacle, elle distingua des sièges en cuir, un volant en bois ainsi qu'un autoradio sophistiqué.

— Magnifique, fit-elle d'un ton admiratif en lui décochant un sourire radieux. Je suis prête !

Il pointa du doigt sa ceinture de sécurité qu'elle attacha aussitôt. Son oubli la fit réfléchir.

— Je me demande : serait-il possible qu'on ait survécu au naufrage de l'autre soir pour mourir dans un accident de voiture aujourd'hui ?

— Bien sûr ! s'écria-t-il en lui jetant un coup d'œil. Vous avez le sentiment d'être immortelle ?

— Non, mais c'est le cas de certaines personnes ayant vécu ce que nous avons vécu. Elles tentent le destin, prennent tous les risques imaginables.

— Ces gens-là n'ont pas d'enfants, remarqua-t-il en pesant ses mots.

Julia examina son profil : des mèches de cheveux noirs ombrageant un front haut ; un nez droit, un menton volontaire. L'idée la frappa soudain qu'il ne parlait pas seulement d'elle.

— J'ignorais que vous aussi, vous en aviez.

Après un changement de vitesse à l'abord d'une descente, il posa sa main droite sur le volant, dans une posture plus détendue en apparence que sa voix.

— J'ai un fils de dix-sept ans. Il va venir la semaine prochaine.

— Où habite-t-il ?

— À Washington, D.C. Mon ex-femme est enseignante.

Julia songea à l'école ici sur l'île : un petit bâtiment carré en bois. Les enfants de Big Sawyer la fréquentaient jusqu'au lycée. Ils devaient alors emprunter chaque jour le ferry jusqu'au continent.

— Elle est originaire d'ici ?

— Non. On s'est rencontrés à l'université.

— Vous vouliez aussi devenir professeur ?

— Non, j'étudiais l'économie. On a passé nos neuf années de vie conjugale à New York.

Julia ne put retenir un sourire étonné puis elle poussa un petit cri en voyant apparaître quelque chose de marron et d'humide entre les sièges : une truffe qu'auraient sans doute suivie un museau tacheté de blanc puis une paire d'yeux marron si Lucas, lui-même surpris, ne s'était recroquevillé dans le fond du véhicule. Julia pressa une main contre son cœur et se mit à rire.

— Je ne savais pas qu'il se cachait là !

Elle se retourna autant que le lui permettait sa ceinture afin de mieux distinguer le chien tassé dans un coin du vaste habitacle. Elle lui tendit une main. Une minute s'écoula avant qu'il ne la renifle, puis une autre encore avant qu'il ne l'estime inoffensive. Il s'enroula alors sur lui-même avant de s'endormir. Julia se tourna vers Noah.

— Que faisiez-vous à New York ?

— Je travaillais dans une banque d'affaires, répondit-il en ébauchant un sourire timide.

— Vraiment ?

Jamais elle ne se serait imaginé une chose pareille. Plusieurs années-lumière semblaient séparer Noah des banquiers que lui avait présentés Monte.

— Ça n'a pourtant rien à voir avec la pêche au homard !

La route amorçait un virage. Il conduisait toujours avec aisance, d'une seule main.

— Pas tant qu'on pourrait le croire. On retrouve la même mentalité de loup solitaire, la même compétitivité. Je travaillais avec des types qui avaient des diplômes de troisième cycle. Ils me dévalorisaient parce que moi je n'en avais pas.

Julia se représenta sans peine la situation. Monte ne perdait jamais de vue les titres universitaires de ses relations de travail. Lorsqu'il présentait des gens, c'était M. Untel, Me en telle et telle discipline, ou M. Machin, Dr en ceci cela, ou P.D.G. ou que sais-je encore. Il cherchait chez ses collègues diplômés une reconnaissance de sa propre valeur universitaire. Julia, qui ne possédait pas le moindre diplôme, trouvait parfois cette habitude pénible.

— À vrai dire, ça m'a aidé, poursuivit Noah. La distance à laquelle on vous tient vous laisse plus d'indépendance. L'opinion des autres m'importait peu. Je ramais souvent à contre-courant mais mes instincts ne me trompaient pas. Je m'en sortais bien, conclut-il, avant d'ajouter, en lui jetant un coup d'œil à la dérobée : On va chercher des appâts. Ça vous embête ?

— Bien sûr que non. Où va-t-on en trouver ?

— Dans une maison spécialisée à l'autre bout du port. Aujourd'hui, on aura sans doute du hareng. Des petits bouts de hareng.

— Il faudra que je les porte tout crus sur mes genoux ? lui demanda-t-elle en espérant le voir esquisser un vague sourire. Le monde de la finance vous a toujours intéressé ?

Il leva les doigts du volant, le temps de saluer le conducteur d'une autre camionnette.

— Du moment que j'y voyais un rapport avec la pêche au homard. Sans mes parents, je serais sans doute resté ici plutôt que de faire des études. Mais ils voulaient que j'aille à l'université, que j'en sache un peu plus que les caseyeurs qui n'y vont pas et ne possèdent aucune vision globale des enjeux.

— Une vision globale ?

— La loi de l'offre et de la demande. La chaîne alimentaire.

— D'un point de vue humain ou animal ?

— Les deux. J'étudiais la biologie marine, les écosystèmes, l'économie. Mais c'est surtout les cours d'économie qui m'intéressaient. Pendant mes premières vacances, j'ai travaillé ici et l'année suivante en ville, j'étais bien payé. J'ai envoyé à mon père assez d'argent pour qu'il emploie quelqu'un d'autre à ma place, en tant que coéquipier sur le bateau.

— Vous ne comptiez pas revenir après votre diplôme ?

Ils arrivaient au bout de la route. Noah rétrograda avant de tourner à droite.

— Si. Mais j'ai rencontré Sandi. Elle avait le choix entre plusieurs postes à New York. Quant à moi, j'ai reçu une proposition trop alléchante pour y renoncer. J'ai tout de même prévenu mes parents que notre situation ne durerait pas. Je comptais gagner le pactole puis investir avant de revenir ici sans le moindre souci d'argent.

D'un air absent, il salua le conducteur d'une camionnette avant d'ajouter d'un ton sec :

— C'est à peu près ce qui s'est passé.

— Mais votre mariage ?

Il répondit d'une voix tout aussi sèche :

— Vous connaissez les horaires de ceux qui travaillent dans les banques d'affaires ?

— Je sais qu'ils ne comptent pas leurs heures.

— J'arrivais au bureau à 9 heures du matin et je m'arrêtais à 3 heures le lendemain, sans compter que je travaillais aussi un jour chaque week-end. À la maison, je n'avais plus de goût à rien, à part dormir.

Julia le comprenait parfaitement. Monte ne s'astreignait pas à de tels horaires, mais le mari de son amie Charlotte, si. Charlotte s'était acheté une boutique rien que pour remplir le vide laissé par son absence.

— J'en suis navrée, dit-elle, éprouvant en tant que New-Yorkaise un curieux sentiment de responsabilité envers ce genre de vie qui dévore les gens tout crus.

— Il ne faut pas. Je n'ai jamais formé de couple bien solide avec Sandi. On est tombés amoureux de l'idée qu'on se faisait de notre mariage plus que l'un de l'autre. Sandi s'en sort bien. Son portefeuille d'actions lui fournit des revenus supplémentaires. Elle consacre aujourd'hui du temps à des gens au tempérament plus compatible avec le sien que mes amis et moi. Je ne regrette qu'une chose : Ian. Je ne sais jamais trop quoi lui dire.

— Combien de temps va-t-il rester ?

— Trois semaines.

— Il vient tous les étés ?

— Non. C'est la première fois.

— Il n'a pas pu se rendre aux funérailles ?

— Si, mais il a préféré ne pas venir.

— Oh, seigneur !

— C'est de ma faute. J'aurais dû l'appeler moi-même et lui dire que je souhaitais sa présence. Je suppose que je m'attendais à une dispute, que je n'étais pas prêt à l'affronter.

— Et maintenant ?

— Toujours pas.

— Pourtant il ne va pas tarder à arriver. C'est votre idée ?

— Oui.

Elle admira son courage. Les adolescents de dix-sept ans se laissent obnubiler par la peur de l'avenir et des responsabilités angoissantes qui les attendent. Ils se battent contre leurs parents dans le seul but de mieux vivre leur départ de la maison. Même Molly, pourtant si facile à élever, avait posé problème à dix-sept ans. Vu les difficultés que Noah éprouvait à communiquer avec son fils en temps normal, ils devaient avoir atteint un point critique, supposa Julia.

Ne sachant comment l'aider, elle regarda par la vitre. Ils venaient de dépasser les hauteurs pour suivre une route plate longeant la partie la plus éloignée du port. La végétation se raréfiait. Autant le port était bien entretenu, autant les ravages causés par l'Atlantique étaient visibles ici. Faute d'arbres au feuillage touffu, le soleil projetait une lumière aveuglante sur la chaussée abîmée par l'air salin qui soufflait en cet instant dans la cabine de la camionnette.

Des boutiques se dressaient là depuis des décennies, par groupes de deux ou de trois : un magasin de pièces auto et une station-service, un commerce de proximité et un bazar. Leurs enseignes étaient faites d'à peu près tout et n'importe quoi, depuis des bannières en toile délavée à des pancartes de bois. Les rayons du soleil couchant tombaient sur les unes et les autres en enveloppant ce quartier ouvrier d'une lumière plus douce.

Un peu plus loin se dressait l'atelier de réparation des bateaux, au-delà d'une étendue d'herbe marécageuse parsemée de coques à l'abandon. Noah désigna un vaste hangar.

— Avant, il n'était pas aussi grand. Quand vient l'hiver, des tas de bateaux s'entassent partout en attendant leur réparation. Mais on n'en voit pas beaucoup en cette saison.

Un virage de la route permit à Julia d'apercevoir l'atelier du côté de l'océan, où s'étendaient quelques jetées rudimentaires.

— Il y en a plein là-bas, constata-t-elle.

— Il arrive aussi que des dégâts surviennent en saison. Certains de ces bateaux n'attendent qu'une simple révision.

— Comme une voiture ?

— Un peu. Il faut les vidanger toutes les cent cinquante heures. Soit toutes les deux semaines en été. La plupart des pêcheurs s'en chargent eux-mêmes mais pas tous.

Il quitta la route principale. La camionnette rebondit sur un bon kilomètre avant de s'arrêter face à une petite construction de pierre.

— Je reviens tout de suite.

Il sortit, Lucas sur ses talons. Pendant que le chien se précipitait dans les hautes herbes, Noah sortit de l'arrière de son véhicule un coffre en fibre de verre qu'il emporta à l'intérieur de la cabane. À son retour, le coffre semblait nettement plus lourd.

Noah siffla son chien qui se hâta de regagner d'un bond le véhicule. Après quelques manœuvres, il rejoignit la route.

— Parlez-moi un peu de Kim, lui demanda doucement Julia.

Elle ne voulait pas l'accuser de but en blanc mais elle ne pouvait pas non plus oublier ce qu'elle avait vu ou plutôt failli voir. La police menait une enquête. Kim Colella représentait sans doute une pièce majeure du puzzle.

— Vous l'avez vue ? s'enquit-il d'un ton qui lui parut hésitant.

— Ce matin, sur la falaise. Je ne m'attendais pas à une telle couleur de cheveux.

— Si roux !

— Je ne me rappelle pas l'avoir vue à bord de l'*Amelia Celeste*. Elle portait une casquette ?

Noah ne répondit pas.

— Je l'aurais sans doute aperçue, dans ce cas. Je prête toujours attention aux cheveux des gens. Je me suis dit qu'elle devait voyager dans la timonerie sauf qu'elle aurait péri lors de la collision. Vous ne croyez pas ?

— Pas forcément. On a déjà vu des choses plus étranges. Vous lui avez demandé où elle se tenait ?

— Je n'ai pas osé.

— Elle vous a parlé ?

— Non. Rien. Pas un mot.

Il lui jeta un coup d'œil à la dérobée.

— C'est ce qui vous rendait aussi triste tout à l'heure ?

Remonter le cours de ses pensées ne coûta aucun effort à Julia. Son dépit lui faisait l'effet d'une marmite sur un brûleur à gaz, dont le bouillonnement s'ajoutait encore à ses autres problèmes.

— Oui. Sans parler des fillettes Walsh. Et de ma mère.

Il lui décocha un autre coup d'œil.

— Elle est souffrante ?

— Oh non ! Elle se porte comme un charme mais elle est plus têtue que jamais. Je venais de lui parler avant votre arrivée. Enfin, parler... si l'on voit les choses du bon côté.

— Vous vous êtes disputées ?

Julia sentit une brise venue de la mer lui caresser le visage. À l'approche de la ville, elle aperçut le port rempli d'embarcations amarrées pour la nuit en train de se balancer doucement dans une mer étonnamment calme. Julia en fut toute ragaillardie.

Elle rassembla ses cheveux en une torsade qu'elle enroula sur le sommet de son crâne en la retenant des deux mains.

— Oui, autant l'admettre.

— C'est fréquent ?

— Les disputes entre nous ? Non. Je lui en donne rarement l'occasion. Je me comporte comme une gentille fille, la plupart du temps, mais pas ce mois-ci. Elle ne veut pas que je reste. Elle estime que je ferais mieux de rejoindre mon mari à New York.

— Qu'est-ce qu'il en dit ?

— Que je devrais rester. Mais si je reste, c'est uniquement parce que j'en ai envie. J'aimerais tant que ma mère me soutienne ! Pourquoi son opinion compte-t-elle autant à mes yeux ? J'ai quarante ans. Pourquoi est-ce que je m'en soucie encore ?

Il s'arrêta face à la jetée puis se tourna vers elle.

— Parce que vous êtes du genre à vous soucier des autres. C'est écrit sur votre visage.

— Je ne peux quand même pas toujours faire ce que voudrait ma mère ! Comment établir la limite entre ce qu'on doit à sa famille et ce qu'on se doit à soi-même ?

Il réfléchit une minute, le front plissé, l'air concentré. Puis il lui répondit simplement :

— Après l'accident, la limite s'impose d'elle-même.

Elle se sentit aussitôt rassurée. « Merci », dit-elle d'une petite voix douce. Il lui sourit :

— À votre service. Il me reste trois casiers dans le fond. (Il désigna d'un mouvement de tête l'arrière de la camionnette.) Je vais d'abord porter les appâts puis je reviendrai en chercher deux. Vous pourrez vous charger du troisième ?

— Bien sûr !

Les casiers mesuraient environ quatre pieds de long, mais ils étaient plus encombrants que lourds. Elle réussit à en transporter un sans problème. Lorsque tout se trouva en ordre à bord du *Leila Sue*, ils regagnèrent la camionnette.

— Vous avez encore un peu de temps ?

— Oh oui, répondit Julia sans même jeter un coup d'œil à sa montre.

Il ne devait pas être loin de 18 heures, mais rien ne la poussait à rentrer, en l'absence de Molly – au travail – et de Zoe partie aider un ami à poser un parquet.

— Qu'est-ce qu'il nous reste à faire ?

— Vous voyez cette bâche ? Dessous se trouve du bois à décharger. Puis il y a aussi une fuite à réparer.

— Où ça ?

— Sur Hawks Hill.

Elle attacha sa ceinture ; ils partirent hors de la ville, cette fois-ci dans la direction opposée. De toutes les collines de l'île, Hawks Hill se situait le plus au sud. On n'y trouvait pas de prairies, rien que des forêts. Les arbres devaient déjà projeter de longues ombres sur la route, à cette heure tardive de la journée. *Il va faire nuit*, songea Julia en frissonnant.

— Parlez-moi de Kim.

Noah conduisait toujours.

— Je n'arrête pas de m'imaginer, dit-elle en gardant assez d'humour pour ne pas trop appuyer son accusation, qu'elle ne voyageait pas à bord de l'*Amelia Celeste*.

Elle posa les yeux sur Noah qui ne réagit pas.

— Son éventuelle liaison avec Artie expliquerait sa présence à bord du *Fauve*, non ?

— Dans ce cas, elle lui a sans doute tiré dessus, déclara Noah en inspirant.

— Oh non, il doit y avoir...

Une autre explication, allait-elle ajouter lorsqu'un regard éloquent de Noah l'empêcha de formuler sa pensée.

— Vous croyez donc que c'est elle qui a tiré ?

— Je préférerais que ce ne soit pas le cas ! avoua Noah dont les yeux se posèrent de nouveau sur la route.

— Pourtant, tout vous amène à le penser.

— Le contraire semble difficile à croire, non ? dit-il d'une voix où perçait une note de désespoir. Leur liaison ne pouvait leur attirer que des ennuis. Ce qui fournirait à Kim un mobile.

— La colère ?

— Ou la désillusion. Il aurait pu lui promettre de divorcer. C'est ce que font souvent les hommes mariés.

Julia ne trouva rien à répliquer.

— Elle a déjà eu des ennuis par le passé ?

— Non.

— Elle aurait pu se procurer une arme à feu ?

— Sans doute.

Julia se mit à observer la route en laissant l'idée faire son chemin en elle. La chaussée reflétait le vert de la forêt, éclaboussé par de la couleur lavande à l'endroit où filtrait la lumière du couchant. Régulièrement, une trouée entre les arbres signalait une étroite allée sur la droite ou sur la gauche. Des boîtes aux lettres ou des plaques portant un nom indiquaient des entrées. Parfois, une branche d'arbre trop basse frôlait le toit de la camionnette mais Noah conduisait avec assurance. Il semblait connaître ce trajet aussi bien que le précédent.

— Qui vit ici ? s'enquit Julia en apercevant une autre boîte aux lettres.

— Des gens qui viennent de l'extérieur.

— Des artistes ?

— Non. La plupart préfèrent Dobbs Hill à cause des prairies et du paysage plus varié. On y trouve des fleurs, des bosquets, des rochers. Ici il n'y a que des arbres. On est à l'écart de la civilisation. Mais c'est toujours le même refrain : on n'obtient rien sans peine.

Julia ne dut pas attendre longtemps pour le comprendre. Un tout petit peu plus loin, il s'engagea dans un chemin boueux sur sa droite. Ni boîte aux lettres ni plaque n'indiquait le moindre nom. La route grimpait avant de dévaler aussitôt. Du sable amortissait les chocs. Le chemin en question débouchait sur ce qui ne méritait pas tout à fait le nom de clairière, compte tenu du nombre d'arbres encore visibles. À l'emplacement où devaient jadis se dresser plusieurs d'entre eux s'élevait aujourd'hui une petite maison dont le toit pointu en ardoise touchait terre.

Des lattes de cèdre à la patine naturellement argentée recouvraient les murs. Des volets encadraient les fenêtres et des appliques carrées étaient fixées au mur de part et d'autre de la porte. Une véranda, où traînait çà et là une chaise longue en bois, entourait la maison.

Les arbres dissimulaient un abri destiné à une voiture pour le moment absente. Un appentis en bois le flanquait d'un côté. Noah gara sa camionnette en marche arrière afin de décharger plus facilement le bois protégé par sa bâche plastifiée. Il fit signe à Julia d'entrer.

L'air dans la clairière semblait plus sec, plus léger, plus... joyeux. Il fallut une minute à Julia pour établir le rapprochement avec la sève des bois dont la douce odeur évoquait les vacances dans son esprit. Ils traversèrent un petit carré de terre battue couvert d'aiguilles de pins.

Noah sortit une clé de sa poche, ce qui étonna Julia.

— C'est à vous ? s'enquit-elle, un drôle de sourire aux lèvres.

L'endroit semblait parfaitement adapté à son environnement, avec lequel il tranchait cependant. On aurait pu en dire autant de Noah. Il ouvrit la porte puis s'écarta pour la laisser entrer.

— Je l'ai construite à mon retour de New York. Un type de trente-deux ans avec une ex-femme et un petit de sept ans ne peut quand même pas retourner vivre chez ses parents ! J'habitais ici jusqu'à la mort de ma mère. Après, il a fallu que je m'occupe de mon père. Je n'ai jamais emménagé chez lui officiellement mais, en fin de compte, je passais plus de temps chez lui qu'ici.

L'intérieur de la maison parut à Julia d'une simplicité qui convenait à un homme venant de renoncer à la course à la réussite. Aucun mur ne séparait le salon de la salle à manger ni de la cuisine. L'ameublement se composait d'un assortiment confortable de fauteuils en cuir, d'appareils électriques encastrés et d'une table ronde en chêne entourée de chaises au dossier droit. Un unique tapis couvrait le parquet, un tapis tibétain valant sans doute une fortune. Les fenêtres ne manquaient pas. Une porte donnait sur la véranda. Des mezzanines saillaient de chaque côté. Deux lits occupaient l'une d'elles tandis que l'autre abritait un bureau où trônait un ordinateur.

— Ça continue en bas, précisa-t-il.

— Il y a un autre étage ? demanda-t-elle, surprise.

— La maison a été bâtie à flanc de colline, bien que la façade ne permette pas de s'en rendre compte.

Il lui désigna un coin de la pièce, derrière deux fauteuils en cuir.

— Voilà l'entrée d'escalier. Allez jeter un coup d'œil en bas pendant que je récupère mes outils.

Un tapis bordeaux couvrait les marches. Julia les descendit en se tenant à une large rampe. L'escalier tournait à gauche à mi-chemin. Soudain lui apparut plus de lumière qu'elle n'en escomptait, plus de place même, qu'elle n'en espérait. Julia découvrit d'abord une salle de bains pourvue d'un placard intégré mais l'étage creusé dans la colline abritait avant tout une chambre.

Un vaste lit calé contre un mur trônait sur un immense tapis tissé en une myriade de nuances de bleu. Un simple jeté blanc le recouvrait. À la place du chevet se trouvaient des coussins en quantité suffisante pour que l'on puisse s'y adosser à plusieurs et savourer la vue. Laquelle ? Il n'y avait pas de télé grand écran ici mais des portes vitrées offrant une vue formidable sur l'extérieur.

Aussitôt attirée par le paysage, Julia s'absorba dans la contemplation d'une étendue de ciel et de mer si intimement mêlés qu'abstraction faite de l'ombre allongée du continent, loin à l'ouest, l'horizon se fondait dans l'océan. À l'instar du tapis sous ses pieds, cette vue magnifique comportait plus de nuances de bleu que Julia n'en aurait su nommer. Des variations sur le bleu des épicéas, le bleu du ciel, le bleu de la mer, le bleu de la terre, les uns soulignant les autres. Seuls tranchaient sur l'ensemble la lumière dorée que déversait le soleil couchant au ras des vagues et le gris délavé de la véranda derrière les portes.

La vue était bornée par des arbres sur la gauche comme sur la droite et par les cimes des épicéas sur le flanc de la colline au-dessous mais le ciel n'avait pas de limites. Il semblait riche d'infinies possibilités.

Julia regarda le lit fait avec tant de soin : paisible, confiant, modeste et différent. Oui, différent, comme Noah.

Des bruits de pas lui parvinrent depuis l'étage supérieur. Julia remonta dès qu'ils s'arrêtèrent, loin de l'escalier. Il lui fallut une bonne minute avant de repérer Noah sous l'évier.

Elle s'accroupit à côté de lui pour jeter un coup d'œil dans le placard sombre. Noah tenait une clé, qui apparemment ne serrait pas grand-chose.

— Comment parvenez-vous à distinguer quoi que ce soit ?

— Je ne vois rien ! reconnut-il avec ironie, puis il leva la tête et croisa son regard. Il y a une lampe électrique au fond du placard. Vous voulez bien me l'apporter ?

Elle la trouva sans difficulté et la braqua sur l'endroit qu'il s'efforçait de réparer.

— Quelle maison magnifique ! Vous y passez beaucoup de temps ?

— Pas assez, répondit-il en dévissant un bout de tuyau. Je viens de temps à autre me servir de l'ordinateur.

— Vous comptez vous rendre ici plus souvent, maintenant que votre père n'est plus là ?

La résistance que lui opposait la clé lui arracha un grognement.

— Pas dans l'immédiat. Je veux que Ian apprenne à connaître la maison de son grand-père. C'est son héritage, vous savez ?

— Il va vous aider sur le bateau ?

— S'il en est capable.

Il s'extirpa de sous l'évier en brandissant un bout de tuyau en U dont il recouvrit les extrémités d'enduit pendant une bonne minute. Il remit ensuite en place le morceau de canalisation en badigeonnant le tout d'un revêtement étanche. Puis il ressortit pour de bon.

— Votre fils s'en tirerait mieux si je vous aidais.

Noah se redressa. Ils se trouvaient face à face. Seules quelques dizaines de centimètres séparaient leurs visages.

— Sans doute mais ça ne se passera pas comme ça.

— Pourquoi pas ? Je n'ai rien d'autre à faire.

— Vous êtes toute mince et fine ! Pêcher le homard, ça vous endurcit un homme. Ça n'est pas ce que vous voulez !

— Tout le monde prétend savoir ce que je veux, répliqua-t-elle en fronçant les sourcils. Je n'ai pas voix au chapitre ?

— En l'occurrence, non, décréta-t-il en lui adressant un sourire confiant. Il s'agit de mon bateau.

Il se mit à ranger ses outils.

Julia aurait voulu se sentir vexée. Voilà le genre de répliques pleines de sexisme et de suffisance que lui assenait sans arrêt Monte. *Sois gentille, fais ça, tu veux bien ?* ou plus misogyne encore : *Offre-toi donc une jolie robe, je veux que tu te fasses belle pour moi.*

La remarque de Noah à propos de sa minceur et de sa finesse pouvait passer pour misogyne mais il l'avait formulée sur un ton différent, comme s'il s'agissait moins de la diminuer que de la protéger d'un travail physique de toute évidence pénible. Cela lui parut gentil de sa part. Elle voulait toujours aller pêcher le homard mais le désir de Noah de la protéger l'aidait à mieux accepter son refus.

En sortant de la maison, Julia rejoignit la camionnette. Lucas jaillit des bois pour s'arrêter à quelque distance d'elle et la dévisager, avec circonspection. Elle lui tendit la main. Il s'avança, puis s'arrêta, puis s'avança de nouveau. Il se mit alors à l'observer sans bouger, ne laissant pas d'autre choix à Julia que de le regarder tandis qu'elle réfléchissait au travail physique pénible. Elle tenta de se ranger à l'opinion de Noah. Après tout, il s'agissait de son bateau et la pêche au homard n'a rien d'une partie de plaisir. Si un peu d'aventure la tentait, libre à elle de faire du rafting, du deltaplane ou du saut à l'élastique. Si jamais elle voulait tenter le destin, pourquoi ne pas se lancer dans une activité ne nécessitant l'autorisation de personne ?

Mais elle ne cherchait ni le danger ni l'aventure. Elle voulait faire quelque chose d'intéressant. Avec un peu de recul, sa vie lui parut coincée dans un cadre rigide comme la fenêtre dans la chambre à coucher de Noah, à l'ouverture près. Les horizons de Julia étaient aussi nettement définis que limités. Par contraste avec cette île où la vie suivait le cours des marées, des intempéries, où les perspectives restaient ouvertes, sa situation lui parut étouffante.

L'idée la frappa soudain qu'elle s'en était sortie dans l'unique but de faire plus de choses de sa vie. Cette pensée l'exalta tout en la terrifiant. Dans quelle direction œuvrer ? Que faire ? La plupart des gens doivent affronter des décisions essentielles à l'orée de leur vie d'adulte, or elle avait depuis longtemps dépassé cette époque. Par où commencer ?

Noah reparut. Il se dirigea vers l'arrière de la camionnette où il déposa ses outils puis il chargea ses bras de bois qu'il déposa sous l'appentis avant de retourner en chercher. Julia ne tarda pas à l'imiter, en emportant à l'arrière de la camionnette le plus de bûches possible. Voilà par où commencer : par un geste simple, pratique, utile.

— Que faites-vous ? lui demanda-t-il en se relevant.

Elle ne répondit pas, se contentant de sourire au passage.

— Vous allez salir votre nouveau T-shirt ! s'écria-t-il.

— Eh bien, je le mettrai à la machine.

Même si elle ne parvenait pas à en porter autant que lui, quatre de ses allers et retours en épargnaient deux à Noah.

Bientôt, ils reprirent la route. Julia était contente. Elle jeta un coup d'œil à Noah. Il affichait une mine plus sombre que jamais. Le soleil bas à l'horizon ne répandait plus qu'une lumière dorée sur les cimes des épicéas. Noah semblait préoccupé, il se concentra d'un air presque absent sur l'étroit chemin menant à Dobbs Hill où l'attendait la voiture de Julia. Ses phares trouaient un crépuscule oppressant.

— À propos de Kim ? demanda-t-elle prudemment. Vous pensez que je devrais faire quelque chose ?

Il revint à la réalité en poussant un profond soupir.

— Vous ? Vous n'êtes pas la seule que ça inquiète, moi aussi.

— Très bien. On prévient la police ?

Il mit un certain temps à lui répondre, à contrecœur.

— J'aimerais mieux ne rien dire tant que Kim n'a pas recouvré la parole. Vous pensez qu'elle s'exprimera de nouveau un jour ?

— Au bout d'un certain temps, oui. Du moins c'est ce que prétend mon amie professeur de psychologie. Elle compare ce que Kim a vécu à une opération chirurgicale. Pour l'instant, l'incision à vif empêche les terminaisons nerveuses de fonctionner. Le corps est comme paralysé. Dans le cas de Kim, il s'agit d'un engourdissement émotionnel qui se traduit par son mutisme. Dès que les terminaisons nerveuses se régénèrent, les symptômes disparaissent.

— Combien de temps faudra-t-il attendre ?

— Tout dépend ! Je suppose que vous devrez prendre une décision assez vite. Vous venez de perdre votre père. Voulez-vous à tout prix découvrir la cause de l'accident ?

— Oh oui ! Mais je ne veux pas que Kim soit responsable.

Julia non plus n'en avait pas envie.

— Est-ce qu'on empêche la justice de faire son travail en gardant le silence ?

— Pas tant qu'on ne sait rien avec certitude. Qu'en pensez-vous ?

— Je ne suis pas certaine de ce que j'ai vu.

— Moi non plus. Pourquoi ne pas tenter une nouvelle fois de parler à Kim ? suggéra-t-il en lui décochant un coup d'œil. Je vais demander à John dans quelle direction progresse son enquête. J'aimerais tant qu'il découvre une tierce personne en possession d'un pistolet ! Ça ne me déplairait pas d'affronter un authentique bandit, ajouta-t-il sans rire.

Soudain, il se redressa et ralentit, concentré sur la route. Julia suivit son regard. Ses phares éclairèrent un groupe de véhicules garés en désordre. Il lui fallut une minute avant d'identifier à la lumière bleu-gris du crépuscule l'endroit où elle avait parqué son 4×4. Elle reconnut bientôt la camionnette de Zoe à côté de la petite Plymouth que Molly s'était résignée à conduire. Une voiture de police stationnait juste derrière, les gyrophares éteints mais la portière côté conducteur grande ouverte en signe d'urgence.

Noah arrêta sa camionnette tout près. Julia en sortit à l'instant même. Molly se précipita dans sa direction en écarquillant les yeux d'horreur.

— J'ai trouvé ta voiture, dit-elle à bout de souffle, d'un ton accusateur. Je suis restée des heures à t'attendre. Tu ne peux pas t'imaginer tout ce qui m'est passé par la tête !

Julia pouvait comprendre l'inquiétude de Molly, jusqu'à un certain point. Elle se trouvait sur l'île après tout, et non en pleine ville. Et puis, elle savait tout de même se défendre.

— Qu'est-ce que tu as pensé ?

— Que quelqu'un venait de t'enlever. Ou que tu avais fait quelque chose de bizarre.

— Bizarre ? reprit Julia qui n'en revenait pas. Comme quoi ?

— Je n'en sais rien ! Tu étais partie apporter des biscuits aux enfants Walsh. Tu aurais dû revenir plus tôt.

— Mais toi, ne devais-tu pas partir au travail, à ce moment-là ? répliqua Julia sans hausser le ton car elle cherchait moins à discuter qu'à établir des faits.

— Rick m'a demandé mon numéro de sécu. Comme je ne m'en souvenais pas, je suis allée chercher mes papiers à la maison et tu n'étais pas là.

— Elle s'est affolée, ajouta Zoe en s'approchant. Alors elle m'a d'abord appelée, puis John.

— Pourquoi es-tu partie aussi longtemps ? demanda Molly.

— Tout est de ma faute, avoua Noah en se plaçant derrière Julia. Je l'ai croisée sur ma route et l'ai convaincue de faire des courses avec moi.

Julia se sentit quelque peu irritée. Elle n'avait pas besoin que quelqu'un la couvre !

— Il n'a même pas eu besoin de me convaincre ! J'ai accepté sa proposition, voilà tout. Je n'avais aucune raison de refuser.

Les traits de Molly se durcirent. Elle tourna les talons et regagna sa Plymouth. Julia la rattrapa. La distance qui les séparait des autres leur laissait un peu d'intimité, elle s'exprima tout de même à voix basse :

— Molly, qu'est-ce qu'il se passe ?

— Ça n'annonce rien de bon. Voilà tout.

— De quoi parles-tu ?

— De lui et de toi. Tu le connaissais déjà ?

— Qu'est-ce que tu sous-entends ? s'écria Julia, vexée.

— Papa doit avoir une double bonne raison de rester à New York.

— Une double bonne raison ?

— De rester là-bas pendant que tu te trouves ici.

Julia n'aurait sans doute pas choisi ce moment pour en discuter mais puisque le sujet se présentait...

— Tu as vu quelque chose à ton retour la semaine passée ?

— Il se sent seul, répondit Molly en se braquant. Je crois que tu devrais le rejoindre.

— Il se sent seul ? reprit Julia sans parvenir à se l'imaginer. Il te l'a dit ?

— Il faut que tu rentres.

— Quelqu'un se trouvait là, avec lui ?

Ce ne serait pas la première fois, Julia le savait bien. La colère la submergea.

— Il faut absolument que tu rentres ! répéta Molly avant de grimper dans la voiture. J'ai un travail qui m'occupera tout l'été. Fais comme si je n'avais pas quitté Paris.

— Tu n'as pas répondu à ma question, insista Julia en se penchant à la vitre avant.

— Il faut que j'y retourne.

Elle fit démarrer la voiture puis s'en alla.

— Quel est son problème ? s'enquit Zoe avec gentillesse.

Julia lui fit signe de ne pas chercher à en savoir plus puis elle se rendit à son propre véhicule. Avant qu'elle n'ait le temps d'y monter, John Roman l'interpella :

— Attendez ! Je dois vous remettre vos affaires.

Il sortit du coffre de sa voiture un sac en cuir déformé que Julia reconnut bel et bien comme étant le sien. Elle supposa que le grand sac poubelle vert à côté contenait le reste de ses bagages récupérés au fond de l'océan.

Une vague sensation de malaise la cloua sur place. Julia remercia l'officier, mais ses affaires lui semblaient aussi importunes que les accusations de Molly. Des horizons familiers se refermaient sur elle, la repoussant là où elle ne voulait plus revenir.

Si elle avait eu une pelle sous la main, elle se serait arrêtée sur le chemin de chez Zoe pour enfouir les sacs à plusieurs pieds sous la terre bienveillante de l'île. Faute de pelle, elle se résigna à les coincer derrière des bottes de foin frais dans un coin reculé de l'écurie. Elle en sortait tout juste lorsque Zoe revint ; Julia ne se sentait pas encore d'humeur à lui parler. Elle renvoya donc Zoe chez ses amis avant de se réchauffer de la soupe en boîte en guise de dîner. Elle déposa ensuite son alliance au bord du lavabo avant de se laver puis se mit au lit où elle feuilleta le manuel accompagnant son appareil photo jusqu'à ce qu'elle s'endorme. Elle n'entendit pas Zoe revenir un peu plus tard, ni Molly rentrer de son travail. Le lendemain matin, elle était déjà sortie avant que l'une ou l'autre ne soit levée.

11.

Julia roulait vitre baissée sans se soucier de sa destination. Elle ne se rappelait pas avoir jamais conduit pour le simple plaisir de conduire. Elle éprouvait à la fois une impression de détente et de défi à relever. Sa vie se résumait à un fouillis inextricable d'obligations et de questions ouvertes. Pourtant, elle se surprit à sourire.

L'air humide lui parut rafraîchissant. Elle s'imagina qu'il lavait son esprit de ses inquiétudes mais ne s'attarda pas trop là-dessus.

Elle avait emporté son appareil photo et s'arrêtait de temps à autre pour saisir des mouettes sur les rochers, un bernard-l'ermite dans l'écume, des bécasseaux sur la plage. Elle suivit la route le long du port jusqu'à la poissonnerie Foss où elle photographia le grand bâtiment en forme de boîte contre le ciel lilas qui s'ourlait peu à peu de rose.

Les images lui semblaient jolies mais banales. Elle aurait sans peine trouvé les mêmes en cartes postales à la boutique de l'île. Après tout, ce n'était pas plus mal. Elle se familiarisait avec l'appareil. Le trajet la détendit. De retour chez Zoe, elle se sentit moins remontée contre Molly.

Comme il était encore tôt, elle se rendit droit à l'écurie. Elle s'étonna d'y trouver sa tante.

— Je t'ai entendue partir, expliqua Zoe, occupée à passer une brosse en métal dans la fourrure d'un lapin sur la table. Tout va bien ?

Les tennis de Julia couinèrent sur le parquet. Elle déposa un baiser sur les cheveux de Zoe encore emmêlés.

— Oui, je te remercie. Et toi ? Ma présence ici te complique de plus en plus la vie.

— Je ne me plains pas.

— Tu étais déjà levée au retour de Molly ?

— Hum... oui. Elle ne décolère pas.

Si quelqu'un ici a le droit d'être en colère, c'est bien moi, songea Julia. Sa fille venait de mettre en doute son honnêteté – à tort. Julia s'apprêtait à laisser libre cours à sa rancune lorsque Zoe posa une main bienveillante sur son bras.

— La matinée est trop belle pour t'en soucier. Ça te dirait, de me regarder épiler les lapins ?

La proposition de Zoe, comme celle de Noah hier, ne pouvait mieux tomber. Le lapin sur la table avait été baptisé Sugar en raison des taches blanches sur sa fourrure brune et de la douceur de son caractère.

— Je parie que tu ignorais qu'un lapin possède plusieurs couches de fourrure.

— En effet.

— Ils en ont parfois jusqu'à trois. La plus longue mesure trois pouces. La deuxième est deux fois plus courte et la dernière pousse à ras de la peau. Je collecte les poils les plus longs.

— Je ne les distingue pas.

— Regarde bien, conseilla Zoe en écartant le pelage du lapin.

Les poils de différentes longueurs apparurent entre ses doigts experts.

— Comment fais-tu pour épiler la couche la plus longue en épargnant les autres ?

— Rien de plus simple ! Les poils les plus longs se détachent tout seuls. C'est d'ailleurs mon principal argument en faveur de l'épilation. Elle prend plus de temps que la tonte, près de quarante-cinq minutes par lapin. Il m'en faudrait deux fois moins si je me servais de ciseaux. Le problème de la tonte, c'est qu'elle prive le lapin de plusieurs couches de fourrure, ce qui vaut mieux pour l'acheteur de laine que pour l'animal ! La fourrure des angoras les aide à conserver leur chaleur. L'épilation leur laisse une toison assez épaisse, pas forcément aussi utile en cette saison qu'en hiver. Les lapins ne pourraient maintenir leur température interne sans elle. Une tonte trop importante, même par inadvertance, rend le lapin vulnérable au froid.

Julia se rappela le sort des lapereaux dépourvus de fourrure tombés dans les bacs sous les cages. Dire qu'ils devenaient « vulnérables au froid » ne rendait pas vraiment compte de leur triste situation.

— La taille de mon élevage me laisse le loisir d'épiler chaque animal, déclara Zoe avant de poursuivre d'un ton plus triste : Todd m'aidait beaucoup. Il me manque.

Elle se remit à démêler les poils du lapin à l'aide d'un peigne en métal.

— Son handicap jouait en ma faveur. Il n'avait nulle part où aller. J'aurais voulu assister à son enterrement mais son frère m'a conseillé de ne pas y aller. J'aurais rappelé à sa famille un aspect de sa vie qu'ils ne parvenaient pas à comprendre.

— Ou qu'ils prenaient en mauvaise part, suggéra Julia. Ils pourraient en vouloir à l'île de leur avoir pris Todd.

— Et Monte, il m'en veut, lui aussi ? interrogea Zoe en passant le peigne dans une autre touffe de poils emmêlés.

— Pour quelle raison ? s'étonna Julia, un drôle de sourire aux lèvres.

— Parce que je t'ai éloignée de lui.

— Pas du tout ! C'est moi qui suis partie.

— Que se passe-t-il entre vous ? lui demanda Zoe en plantant son regard droit dans le sien.

Rien du tout, aurait répondu Julia à n'importe qui d'autre. *Tout va bien. Pourquoi me poses-tu cette question ?*

Zoe aimait beaucoup sa nièce. Jamais elle ne la jugerait avec sévérité. Elle devait soupçonner la vérité, vu le comportement de Molly sur la route, l'autre soir.

Julia ne put retenir un soupir.

— Il arrive qu'une trop grande intimité fasse parfois naître un certain mépris entre les époux, sauf qu'il ne s'agit pas de cela. Monte et moi nous entendons à merveille mais nous ne passons que peu de temps ensemble. J'espérais un changement après le départ de Molly. J'espérais un peu de passion et je ne fais pas allusion à quoi que ce soit de sexuel. J'espérais que nous partagerions plus d'activités, plus d'émotions, comme aux premiers jours de notre relation.

— Tu restes souvent seule chez toi ?

— Non. Je mène une vie active. J'appartiens à une association de lutte contre le cancer, un groupe de lecture, ce genre de choses.

Son engagement lui procurait un sentiment de maîtrise et même de pouvoir au fur et à mesure qu'elle gravissait les échelons des responsabilités administratives dans son association caritative.

— Je fais de l'exercice. Je prends des cours. Je mène ma vie de mon côté, je fréquente mes propres amies.

— Celles à qui tu envoies des e-mails ?

— Oui. Ce sont des femmes merveilleuses. Je les ai toutes rencontrées par l'intermédiaire des relations de travail de Monte. Notre amitié a vu le jour de leur propre initiative. Ce sont des femmes de pouvoir mais elles m'apprécient justement parce que ce n'est pas mon cas. Elles prétendent que je leur sers de pierre de touche.

— Tu voudrais leur ressembler ?

— Molly me le demande sans cesse, répondit Julia en souriant. Elle me répète que j'aurais fait un excellent proviseur, un merveilleux analyste ou même une très bonne fleuriste. Mais cela ne me disait rien. Monte ne m'a jamais forcée à arrêter mes études.

— Ah bon ?!? la taquina Zoe.

— D'accord, admit Julia. Je me suis retrouvée enceinte. Mais j'aurais pu retourner à l'université après la naissance de Molly si je l'avais voulu.

— Tu le regrettes ?

— Tu me demandes si je souhaiterais mener une carrière qui m'occupe pendant que Monte travaille de son côté ? Ce n'est pas mon absence de profession qui pose problème, avoua-t-elle brusquement.

Zoe venait de reposer le peigne en métal et démêlait de ses doigts experts la fourrure des lapins.

— Je me rappelle votre rencontre. À cette époque-là, tu l'aimais à la folie.

— Oh oui !

— C'est toujours le cas ?

— À la folie ? répéta-t-elle en grimaçant un triste sourire. Non.

— Mais tu l'aimes encore ?

— C'est mon mari.

Elle ne répondait pas à la question mais ne savait pas quoi dire d'autre. Elle ne détestait pas Monte. Peut-être à tort ; quoique non : il avait ses bons côtés. Il gagnait bien sa vie, il ne manquait ni d'esprit ni de charme quand il le voulait – des traits de caractère qu'elle aimait toujours.

Aimait ?

Ou plutôt appréciait. Dans le cas contraire, elle serait déjà partie depuis des années, qui sait ?

— C'est un bel homme et il en est conscient, reprit Zoe. Il recherche l'admiration des femmes.

— Oh oui !

— Il a toujours été fidèle ?

Julia soutint le regard inquisiteur de Zoe. Voilà qui répondait à sa question.

— Tu as l'air de prendre les choses avec calme.

— Ça n'a pas toujours été le cas ! admit Julia en laissant échapper un rire contraint. J'ai plus d'une fois pleuré. Je me sentais trompée, dépréciée.

— Plus maintenant ?

— Si, parfois. Je me demande toujours si je n'aurais pas pu le retenir en étant plus intelligente, plus jolie, plus dynamique.

— Certains hommes éprouvent le besoin de faire des conquêtes.

— Mon analyste dit la même chose. Avec elle, je peux laisser libre cours à mon ressentiment. Elle sait trouver les mots justes mais ne peut pas tout arranger. Une thérapie de couple aurait pu nous aider : Monte ne voulait pas en entendre parler.

— Trop dangereux à ses yeux ?

— Oh oui !

— Il en aime une autre ?

— Je ne crois pas. Il se contente de relations épisodiques.

— Ça t'arrive de le forcer à une confrontation ?

Julia partit d'un rire amer. Elle avait passé toute sa vie à éviter la moindre confrontation.

— Il sait que j'ai des soupçons. Un jour, des fleurs sont arrivées par mégarde à la maison, accompagnées d'une carte signée de sa main, adressée à une autre femme. Il m'a raconté qu'il s'agissait d'une collègue sur le point de quitter l'entreprise mais je ne suis pas stupide. J'ai consulté l'annuaire. Elle n'y figurait pas. Une autre fois, j'ai reçu un coup de fil. Il venait de rompre. Son ex cherchait à le punir. Appeler l'épouse légitime lui a sans doute paru la meilleure vengeance possible.

— Comment Monte s'est-il justifié ?

— Il a prétendu qu'il s'agissait d'une cliente mécontente cherchant à lui créer des ennuis. Il se trouve que c'était bel et bien une cliente. Impossible de prouver le reste.

— Pourquoi ne le quittes-tu pas ? lui demanda Zoe d'une voix vibrante d'émotion.

Julia ne se laissa pas impressionner.

— Parce que j'ai de bonnes raisons de rester : Molly, ma sécurité financière, mon mode de vie. Monte représente ma principale activité depuis vingt ans !

— En tout cas, tu es venue ici, lui rappela Zoe. Deux semaines au moins. Jamais encore tu ne t'étais éloignée de Monte aussi longtemps. Il a quelqu'un en ce moment ? ajouta-t-elle d'une voix douce.

Julia caressa le lapin entre les oreilles.

— Je ne sais pas. Je crois que oui. Il ne passe pas beaucoup de temps à la maison, or il n'a pas beaucoup d'amis hommes. À moins qu'il ne travaille. Mais New York est une ville morte en cette saison. Que peut-il bien faire ? Je crains que Molly n'ait aperçu quelque chose à son retour à l'improviste, lundi soir.

— Tu crois qu'elle l'a surpris en compagnie d'une autre femme ?

— Oui.

— Tu lui as demandé ?

— Pas de manière directe. Comment faire autrement ? Je ne peux pas la forcer à dénoncer l'un de ses parents ! Si je lui pose la question, elle comprendra que j'ai des doutes. Après ça, il n'y aura plus moyen de faire marche arrière. Molly se sentirait dans un climat d'insécurité, ce que je ne veux surtout pas !

Zoe se remit à passer le peigne de métal dans la fourrure brune.

— Tu as ressenti la même chose en apprenant la vérité à propos de George et moi ?

— De l'insécurité ? Non. Je ne suis plus aussi naïve qu'à l'âge de Molly.

— Regardez-moi cette dame de quarante ans revenue de tout ! la taquina Zoe.

— Je sais que tu me comprends, affirma Julia en esquissant un sourire. Je ne prétends pas que ta révélation ne m'a pas choquée. Je n'en reviens toujours pas ! Mais, pour une raison sans doute peu avouable, je me sens aussi en partie vengée. Leur couple n'est pas aussi parfait que tout le monde le croit. Donc, mon propre mariage ne connaît pas un échec si retentissant, par comparaison, conclut-elle avant de s'interrompre un instant. Mon père me déçoit.

— Pas moi ?

— Non. Tu n'avais pas l'intention de séduire George. Rien ne serait arrivé si maman ne l'avait pas laissé ici tout seul.

— Pourtant tu réagis de la même façon vis-à-vis de Monte, non ?

— Peut-être, admit Julia, stupéfaite. Sauf qu'il a des aventures, que je sois là ou pas et il me fallait un peu de répit.

— Par rapport à ta vie à New York ? À Monte ? À tes soupçons ?

— À tout !

— Tu ressembles à Janet par certains côtés.

— Oh non !

— Si. Quand quelque chose te pose problème, tu fuis. C'est ce qu'a toujours fait Janet, non ? Lorsque s'occuper de sa famille a tourné au cauchemar d'un point de vue pratique, elle s'est réfugiée dans son travail en cédant ses responsabilités à toi et à George.

— Quelle responsabilité crois-tu que je cède ? répliqua Julia que les insinuations de sa tante contrariaient. (N'avait-elle pas pris la peine de tout mettre en ordre avant même de songer à s'absenter deux semaines ?) Tout, autour de Monte, fonctionne en pilotage automatique grâce à mes soins. Quelle sorte de responsabilité crois-tu que je cède ?

— Celle de ton couple.

— Pardon mais c'est lui qui me trompe.

— Tu le laisses faire.

— En l'abandonnant seul chez nous ? C'est peut-être ce que je souhaite, au fond. Je lui laisse la corde pour se pendre. Je ne suis pas si naïve, poursuivit-elle en élevant la voix. Je voudrais qu'il me montre enfin ce qu'il a dans le ventre. Je dois me sentir prête. Le moment est venu. Je ne m'en doutais même pas en projetant ce séjour. L'accident a dû tout précipiter, songea-t-elle avant de poursuivre du même ton haut perché : Au fond je n'en sais rien, si ce n'est qu'il s'agit de ma vie et je ne suis ni assez docile ni assez stupide pour ignorer ses aventures. J'y ferai face à ma manière. Elle ne conviendrait peut-être ni à toi ni à quelqu'un d'autre, mais c'est ma vie ! La mienne !

— C'est bien la première fois que je te vois une telle détermination, constata Zoe, un sourire aux lèvres.

— Tu m'as mise en rogne.

— Tant mieux ! Tu es parfois trop gentille.

— Je pensais vraiment ce que je viens de dire.

— Je le sais.

— J'y ferai face le moment venu.

— Je n'en doute pas.

Julia laissa échapper un soupir. Elle se sentait de meilleure humeur. Elle désigna le lapin du menton.

— Continue. Je t'observe.

Zoe saisit entre son pouce et son index une touffe de poils parmi les plus longs au bas du dos de l'animal. Elle tira tout doucement dessus. Ils se détachèrent sans peine. Elle répéta les mêmes gestes sur le reste du corps en tirant toujours dans le sens du poil avant de déposer la fourrure dans une boîte tapissée de tissu, en séparant d'un linge les différentes couches. Elle montra à Julia comment soulager le lapin en pressant d'une main son corps auprès de la zone épilée puis aussi comment distinguer la fourrure de plus ou moins bonne qualité.

Au bout d'un moment, elle lui céda même sa place. Julia se radoucit en prenant le relais de Zoe. L'océan produisait un bruit de fond au rythme apaisant. Peu de soupirs lui parvenaient depuis l'écurie. Quel vendredi matin tranquille ! Les soucis de sa vie lui parurent soudain bien lointains.

Tu ressembles à Janet par certains côtés. Quand quelque chose te pose problème, tu fuis.

Julia pensa beaucoup aux paroles de Zoe au cours des heures qui suivirent. Molly, quant à elle, fit la grasse matinée. Aux environs de midi, Julia s'aperçut qu'elle adoptait l'attitude que lui reprochait Zoe. Rester passivement assise dans son coin en attendant le réveil de Molly, ça correspondait à une fuite. Aussi se rendit-elle dans la chambre de sa fille dont elle ouvrit sans bruit la porte... pour découvrir Molly en train de lire, le dos calé contre un oreiller.

— Hé ! lança Julia en souriant. Moi qui te croyais encore endormie.

Molly ne lui renvoya pas son sourire. *Eh bien oui, je suis réveillée*, semblait-elle lui dire par son seul regard. *Que me veux-tu ?* Julia ne lui avait pas vu une telle mine depuis des années.

— Tu n'as pas faim ?

— Non, répondit-elle en se replongeant dans sa lecture.

— Même pour des fraises ? Je viens d'en cueillir.

— Non, répliqua-t-elle sans lever les yeux.

— Et ton travail ? Comment ça se passe ?

— Très bien.

— L'expérience te servira ?

— Oui.

— Que lis-tu ? s'enquit Julia.

Elle s'aperçut aussitôt qu'elle fuyait encore en incitant Molly à parler la première plutôt que de mettre elle-même le problème sur le tapis.

— Un livre de Stephen King. Tu n'aimerais pas.

— Il faut qu'on parle, toi et moi, déclara Julia en s'asseyant sur son lit.

— Non : toi et papa, rectifia Molly en posant son livre sur les couvertures. Vous voulez vous tromper l'un l'autre ? Très bien, ça vous regarde. Mais ne me laissez pas croire que tout va bien. C'est déstabilisant de s'entendre dire une chose et de s'apercevoir du contraire.

— Je ne trompe pas ton père.

Peu importait à Julia que Molly soit encore jeune et, en ce moment, hors d'elle. Elle ne se laisserait pas accuser à tort.

— Jamais je n'ai trompé ton père. Tu m'as déjà vue parler à d'autres hommes. Ça n'a rien d'extraordinaire. Moi-même je t'ai vue parler à des tas de garçons. Ça suppose peut-être que tu couches avec ?

— J'ai des amis hommes. Pas toi.

— Si. Sauf que je ne vais pas déjeuner avec eux parce que je n'ai jamais l'occasion de le faire sans choquer tout le monde. J'estime d'ailleurs que c'est dommage, ne put-elle se retenir d'ajouter. Noah Prine me paraît très intéressant. Je passerais sans doute un déjeuner agréable en sa compagnie.

— Si tu le dis, conclut Molly dans l'espoir de mettre un terme à leur conversation, mais Julia écarta son livre dès qu'elle fit mine de replonger dans sa lecture.

— Molly, raconte-moi ce qui est arrivé à ton retour lundi soir.

Molly fixa le fond de la pièce, sa lèvre inférieure avançait légèrement – esquissant la même moue que dans son enfance, sauf que là, elle n'avait plus rien d'attendrissant. Un caprice passager n'a rien à voir avec un sentiment de tristesse. Exprimer ses doutes parut soudain à Julia moins risqué que de garder le silence.

— Je suppose que tu as trouvé quelqu'un à la maison. En compagnie de ton père. Il n'a peut-être pas su s'expliquer...

Le regard glacial que lui jeta Molly l'interrompit net.

— Il y avait une femme dans son lit. À quel genre d'explication t'attends-tu ?

Voilà une confirmation en bonne et due forme. Julia se prit la tête entre les mains. Son cœur battait la chamade. Elle venait de vivre l'un de ces instants où la vie bascule. Elle se détourna de Molly et se laissa tomber sur le lit.

— Tu ne le savais pas ? Tu ne te doutais pas qu'il fréquentait quelqu'un d'autre ? Qu'espérais-tu en partant deux semaines ?

Il fallut une minute à Julia pour assimiler les paroles de sa fille. Elle posa sur elle un regard abattu. La jeune fille aux cheveux coupés à la garçonne et à la mine accusatrice lui semblait une étrangère.

— Tu m'en veux, à moi ? Parce qu'à ton avis, rien ne serait arrivé en ma présence ? Tu crois que c'est la première fois ? demanda-t-elle sans ménagement.

La situation était désormais claire. Molly avait atteint l'âge adulte. Quoi de plus pernicieux qu'une demi-vérité ?

— Eh bien non. C'est déjà arrivé et rien ne dit que ça n'arrivera pas encore. C'est à moi d'y faire face. Pas à toi.

Molly croisa les bras. Son geste aurait pu sembler agressif sans les larmes dans ses yeux.

— Vous allez divorcer ?

— Je n'en sais rien.

Molly se redressa soudain et son livre tomba par terre.

— Tu comptes te décider ici ? Je ne me trompais pas hier soir. Il faut que tu rentres. Ne me dis-tu pas toujours qu'il faut s'accrocher ? N'est-ce pas vrai pour toi aussi ? Il faut que tu te battes, maman. Les choses ne devraient sans doute pas se passer ainsi mais si tu veux sauver ton couple, tu dois le montrer à papa. Rentre à la maison. En prenant le ferry cet après-midi puis l'avion à Portland, tu seras de retour chez nous avant le dîner.

Julia aurait très bien pu suivre ses conseils un autre jour. Mais pas aujourd'hui. Elle se leva sans ajouter un mot. Elle s'apprêtait à sortir lorsque Molly reprit :

— Tu le feras ?

Julia se retourna et le visage suppliant de sa fille faillit lui briser le cœur. Julia la comprenait. Aucun enfant ne souhaite voir ses parents divorcer. Face à une fille plus jeune, Julia aurait accepté à peu près n'importe quoi à condition de sauver son couple. C'est d'ailleurs ce qui s'était passé toutes ces années.

Mais Molly, aujourd'hui adulte, passait de moins en moins de temps à la maison. Julia devait songer à elle-même. Hélas, elle n'en avait pas l'habitude.

Que faire ? Rester et discuter ? Partir et attendre ?

Dans le doute, elle préféra quitter la pièce.

Laisserait-elle la porte ouverte ?

Elle décida de la fermer mais changea d'avis au dernier moment.

Molly la claqua dès le départ de sa mère.

Le bruit de la porte provoqua en elle un déclic. Julia songea aux cheveux de Molly. Elle les préférait longs, élégants et faciles à coiffer. Mais les cheveux de Molly lui appartenaient. Il s'agissait de sa vie, de son choix. Julia avait accepté sans broncher la décision de Molly de les couper. Ce n'était plus une enfant. Julia devait respecter son statut d'adulte.

En échange, elle désirait que Molly la respecte à son tour. Elle attendait de sa part de la confiance et même un tout petit peu de tolérance envers ses éventuels caprices. Dieu sait que c'est ainsi qu'elle s'efforçait d'agir envers Molly depuis des années. L'incapacité de sa fille à lui rendre la pareille excita la colère de Julia, qui ne savait comment gérer un tel sentiment. Elle sentit la situation lui échapper, non sans en éprouver de la frustration.

Elle eut envie de se changer les idées. Elle se rendit en voiture à l'atelier de Tony Hammel, qui occupait au sommet de Dobbs Hill un bâtiment d'architecture contemporaine au plan aléatoire, percé de larges baies vitrées. De petits bungalows du même style, où logeaient les stagiaires à la semaine, étaient disséminés à l'orée des bois. Julia eût été des leurs sans l'accident à bord de l'*Amelia Celeste*. En se promenant dans l'atelier d'où lui parvenaient des bribes de leçons, puis en étudiant les clichés sur les murs, elle sentit l'inspiration lui venir.

En fin d'après-midi, elle emporta son appareil au port, bien résolue à tirer parti du spectacle qu'offraient le soleil couchant et les ombres qu'il projetait. Le temps d'y arriver, le brouillard s'était installé. Les piliers de la jetée, les murs de pierre ou les planches en bois n'avaient en soi rien de spectaculaire. Les balises fraîchement peintes au bout du quai apportaient un peu de couleur mais rien de théâtral. La rangée de camionnettes attendant le retour de leurs propriétaires formait un bel ensemble régulier sans rien de remarquable. Les élèves de Tony photographiaient d'ordinaire ce genre de choses mais Julia préféra regarder les caseyeurs rentrer de leur journée de travail.

Elle se mit à flâner le long des quais. Elle portait ce jour-là un jean et un T-shirt. Sa queue-de-cheval blonde dépassait de la casquette à l'emblème de la poissonnerie Foss prêtée par Zoe. Julia devait tout de même ressembler à une autochtone car les gens ne lui prêtaient pas plus d'attention que nécessaire. Elle n'avait pas l'impression de sortir du lot comme l'autre jour. À cause de ses habits ? Ou de son assurance ? De la présence de touristes à côté desquels elle se fondait dans la masse des insulaires ?

Elle ne se sentait différente des autres qu'en son for intérieur, parce qu'elle venait de recevoir le don de la vie.

Deux caseyeurs accostèrent. L'un, à la carrure imposante et aux cheveux gris couverts d'une casquette miteuse, devait approcher de la cinquantaine. L'autre, plus petit, semblait plus jeune, même s'il ne lui restait plus un seul cheveu sur le crâne. En observant leurs fronts hauts, leurs nez épatés et leurs mentons ronds, elle conclut qu'il devait s'agir du père et de son fils.

Ils amarrèrent le bateau qu'ils se mirent à nettoyer à l'aide de brosses. En quelques minutes jaillit sur le pont une mousse dégageant la même odeur de propreté que le bateau de Noah l'autre jour. Les deux hommes se partageaient la tâche qu'ils maîtrisaient à la perfection.

Incapable de résister, Julia s'approcha.

— Vous pompez de l'eau douce pour nettoyer ?

Le plus jeune des deux hommes leva les yeux tandis que l'autre lui répondait avec une intonation typique des habitants du Maine :

— Pas la peine, l'eau de mer suffit.

— Un dispositif de pompe branché sur le moteur nous en amène.

— Vous utilisez un produit nettoyant spécial ?

— C'est comme ça que l'appelle ma femme quand elle veut que je l'aide à faire la vaisselle.

— Du liquide vaisselle ? s'étonna Julia.

Le plus âgé des deux hommes se tourna vers son compagnon.

— Elle utilise quelle marque, ta mère ?

— Un truc qui mousse dans l'eau de mer.

— Ah ? reprit Julia en souriant. Merci du renseignement.

Elle aurait beaucoup aimé les saisir à l'œuvre mais elle leur savait déjà bien assez gré de leur gentillesse pour ne pas dépasser les bornes. Elle les regarda faire encore un peu puis s'en alla. Son appareil pendait négligemment à son épaule.

D'autres bateaux regagnaient leur ancrage. Julia, assise à l'extrémité du quai, les observait, les jambes ballantes. Les pêcheurs nettoyaient le pont puis ramassaient leurs thermos et leurs pulls, parfois même un casier à homards, avant de les jeter dans un canot à bord duquel ils abordaient la jetée. Un jeune homme seul sur son embarcation s'arrêta non loin d'elle. Julia venait d'observer assez de pêcheurs pour savoir comment procéder. Elle bondit sur ses pieds et s'approcha du bateau. L'homme lui tendit les amarres qu'elle enroula autour d'un pilier puis il coupa le moteur et bondit sur le quai. Il défit le cordage pour le renouer aussitôt en serrant plus fort, si vite qu'elle ne put s'empêcher de rire.

— Comment faites-vous ? s'exclama-t-elle, plus par étonnement que dans l'attente d'une réponse.

L'homme défit les amarres avant de les rattacher plus lentement en lui montrant son mouvement de poignet. Elle comprit ainsi comment il s'y prenait. C'était déjà ça, même si elle n'était pas sûre d'arriver à l'imiter.

— Merci, dit-elle d'un ton sincère.

Il lui adressa un signe de tête puis regagna son bateau dont il entreprit de sortir ses affaires.

— Votre appareil photo fonctionne ? demanda une voix.

Julia se retourna. L'homme qui s'approchait d'elle portait des lunettes et une chemise éclaboussée de peinture verte, de la même couleur que ses balises. Il sortait de l'un des bateaux qu'elle venait d'observer.

— Oui.

Il lui fit signe de le suivre et la conduisit à l'autre bout de la jetée où plusieurs hommes se tenaient assemblés. À son arrivée, ils s'écartèrent. Deux casiers à homards gravement endommagés se trouvaient sur le quai.

— Il nous faut des photos en guise de preuves, expliqua d'une voix calme mais résolue l'homme qui venait de l'apostropher.

— Aucun phoque ne produit de tels dégâts, précisa le pêcheur aux cheveux gris.

— C'est un homme qui a tout saboté en imitant les dommages causés par un phoque, ajouta son fils.

Julia prit une photo, puis une autre. Elle choisit un angle différent avant d'en réaliser une troisième et s'approcha encore pour la dernière.

— Regardez l'état du maillage à l'intérieur ! On pourrait le voir sur vos photos ? lui demanda l'homme aux lunettes.

Pendant que Julia tentait de le satisfaire, il poursuivit d'un ton calme, en accompagnant ses propos d'un geste de ses mains calleuses :

— Vous voyez la goulotte de forme conique ? En principe, le homard y pénètre par l'extrémité la plus large pour attraper l'appât. Quand il ne peut plus ressortir, il passe dans l'autre goulotte au bout du casier où il reste coincé. Le problème, c'est que lorsque le maillage est déchiré, le homard mange l'appât et s'en va aussitôt. Je ne relève plus que des nasses vides : pas plus de homard que d'appât. Quand pourrez-vous nous apporter les photos ?

— Demain matin, répondit Julia, qui comptait les imprimer le soir même. Je vous les remettrai à ce moment-là ?

— Non. Donnez-les à Noah. Elles nous serviront de preuves au cas où certains prétendraient qu'il s'agit d'une affaire montée de toutes pièces, si vous voyez ce que je veux dire.

Julia comprit soudain pourquoi les hommes sur la jetée acceptaient de lui parler. Leur attitude bienveillante s'expliquait moins par sa tenue vestimentaire que par sa relation à Noah Prine. Quelqu'un avait dû les apercevoir ensemble la veille, sans doute John Roman, et la nouvelle s'était répandue. Elle ignorait ce qu'ils s'imaginaient au juste. En tout cas, ils supposaient qu'elle le reverrait bientôt.

Les accusations de Molly, encore présentes à son esprit, l'incitèrent un instant à nier l'évidence. Julia se reprit. Son amitié avec Noah était innocente. Elle se réjouit de ce prétexte pour le revoir.

En plus, elle prenait plaisir à parler aux caseyeurs. Leur conversation lui procurait un sentiment d'appartenance. S'ils l'acceptaient du simple fait de ses liens avec Noah, ce n'était déjà pas si mal.

Julia n'aperçut le *Leila Sue* nulle part en quittant le port. De retour chez Zoe, elle dîna en sa compagnie, puis imprima les photos prises dans l'après-midi. Debout depuis l'aube, elle s'endormit peu après 21 heures.

Ce soir-là, Noah releva ses casiers jusque tard dans la soirée afin de compenser ses journées d'inactivité et son travail plus lent, faute d'équipier à la barre. 22 heures s'apprêtaient à sonner lorsqu'il rentra au mouillage où il nettoya son bateau. Quelques clients finissant de dîner s'attardaient à la terrasse du grill. Peu importe qu'en ce vendredi soir il y ait plus de touristes que la semaine passée, la plupart des insulaires dormaient déjà. Le samedi était jour de pêche. Les caseyeurs relevaient leurs prises dès l'aube, or le soleil ne faisait pas la grasse matinée. Noah en avait parfaitement conscience lorsqu'il emporta ses affaires le long du quai.

— Il était temps ! l'apostropha John Roman en le rejoignant. Je ne te demanderai pas pourquoi tu rentres si tard mais j'aime autant te prévenir : si tu t'amusais à tirer des coups de feu, tu ferais mieux d'enterrer l'arme. Ils ont déposé une plainte.

— Qui ?

— Les fruitiers. Quelqu'un a tiré dans la coque de leur bateau, pile à la ligne de flottaison.

— Il a coulé ? l'interrogea Noah en souriant jusqu'aux oreilles.

— Nan ! répondit John en esquissant à son tour un sourire en coin. Ils ont bouché les trous et prévenu mon collègue Charlie Andress de West Rock. Charlie n'est pas stupide. Il sait où Haber et Welk posent leurs lignes et il sait aussi qui a de bonnes raisons de leur chercher noise.

— Qu'attend-il de toi ?

— Que je te mette en garde, je suppose.

— Hé ! Je n'y suis pour rien.

— C'est toi qui as proposé au groupe des caseyeurs de tirer des coups de feu.

— Je le reconnais, avoua Noah qui n'avait rien à cacher. D'ailleurs, j'aurais aussitôt mis mon projet à exécution si les autres ne s'étaient pas déclarés contre. Ils ont préféré nouer les filières. J'ai suivi leurs conseils. Voilà tout. Les trous dans la coque proviennent d'une arme qui ne m'appartient pas. Peut-être celle qui a tué Artie.

— Oh non, rétorqua John en se grattant la nuque. Ne crois pas ça ! Les gardes-côtes m'ont appelé cet après-midi. Ils viennent de découvrir cette arme-là dans l'épave du *Fauve*.

12.

Julia, qui s'était assoupie tôt la veille, se réveilla cette fois encore à l'aube. Elle se rendit sur la pointe des pieds dans la salle de bains où elle se débarbouilla et se brossa les dents avant de se coiffer puis d'enfiler son alliance. Vêtue d'un sweat-shirt et d'un jean, elle quitta la maison en direction de la ville.

Elle gara sa voiture sur la jetée, sans oublier d'éteindre les phares. Appareil photo et trépied en main, elle flâna avant de s'installer en haut de l'escalier menant au grill. Elle désamorça le flash puis ajusta les réglages en fonction de l'éclairage ambiant, comme le suggérait le manuel. Une fois l'appareil fixé au trépied, elle jeta un coup d'œil par le viseur.

Il régnait un calme idyllique. L'eau clapotait plus doucement que jamais. Des homardiers se balançaient à l'ancrage, les bateaux au mouillage se soulevaient au rythme de la mer. Le monde semblait simplifié, sans la gamme de couleurs caractéristique du jour. Dans cette pénombre précédant l'aube, où les phares des camionnettes trouaient l'obscurité des quais, où les ombres des caseyeurs ensommeillés emportaient leur matériel, tandis que les lumières s'allumaient sur un bateau après l'autre, Julia découvrit enfin le spectacle qu'elle recherchait.

Elle prit des photos à distance en zoomant sur les parties du port qui retenaient le plus son attention. Elle saisit des hommes ramant jusqu'à leurs embarcations avant de s'éloigner en pleine mer.

Au fil du temps, la lumière pourpre devint bleue puis rose. Le ciel n'était pas encore dégagé, des nuages s'effilochaient entre des rubans de couleur. Leur évolution simultanée lui fournit un sujet à part entière.

En zoomant de nouveau sur le port, elle aperçut Noah qui la regardait droit dans les yeux, les poings sur les hanches. Elle se redressa, un sourire aux lèvres, et se réjouit de le voir laisser son matériel en plan pour venir la rejoindre. Il portait un jean, un pull et des galoches. À en juger par ses cheveux ébouriffés, il venait à peine de sortir du lit. Cette pensée enchanta Julia, qui le trouva soudain incroyablement viril.

Il grimpa l'escalier puis s'arrêta à quelques marches de Julia. Il avait l'air détendu.

— Rick m'a dit que vous étiez là depuis un bon bout de temps.

Elle souriait encore. C'était plus fort qu'elle. Elle aimait bien Noah Prine. Sa présence apportait une note de gaieté à sa journée.

— Rick ? Je me demandais comment vous était venue l'idée de regarder dans ma direction. Personne ne me remarque. Comme dans une cachette. Ça m'amuse d'ailleurs beaucoup.

— Vous êtes satisfaite de vos photos ?

— Je ne sais pas. Je ne prends pas le temps de les regarder.

— Il n'est pas un peu tôt ?

— Pas si l'on veut saisir le port en train de s'animer.

— Vous êtes toujours debout à l'aube ?

— À New York, jamais. Mais cela pourrait devenir une habitude, ici.

L'expression de Noah devint sérieuse.

— Je regrette de vous avoir causé des ennuis l'autre soir.

— Vous n'y êtes pour rien.

— Tout s'est arrangé depuis ?

Julia soupira.

— Est-ce que ma fille accepte enfin que j'aie le droit de vaquer à mes occupations avec la personne de mon choix ? J'en doute. Sincèrement, il y a d'autres problèmes en jeu.

Peu désireuse de lui dévoiler ses soucis à propos de Monte, elle sortit de son sac les photos imprimées la veille.

— Voilà pour vous.

— Merci, lui dit-il en lui décochant un sourire. Je les attendais.

Elle lui rendit son sourire, contente de se sentir utile.

— Les bruits qui courent au port vous ont mis la puce à l'oreille ?

— L'officier de police m'a prévenu. D'ailleurs, il aimerait beaucoup que vous lui envoyiez ces photos par e-mail. Vous pensez que c'est possible ?

— Bien sûr.

— Tant mieux. Les sujets de plainte se sont apparemment accumulés hier ; ces casiers sabotés, par exemple. Mais il y a du nouveau, m'a dit John. On a trouvé dans l'épave du *Fauve* un revolver immatriculé au nom d'Artie.

Julia écarquilla les yeux de surprise.

— Il s'agit de l'arme qui l'a tué ?

— Impossible de le dire. On sait seulement qu'il manque une balle sur les six. Son calibre correspond à l'impact dans l'épaule d'Artie. L'océan a effacé toute trace éventuelle du coup de feu. À moins de découvrir un projectile logé dans les débris du *Fauve* – autrement dit une aiguille dans une botte de foin – on devra se contenter d'hypothèses. Ce n'est pas tout. Artie faisait l'objet d'une enquête de la part des Services de l'Immigration. Ils le soupçonnaient d'introduire des clandestins dans le pays.

— À bord du *Fauve* ? s'interrogea Julia, sceptique.

Autant renoncer à la discrétion ! Un bateau comme celui-là se ferait remarquer où qu'il aille.

— Artie en possède un autre, expliqua Noah. Moins tape-à-l'œil mais capable de s'éloigner en pleine mer, où les transactions devaient avoir lieu. Ce bateau-là dispose d'une cabine pouvant contenir jusqu'à seize personnes en cas de nécessité. Les services de l'immigration ne le soupçonnent pas tant de s'en servir que d'organiser les transferts à bord d'autres embarcations.

— Le transfert de clandestins ?

— Certains servaient de « mules ».

Julia connaissait ce terme.

— Ils transportaient de la drogue ?

— Sans doute assez pour enrichir Artie. Voilà qui expliquerait pourquoi il nourrissait encore tant d'ambitions après la chute des cours de la Bourse.

— Le coup de feu pourrait être lié à cette histoire ?

— La police le suppose. Problème : ils ne trouvent pas de tireur. Aucun autre corps dans l'épave. Aucune preuve que quelqu'un se trouvait en compagnie d'Artie chez lui. Un fusil à longue portée aurait pu servir mais pas dans un tel brouillard.

Julia se sentit curieusement soulagée. D'une voix à peine audible, elle ajouta :

— Au moins l'arme n'appartenait pas à Kim. Sinon, elle se retrouvait en tête des suspects. Personne n'a encore suggéré qu'elle trempait dans l'affaire ? s'enquit-elle d'un ton hésitant.

— Je n'ai pas posé la question, répondit Noah d'une voix incertaine. Je ne voulais éveiller les soupçons de personne. Nous sommes les seuls à savoir qu'elle ne voyageait pas à bord de l'*Amelia Celeste*.

— Nous n'en avons aucune certitude, biaisa Julia.

Noah lui lança un regard lourd de reproches. Elle décida de lui accorder sa confiance.

— Je ne peux pas croire qu'elle ait survécu à la collision à bord du *Fauve* !

— Ça n'a pourtant rien d'extraordinaire. Admettons qu'elle se tenait sur le pont à l'arrière du bateau. Aucun rail de sécurité ne le borde. Elle a pu se retrouver projetée dans les airs dès le premier impact, avant même l'explosion.

— Mais elle n'aurait pas laissé Artie conduire s'il venait de recevoir une balle ?

— Sauf s'il insistait.

— Et quand son cœur a lâché ?

— Elle a pu ne rien remarquer, si elle se tenait le dos tourné à la proue.

— Elle saurait conduire un bateau comme *le Fauve* ?

— Sans doute, confirma Noah. Elle a grandi sur l'île. Elle connaît bien les bateaux. *Le Fauve* impressionne par sa taille et son bruit mais il n'en reste pas moins très simple à piloter.

— Vous croyez Kim liée à cette histoire de clandestins ?

Il mit un certain temps à lui répondre, à contrecœur.

— Elle éprouve une culpabilité si forte qu'elle ne parle plus. Une fille de son âge a tout l'avenir devant elle. Le fait de survivre à un accident suffirait-il à la rendre muette ? Possible. Je pense pour ma part que sa culpabilité s'explique par d'autres motifs.

Julia s'étonna du bon sens dont témoignaient ses paroles. Voilà qui la plaçait dans une position délicate. Peu importe les histoires de clandestins, elle devait en vouloir à Kim d'aider un homme marié à tromper son épouse. Monte avait connu des quantités de jeunes filles de son genre dans sa vie. Kim et Julia appartenaient à deux mondes que tout séparait.

Pourtant, la jeune fille exerçait sur elle une attraction irrésistible.

— Il est temps que je retourne à la falaise.

Julia n'y arriva qu'en fin de matinée. Le temps changeait : d'épais nuages couvraient le ciel en apportant de l'air froid et de la pluie. Avant d'apercevoir la petite Honda bleue auprès de la maison en ruine du gardien, Julia se demanda si elle trouverait Kim, qu'elle ne découvrit d'ailleurs pas tout de suite. Elle finit par repérer la jeune fille sous le porche qui la protégeait de la pluie tombant à la verticale, mais pas des gouttes projetées par des rafales. Elle portait un ciré jaune dont la capuche pendait dans son dos. Ses cheveux roux, son visage pâle, ses petites mains ; tout ce qui dépassait de son manteau dégouttait d'eau.

Julia releva la capuche de son propre ciré et prit un sac isotherme posé sur le siège passager. Au moins, la pluie tempérait la houle et le vent mordant.

— Bonjour ! s'annonça-t-elle.

Elle ne craignait pas de surprendre Kim : la jeune fille ne la quittait pas des yeux depuis son arrivée.

— J'ai pensé que quelque chose de chaud ne serait pas de refus par un temps pareil.

Elle posa son sac à quelques pas de Kim et en retira un sachet de biscuits.

— Ils sortent du four, précisa-t-elle en tendant à Kim un gobelet de café. Ma fille aime le café sucré à la crème, pas toi ?

Kim ne dit rien. Elle se contenta de soulever le couvercle en plastique du gobelet dont elle but une gorgée puis se réchauffa les mains à son contact.

Julia s'assit par terre et ouvrit son paquet de biscuits.

— Encore tout chauds ! annonça-t-elle en lui en tendant un.

Kim mordit dans un biscuit puis ferma les yeux un instant en mâchant. Un plaisir intense se peignit sur son visage aux traits tirés. Julia se demanda si elle se nourrissait, chez elle. Blottie dans son ciré, elle semblait plus petite que jamais.

— Tu ne veux pas mettre ta capuche ?

Bien entendu, Julia n'obtint pas de réponse. Elle prit un biscuit à son tour, qu'elle croqua entre deux gorgées de café. Elle resta assise un certain temps sans parler, les jambes repliées sous son ciré. Kim prit un second biscuit mais Julia ne disait toujours rien – pas par calcul. Parler lui semblait inutile. Quel paysage magnifique depuis le sommet de la falaise sous la pluie !

— C'est un endroit unique, finit-elle par constater. On se sent loin de tout, ici.

Kim acquiesça. Julia lui proposa un autre biscuit qu'elle accepta.

— Tu te nourris bien, ces derniers temps ?

Kim fit la moue.

— Tu n'as pas faim ?

La jeune fille fit signe que non.

— Tu n'arrêtes pas de songer à l'accident, pas vrai ?

Kim but une gorgée puis coinça le gobelet entre ses genoux.

Julia sirota son café en laissant le bruit des vagues et le clapotis de la pluie sur les rochers remplir le silence.

— Je ne sais pas ce que cette île a de si particulier. En tout cas, j'éprouve le même sentiment depuis ma première visite ici. J'avais douze ans à l'époque.

Kim parut surprise.

— Douze ans, je t'assure. Zoe venait d'emménager. Mes parents se disaient qu'on passerait de bonnes vacances ici, mes frères et moi. On restait une ou deux semaines, à l'époque.

Parfois aussi il pleuvait, ce qui ne la dérangeait pas. Elle se rappela un jour où elle s'était assise à l'extrémité des quais, moins nombreux à l'époque, en laissant la pluie la tremper jusqu'aux os. Elle portait un maillot de bain. Sans doute l'année de ses seize ans. Elle avait grandi sur le tard et cette fois-là, elle s'était sentie désirable.

— L'été de mes seize ans a beaucoup compté pour moi. C'est à ce moment-là que j'ai commencé à m'intéresser aux hommes. Aux garçons, à vrai dire, mais je les considérais comme des hommes. La vie à Big Sawyer les rend costauds. Je me souviens : je restais sous la pluie dans mon maillot de bain, sans oser les regarder, en me demandant ce que pensaient de moi les garçons, s'ils faisaient attention à moi. Sinon, je les dévorais des yeux. Je les prenais même en photo. Oh ! J'adorais leurs tatouages. Ils se font toujours tatouer des motifs de cordage autour des biceps ?

Kim acquiesça.

— Quelle révélation ! se moqua Julia. Là où j'habitais, seuls les petits vauriens portaient des tatouages. Il n'y avait rien de plus chouette à mes yeux.

Elle baissa la voix. Personne ne risquait de surprendre ses propos mais elle s'apprêtait à avouer quelque chose de trop personnel pour ne pas se protéger d'une manière ou d'une autre.

— J'ai conservé les clichés. Les types qui y figurent ont fait naître en moi plus d'un fantasme.

Elle se sentit gênée en songeant qu'elle prenait plaisir à les évoquer il y a peu de temps encore. Ces fantasmes lui servaient de refuge lorsque sa relation avec Monte devenait trop houleuse. Les hommes de Big Sawyer possédaient dans ses rêves toutes les qualités manquant à Monte : l'honnêteté, la loyauté, la fidélité. Sans parler de leurs muscles ni de leurs prouesses sexuelles. Les hommes de Big Sawyer devaient faire l'amour spontanément et non machinalement. Du moins, c'est ce qu'elle supposait.

Elle soupira en se rendant compte de la nature de ses pensées puis jeta un rapide coup d'œil à Kim. La jeune fille la scrutait. Julia tenta de se rappeler si elle avait exprimé tout haut ses préoccupations d'ordre sexuel. Quelle situation embarrassante !

— J'ai emporté ces clichés avec moi, reprit-elle d'un ton neutre. Ils se trouvaient dans mon sac quand le bac a coulé. Je l'ai récupéré. Les sauveteurs l'ont sorti de l'épave mais je ne peux pas me résoudre à l'ouvrir.

Une idée lui vint soudain.

— Tu avais emporté avec toi quelque chose qu'on aurait pu retrouver ?

Kim secoua la tête.

— De toute façon, poursuivit Julia, tout ça appartient au passé. La vie me semble différente depuis. Tu n'éprouves pas le même sentiment ?

Il ne s'agissait pas vraiment d'une question.

Kim ne hocha la tête qu'un court instant mais Julia y vit la réponse à ses interrogations.

— Si tu pouvais aller n'importe où au monde, où irais-tu ?

Julia avait beau être sûre que Kim ne lui répondrait pas, elle trouvait important de poser la question.

— J'y pense très souvent.

Elle regarda la pluie tomber en sirotant son café tiède. Des gouttes ruisselaient du bord de sa capuche mais elles ne la dérangeaient pas. Il lui semblait qu'elles faisaient partie intégrante de ce monde à l'écart.

— C'est si calme ! murmura-t-elle.

Les vagues se brisaient sur le rivage, le vent fouettait la falaise et la pluie tambourinait sur le toit de la maison, pourtant une certaine tranquillité se dégageait de l'ensemble.

— On se trouve loin de tout, ici. On oublie ses préoccupations habituelles. Je comprends pourquoi tu viens.

Julia songea que cette impression d'éloignement s'appliquait à l'ensemble de Big Sawyer. Peut-être l'éprouvait-elle déjà, enfant. Les soucis ne franchissaient qu'avec peine la distance entre l'île et le continent. En un instant comme celui-ci, ils se réduisaient à un spectre ni présent ni absent, moins menaçant qu'auparavant.

— Je me dis toujours que je pourrais rester ici jusqu'à la fin des temps, ajouta-t-elle d'un air pensif.

Kim lui décocha un regard horrifié.

— Pas toi ? s'enquit Julia.

Son brusque mouvement de tête lui signifia un « non » définitif.

— Tu partirais ?

Kim hocha la tête.

— Pourquoi ? Où irais-tu ? Que ferais-tu ? Quel genre de personne voudrais-tu devenir ?

Elle s'interrompit puis regarda droit devant elle d'un air de doute.

— Je suis bien placée pour te poser des questions pareilles ! Quel genre de femme ai-je envie de devenir ? Aucune idée !

Julia regrettait de ne pas souhaiter devenir avocate comme son amie Jane. Elle avait encore l'âge de suivre des études de droit. Elle s'imaginait bien spécialiste du droit civil ou de l'aide judiciaire légale. L'un ou l'autre lui prendrait l'essentiel de son temps en la comblant assez pour compenser les infidélités de Monte. Sinon, elle pouvait devenir comptable. Elle s'en tirait bien en mathématiques et les postes libres ne manquaient pas dans ce métier. Ou alors, il restait la solution de travailler dans la boutique de son amie. Charlotte la suppliait toujours d'accepter.

N'importe laquelle de ces éventualités lui permettrait de se construire une autre vie en laissant son couple intact. Voilà qui enchanterait Molly. Voire Monte. Et aussi ses parents.

Mais elle ?

Faute de réponse, elle partagea son samedi après-midi entre les lapins dans l'écurie et son imprimante dans sa chambre puis passa la soirée en compagnie de Zoe et ses amis. Tout ceci l'occupa suffisamment pour qu'elle ne s'attarde pas sur le mutisme de Molly. Le dimanche matin, lorsque Ellen Hamilton l'implora par téléphone de venir l'aider, Julia ne demanda pas mieux que de lui rendre service.

Elle emporta une fournée de biscuits encore tout chauds à la ferme battue par les intempéries au sommet de Dobbs Hill. Des voitures encombraient la cour. Une camionnette de location était garée près de la porte. Un bataillon d'amis transportaient des meubles et des cartons depuis la maison jusqu'au véhicule.

Le déménagement se déroulerait ce jour-là. Il ne pleuvait plus qu'en pleine mer. Le soleil jouait à cache-cache entre les nuages gris pâle amoncelés dans le ciel. Il faisait chaud. Julia portait un short, un T-shirt et une paire de Birkenstock. Un pull noué autour de ses épaules complétait sa tenue. Elle n'en aurait peut-être pas besoin mais elle se sentait plus à l'aise ainsi. Son estomac se noua à l'approche de la maison.

Les petites filles jouaient dans le jardin en compagnie d'une dame invitée chez Zoe la veille au soir. Elle fit signe à Julia qui lui rendit son salut en poursuivant son chemin. Elle n'était pas encore arrivée à la porte lorsque Ellen se précipita dehors, ses cheveux blonds volant au vent, l'air éperdue.

— Merci d'être venue ! dit-elle en empoignant Julia par le bras pour la mener au jardin. Deanna s'occupe des filles mais elle doit partir et nous sommes tous occupés à charger le camion à temps pour le ferry de midi. Les petites vous adorent.

Vanessa courut vers elle de toute la vitesse de ses petites jambes. À mi-chemin, elle trébucha mais Julia n'eut pas le temps de lui venir en aide. L'enfant se releva aussitôt et reprit sa course. Elle agrippa la jambe de Julia en penchant en arrière, son visage fendu d'un large sourire.

Julia la prit dans ses bras.

— Comment va ma petite puce ?

— Bien, répondit Vanessa en passant un bras autour du cou de Julia. Tu as apporté des biscuits ?

— Oui, confirma Julia en ajoutant à l'adresse d'Ellen : Allez-y. Je m'en occupe.

Ellen n'attendit pas de plus amples encouragements. Deanna échangea quelques mots avec Julia jusqu'à l'heure impérative de son départ, puis celle-ci éloigna les petites du chahut qui régnait dans la maison. Elle s'assit dans l'herbe où elle leur donna des biscuits en leur racontant des histoires avant de jouer avec elles. Elle leur posa même des questions sur le déménagement. Leurs réponses suggéraient qu'elles comprenaient la situation à leur manière et s'en accommodaient.

Ellen vint alors les rejoindre. Vanessa, blottie contre Julia, lui passa de nouveau son petit bras autour du cou en la serrant si fort que Julia dut se résoudre à la prendre dans ses bras. Annie ne la quittait pas non plus d'une semelle.

— Il est temps d'y aller, déclara Ellen en se forçant à sourire aux filles. Le ferry nous attend. Vous êtes prêtes ?

Elle tendit la main à Annie qui la prit en hochant la tête d'un air docile. Julia les suivit en portant Vanessa, la gorge serrée. Elle se demanda si, à leur âge, les filles comprenaient qu'une page de leur vie venait de se tourner. Elles pressentaient du moins l'importance de l'instant. Sinon, comment expliquer le mouvement de recul d'Annie à l'approche de la camionnette de location ou l'insistance de Vanessa à s'accrocher à son cou comme si jamais plus elle ne la laisserait partir ?

Sa gorge se serra davantage encore lorsque les amis de longue date dirent tour à tour adieu aux fillettes. Certains avaient les yeux noyés de larmes. D'autres, incapables de parler, se contentaient de les embrasser. Tous connaissaient les petites depuis leur naissance. Leur départ pour Akron ravivait les blessures causées par la perte d'Evan, Jeannie et Kristie.

Annie grimpa sur le siège arrière de la voiture d'Ellen mais Vanessa refusa de l'y rejoindre. Elle restait pendue au cou de Julia en émettant de petits grognements de protestation.

Julia, qui voulait avant tout faciliter leur départ, proposa de conduire Vanessa jusqu'au quai. La petite fille joua avec sa ceinture de sécurité tout le long du trajet en la tournant sens dessus dessous. Il lui fallut ensuite de longues minutes avant de la dénouer, le temps pour Ellen de conduire son véhicule sur le ferry puis de venir chercher la petite fille.

Vanessa ne voulut pas s'en aller. Elle s'agrippa à Julia de toutes ses forces, éclatant en sanglots. Ellen tenta de la détacher avec l'aide de Julia mais leurs efforts ne firent que redoubler les cris de la fillette.

Le front de mer était noir de monde. Des promeneurs déjeunaient à la terrasse du grill, les touristes venus à bord du ferry flânaient aux alentours de la rue principale, les pêcheurs consacraient leur jour de congé à l'entretien de leurs bateaux. La force des cris de Vanessa attira l'attention des passants. Que faire ? Julia lui chuchota des paroles encourageantes mais sa gorge se noua bien vite. Elle dut se contenter de caresser les cheveux de la fillette en s'efforçant de la tendre à Ellen. Vanessa, les joues baignées de larmes, hurlait en déployant une force étonnante. Le cœur de Julia se brisa.

La petite fille n'était pas de taille à lutter contre deux adultes. Ellen réussit à la prendre dans ses bras tandis qu'elle se démenait en gigotant puis elle la conduisit à bord du ferry en compagnie d'Annie. Vanessa trouva encore le temps de tendre les bras en direction de Julia en s'époumonant.

— Non, non, non !

Puis son cri se changea en « Maman ! ». Ses menottes s'ouvrirent et se refermèrent en tentant de retenir ce qui lui échapperait fatalement. Julia se mit à pleurer à son tour. Une fois jaillies, ses larmes ne tarirent plus : ni au départ du ferry, ni lorsque le bruit de son moteur couvrit les hurlements de l'enfant, ni lorsque Ellen l'emmena à la proue hors de sa vue.

Elle regarda le ferry disparaître en pleine mer en sanglotant sans bruit puis posa une main contre son cœur. Son sentiment de frustration ne fit que s'accroître. Elle s'efforça de se calmer puis, faute d'y parvenir, se résigna à chausser son nez de lunettes de soleil avant de s'effondrer sur un banc à l'extrémité du quai.

— Maman ? l'interpella Molly en prenant place à ses côtés.

Julia sanglotait toujours sans bruit. Ses yeux ne quittaient pas l'océan.

— Tu les connaissais ?

— Suffisamment, articula Julia, incapable de continuer.

Elle ignorait la source de ses larmes intarissables. Elle n'était pas la mère de Vanessa, avec qui elle n'avait passé que trois ou quatre heures.

Les pleurs de Vanessa s'expliquaient plus facilement. La petite fille gravitait autour de Julia depuis leur rencontre. Trop jeune pour se rendre compte du sort de ses parents, elle pressentait en Julia un instinct maternel qui l'attirait.

Ce n'était pas la première fois que Julia affrontait une séparation. Elle en avait peut-être plus souffert que d'autres car Molly était son unique fille, mais au fil du temps elle avait appris à accepter l'inévitable. Molly avait dû fréquenter l'école maternelle puis passer la nuit chez des amies avant de partir en colonies de vacances. Ces expériences devaient jouer dans son éducation un rôle aussi essentiel que l'école. Ensuite, Molly était partie à l'université. Elle manquait terriblement à sa mère mais Julia savait que tout ceci profiterait à Molly.

— Je peux faire quelque chose pour toi ? murmura Molly.

Rien du tout, lui fit comprendre Julia en secouant la tête.

— Je passais par hasard au grill mais je ne travaille pas avant ce soir. Tu veux que je te conduise à la maison ?

Julia la remercia. Non. Elle ne pouvait se résoudre à quitter le port. Sa fille s'attarda une bonne minute puis lui demanda d'un air embarrassé :

— Tu comptes... rester ici ?

Julia prit mal l'embarras de Molly. Elle la regarda à travers ses verres teintés en essuyant ses joues baignées de larmes et déclara d'une voix brisée :

— Oui, absolument.

Elle venait à peine de terminer sa phrase lorsque de nouvelles larmes jaillirent.

Molly se redressa puis s'agita sur son siège avant de s'affaisser à nouveau. Julia s'aperçut alors que sa fille ne savait pas comment réagir. Jamais elle n'avait vu sa mère dans cet état. Elle ignorait ce dont Julia avait besoin. Chose remarquable : elle ne songea même pas à passer un bras autour de ses épaules ou à lui prendre la main comme Julia l'avait si souvent fait à sa place. Mais voilà : depuis toujours les rôles étaient inversés. Julia consolait sa fille sans espérer d'elle la moindre consolation. Molly ne savait pas comment gérer cette situation inédite – encore une raison pour pleurer. Si l'on admet que les enfants suivent l'exemple de leurs parents, soit Molly n'avait pas su tirer les leçons du comportement de sa mère, soit Julia n'avait pas été une bonne éducatrice.

— Bon... reprit Molly d'une voix mal assurée. Puisque tu préfères rester, je m'en vais. Si jamais tu changes d'avis, si tu veux que je fasse quoi que ce soit, tu me trouveras au grill. N'hésite pas à venir me chercher, d'accord ?

Julia acquiesça mais elle ne regarda pas Molly s'éloigner. Il lui suffisait de fermer les yeux puis de se rappeler Vanessa Walsh les bras tendus en vain pour se remettre à pleurer. Un sentiment de perte l'accablait, qui ne concernait pas que Vanessa. Julia pleurait sur l'échec de son couple, sur ses années perdues d'amertume et d'espoirs brisés, sur sa vie à New York parce que, même si elle ne connaissait rien d'autre, elle n'en voulait plus.

— Hé ! l'apostropha une voix d'homme.

Pas la peine d'ouvrir les yeux pour découvrir qui venait de poser une main sur son genou. À son tour, elle posa la main sur le poignet de Noah dont la chaleur l'apaisa.

— Quel adieu déchirant !

Elle hocha la tête en s'essuyant les joues.

— Ça m'a fait de la peine, je ne sais pas trop pourquoi.

— Moi je le sais, reprit-il de sa voix grave. Vous ne manquez ni d'intelligence ni de cœur. Vous savez très bien ce que vient de perdre cette petite fille.

Elle renifla en se frottant le nez du dos de la main.

— Vous voulez un mouchoir ? demanda-t-il, puis il haussa le ton comme s'il s'adressait à un serveur imaginaire : Mouchoir !

Aussitôt il lui en tendit un tout propre.

Elle s'essuya les yeux d'une seule main car, sans trop savoir comment, leurs doigts s'étaient enlacés. Or elle ne voulait pas rompre ce contact. Peu importe si les gens les voyaient. Elle avait besoin d'une présence amicale à ses côtés.

Le chien de Noah se tenait à ses pieds, la tête tournée vers elle.

— Lucas nous observe, murmura-t-elle.

— Parce qu'il n'a encore jamais vu de femme aussi ravissante.

— Ravissante ? Oh Seigneur ! Je dois être dans un bel état !

— Il ne voit pas les choses sous cet angle.

Julia en éprouva un certain réconfort. Comme elle évitait toujours de se faire remarquer en public, elle s'imagina que les passants la prenaient pour une excentrique. Elle n'avait cependant aucune envie de s'en aller.

— Il n'y a pas que Vanessa, expliqua-t-elle, le visage tourné vers Noah, à quelques centimètres à peine du sien. C'est à cause de toutes ces petites choses effrayantes. On pense qu'un enfant souffre d'autant plus qu'il ne comprend pas ce qui se passe, mais un adulte qui comprend la situation ne s'en tire pas mieux. Sans compter qu'il doit assumer toutes sortes de responsabilités.

Son regard croisa celui de Noah.

— J'aimerais tant laisser à quelqu'un d'autre la responsabilité de ma vie.

— Là, tout de suite ? reprit-il en souriant. Parfait. Vous avez faim ?

— Non, dit-elle avant de changer d'avis. Oh, et puis oui.

Elle aurait dû être incapable d'avaler quoi que ce soit après une crise de larmes, mais elle éprouvait comme un vide dans son estomac. Sans doute s'expliquait-il en partie par la faim.

— Vous êtes végétarienne ?

— Non.

— Alors on a de la chance.

Il éleva de nouveau la voix en interpellant le vendeur de la guérite à sandwiches au bout du parking.

— Quatre hot dogs à la moutarde et deux boissons fraîches !

Julia engloutit jusqu'à la dernière miette de ses deux hot dogs puis elle vida d'un trait son verre de limonade. Elle ne se rappelait pas un repas aussi savoureux ou en une compagnie aussi agréable depuis longtemps. Pourtant, ni elle ni Noah ne dirent grand-chose. Sa présence à ses côtés sur le banc, en ce dimanche matin où le port s'animait, suffisait.

Molly était blême. Julia s'en aperçut dès son retour chez Zoe, en voyant sa fille sur les marches du perron. Elle venait à peine de descendre de voiture lorsque Molly se redressa d'un air crispé. L'expression de son visage, ajoutée à ses cheveux courts qui surprenaient encore Julia, lui donnait l'allure d'une rebelle bien résolue à défendre sa cause.

Julia esquissa un sourire.

— Je croyais que tu allais te promener au port jusqu'à l'heure de ton travail.

— J'en avais l'intention, répliqua Molly d'un ton dédaigneux. Mais tu restais là, assise à côté de lui. Les gens ne se privaient pas de critiquer. Je n'ai pas pu le supporter !

— Les gens me critiquaient ? À quel propos ?

— À propos de ce qui se passe entre vous, répondit Molly en insistant sur chaque mot. Noah ne s'intéresse à personne depuis des années. Tu portes une alliance. En s'intéressant à toi, il joue avec le feu. On m'a demandé si toi et papa étiez séparés.

— Oh ! On était juste assis sur un banc, se défendit Julia sans perdre son calme. Rien de plus.

— Tu parles ! Il s'agenouillait à tes pieds aussi près que possible. Il te tenait la main. Vos visages se touchaient presque. N'importe qui serait arrivé à la même conclusion.

— J'étais en larmes, Molly. Je n'en pouvais plus. Les gens ont vu ce qui s'est passé avec Vanessa Walsh ?

— Là n'est pas la question.

Julia ne partageait pas du tout son point de vue.

— Ses cris m'ont fendu le cœur. L'accident m'est soudain revenu en mémoire et je me suis mise à pleurer. Noah m'a pris la main comme tu aurais pu toi-même le faire, poursuivit-elle d'un air de défi.

Elle se rappela son dépit en constatant que, malgré leur parfaite entente, Molly n'avait pas su lui venir en aide.

— Voilà comment les gens réconfortent leurs proches.

— Mais tu es mariée.

— Molly, tu vas m'écouter, maintenant !

Zoe venait d'apparaître sur le seuil de la porte.

— Je considère Noah Prine comme un ami, déclara Julia sans quitter sa fille des yeux. Je n'ai pas l'intention d'empoisonner notre relation parce que certaines personnes ont l'esprit étroit. Je ne veux pas que tu te laisses influencer par leur opinion. Je t'en prie, Molly, soutiens-moi. Accorde-moi au moins le bénéfice du doute.

Molly parut sur le point d'éclater en sanglots.

— Tu te comportes de façon si bizarre. Tu restes ici en sachant pourtant que papa fait n'importe quoi à New York. Tu ne l'as même pas appelé.

Julia aurait pu lui répliquer qu'ils avaient discuté pendant que Molly travaillait. Jamais elle ne saurait si c'était vrai ou pas. Mais Julia ne mentait jamais.

— Je lui ai écrit un e-mail en y joignant des photos.

— Il n'a pas besoin de photos, il a besoin de toi ! s'écria Molly.

— Penses-tu parfois à moi ? demanda Julia d'un ton grave. Il me faut un peu de vacances. Ça ne compte pas ? Je sais que cette situation te porte sur les nerfs. En attendant, j'éprouve le besoin de faire une pause.

Une berline rouge en piteux état s'approcha soudain pour s'immobiliser auprès du véhicule de Julia.

— Le taxi ? s'interrogea Zoe en avançant. Mais... ?

Elle s'interrompit lorsque la portière arrière s'ouvrit pour livrer passage à un homme. Il était un peu moins mince et ne se tenait plus aussi droit que jadis. Il portait une chemise au col ouvert et un pantalon à pli. Ses cheveux gris clairsemés découvraient une tonsure. Un air de doute se peignait sur son visage ovale.

— Oh Seigneur ! s'écria Julia. Papa !

Elle se précipita à sa rencontre, le cœur battant, en cherchant des yeux sa mère sur le siège arrière. Janet ne l'accompagnait pas. Julia n'en ressentit qu'une brève déception. L'idée que son père venait lui apporter du réconfort la ragaillardit.

— Tu aurais dû nous prévenir ! le gronda-t-elle gentiment en le serrant dans ses bras. Je serais venue te chercher.

— Je ne me suis décidé qu'à la dernière minute, expliqua-t-il en levant la main, visiblement agité. Je me suis montré patient. Je compatis à son état d'esprit mais quand elle se met à ressasser les mêmes histoires à propos de Zoe puis de toi... On ne peut pas toujours tout accepter ! Je lui ai conseillé de s'écouter un peu. Ce qu'elle aurait entendu ne lui aurait pas plu. Mais non ! Elle exprime ce qu'elle ressent et s'imagine que c'est la seule manière d'envisager les choses. Franchement, j'en ai plus qu'assez !

— Qu'est-ce que tu veux dire ?

— Tu te rappelles la dernière fois qu'on a pris des vacances ? Si oui, tu es priée de me rafraîchir la mémoire ! On ne part qu'à l'occasion d'un déplacement dans le cadre de son travail. Je n'en profite pas beaucoup puisqu'elle passe la moitié de son temps à des réunions. Je me réjouis de sa réussite. Elle peut être fière de ce qu'elle a accompli, je ne le nie pas. Mais je dois aussi m'occuper un peu de moi : j'ai besoin de marquer une pause.

Julia n'eut aucun mal à le comprendre.

— Par rapport à quoi ?

— À mon travail. À Baltimore. Sans parler de ta mère ! Sa présence me porte sur les nerfs depuis quelque temps.

— Tu l'as quittée ? lui demanda Molly d'un air horrifié en les rejoignant et en posant sur Julia un regard accusateur.

— Me voilà loin d'elle en tout cas ! répondit George d'un ton agressif. Il faut qu'elle passe un peu de temps seule, qu'elle se rende compte des effets de son attitude sur son entourage. Puis j'ai besoin de vacances. J'ai pensé que je ne me sentirais nulle part aussi bien qu'avec ma fille et ma petite-fille, poursuivit-il en esquissant un sourire timide. Tu trouves toujours les mots justes dans une situation comme celle-ci, ajouta-t-il à l'intention de Julia.

Lentement et non sans peine, Julia comprit que son père n'était pas du tout venu la réconforter. Bien au contraire. Il venait chercher du réconfort auprès d'elle. Pourquoi pas ? Elle lui avait déjà plus d'une fois apporté son soutien. *Laisse-lui du temps, papa, elle finira par se calmer. Elle a tellement l'habitude de résoudre des problèmes que lorsque quelque chose lui résiste, elle se sent frustrée et ses mots dépassent sa pensée. Si je prenais le train pour vous retrouver ce soir à dîner ? Qu'en dis-tu ? Maman sera de meilleure humeur, de retour à la maison.*

Sa mère ne parlait jamais de ses problèmes à Julia. Il en allait autrement avec son père. Jamais il ne songerait à consulter un conseiller conjugal tant que Julia assumerait ce rôle.

Elle ne se sentait pas l'âme d'une conseillère en cet instant. Elle ne voulait pas se mêler des problèmes de ses parents. Il lui fallait avant tout résoudre ses propres problèmes, bien plus pressants.

— Tu comptes passer combien de temps à Big Sawyer ? lui demanda-t-elle d'un ton las.

— Et toi ? Je resterai jusqu'à ton départ.

Elle aurait pu gérer la situation un jour ou deux, voire trois, mais un séjour d'une durée indéterminée ? Son père s'apprêtait à contrecarrer ses projets. Cette simple perspective l'étouffa tant qu'elle crut un instant manquer d'air. Ce qui se profilait à l'horizon ne ressemblait pas du tout à ses projets initiaux. Rien de ce qui se passait ne cadrait avec ses intentions.

Luttant contre un sentiment de panique croissant, elle cherchait ses mots lorsque Molly demanda à George :

— Où vas-tu loger ? Maman et moi occupons les chambres d'amis de Zoe. On pourrait toujours dormir à deux dans la même pièce, finit-elle par ajouter à contrecœur.

— Je m'installerai en ville, suggéra George, mais Molly secoua aussitôt la tête.

— Tu ne trouveras plus la moindre chambre libre, à moins de louer une maison, or mon chef me disait justement qu'il ne reste plus un seul logement correct. C'est la fête nationale, le week-end prochain. Tout est pris d'assaut jusqu'en septembre.

— Zoe doit bien avoir un ami qui dispose d'un lit vide, reprit George sans se laisser abattre. Je finirai par trouver une solution.

Julia tenta de se représenter la situation : son père se faisait des soucis à cause de sa mère, Molly s'inquiétait du sort de Julia qui s'effondrait quant à elle sous les décombres de son existence. Sans parler de Zoe que la présence de George ne laisserait pas indifférente. À qui Zoe irait-elle se confier ? À Julia bien sûr !

Soudain, sa décision s'imposa.

— Reste ici, proposa Julia à son père. Prends ma chambre. Je trouverai bien un autre endroit où loger.

— Où iras-tu ? s'inquiéta Molly.

Peu importait à Julia. Elle tenait absolument à partir.

— Je pourrais m'installer chez les Walsh. Ellen y a laissé plusieurs lits. Ou à l'atelier de Tony Hammel. Ce ne sont pas les solutions qui manquent.

— Mais tu es arrivée la première, protesta Zoe.

— Je ne veux surtout pas te chasser, ajouta George.

— Il y a un peu trop de monde ici à mon goût. J'ai besoin de me retrouver seule. Je viendrai t'aider à t'occuper des lapins. J'y tiens. En attendant, je suis en vacances. J'ai besoin d'espace.

— Et nous ? s'écria Molly. On est venus ici pour être avec toi.

Julia se sentit un instant coupable – par simple réflexe. Elle inspira puis regarda sa fille droit dans les yeux.

— Tu serais venue me rejoindre si ton stage à Paris s'était bien passé ? J'en doute. D'ailleurs je t'aurais conseillé de ne pas venir. Et toi ? poursuivit-elle en se tournant vers son père. Tu serais venu si maman et toi ne vous étiez pas disputés ? Honnêtement ?

Bien sûr que non !

— Mais on se disputait à cause de toi, se défendit-il.

Julia se sentit de nouveau coupable, l'espace d'une fraction de seconde. Julia n'était plus une petite fille en âge d'apprendre le sens des responsabilités ; elle était une adulte qui avait déjà endossé plus que sa part d'obligations familiales.

Elle poursuivit avec une détermination remarquable, frôlant l'audace :

— Si vous cherchez à me culpabiliser ou à ce que je change d'avis pour vous faire plaisir, je regrette, mais vous faites fausse route. Ça ne prend plus ! J'assume trop de responsabilités dans cette famille depuis trop longtemps !

Elle s'interrompit un instant, sans essayer pour autant de réprimer son indignation croissante.

— Je m'occupe des problèmes de tout le monde, mais qui se soucie des miens ?

13.

Julia partit moins de trente minutes plus tard. Pas une seule fois sa résolution ne faiblit, malgré la pression de son entourage. Son père répétait sans cesse qu'il ne voulait surtout déranger personne. Molly proposa à Julia de partager sa chambre. Zoe lui confia en aparté qu'elle souhaitait la présence chez elle de Julia et non de George.

Toute cette agitation la confirma dans sa résolution de se trouver un petit coin bien à elle. Si le fait d'avoir survécu à l'accident impliquait la nécessité pour elle de remodeler son existence, rien ne la servirait mieux qu'une déclaration d'indépendance. Elle empaqueta ses nouveaux habits ainsi que certaines affaires de Zoe. Elle emporta son matériel photo et son imprimante. Le moteur de sa voiture tournait déjà lorsqu'elle se rua dans l'écurie afin d'y récupérer le sac trouvé par les plongeurs. Le cuir séché n'était plus aussi doux qu'autrefois au toucher mais ce sac contenait certaines affaires qu'elle désirait emporter.

Ou plutôt elle ne voulait surtout pas que d'autres les découvrent. Elle le jeta dans le coffre de son 4×4 avant de s'en aller.

Elle se sentait toujours aussi résolue mais également libérée. Certes, cela n'allait pas sans une certaine culpabilité. Elle adorait Zoe autant que son père et Dieu sait à quel point elle aimait sa fille. D'un autre côté, s'aimer soi-même en tenant compte de ses propres besoins commençait à compter à ses yeux.

Arrivée au port, elle gara son véhicule au bout de la jetée puis parcourut les quais où elle n'aperçut aucune trace de Noah. Elle décida de remonter en voiture la rue principale puis bifurqua sur la gauche et passa lentement devant les maisons des pêcheurs jusqu'à ce qu'elle repère sa camionnette bleue. Julia coupa le moteur et ouvrit la portière. Aussitôt, Lucas bondit sur elle. Ils longèrent ensemble les buissons aux fleurs fanées, encore imprégnés de l'odeur du lilas, puis elle frappa un coup résolu au chambranle abîmé.

Noah ouvrit la porte. À cet instant seulement, en se rappelant ce qu'avait dit Molly à propos de leur attitude, de leurs doigts enlacés et du fait que Noah ne s'affichait avec personne depuis longtemps, Julia sentit sa résolution faiblir. Noah lui parut plus grand, peut-être à cause de la pénombre à l'intérieur de la maison. Il portait un jean et un T-shirt aux manches relevées découvrant ses larges épaules et ses bras musclés.

Sur l'un de ses biceps apparaissait un tatouage en forme de cordage. En l'apercevant, Julia se sentit consumée par une flamme telle qu'elle n'en avait plus éprouvée depuis bien longtemps – ni envers Monte ni envers personne d'autre. Elle se considérait comme jolie mais pas particulièrement séduisante, sans doute parce que Monte le pensait aussi. Julia se disait qu'il ne la tromperait pas s'il la trouvait plus attirante.

Noah lui sourit à travers la moustiquaire en jetant un coup d'œil à Lucas.

— Qu'est-ce que je disais ? Il apprécie les jolies femmes. Comment allez-vous ?

— Pas trop mal. Ou plutôt pas très bien. J'ai un grand service à vous demander. Je sais que c'est beaucoup exiger de ma part. Je profite vraiment du fait que vous et moi, on se trouvait par hasard sur l'*Amelia Celeste*. Après toute la gentillesse que vous m'avez déjà témoignée, je m'en veux de vous demander quoi que ce soit mais, quand le problème a surgi, je n'ai vu qu'une seule solution. Bien sûr je n'ai pas pu en parler à Zoe ni à Molly ni à mon père...

— Votre père est ici ?

— Il vient d'arriver sans prévenir, acquiesça-t-elle. Toute ma famille s'est réunie chez Zoe mais ce n'est pas ce que je voulais. J'ai fait mes bagages et je suis partie. J'en avais bien besoin ! Seulement, je n'ai pas l'habitude d'agir sur un coup de tête et je me retrouve coincée. Voilà pourquoi je suis là. Surtout, sentez-vous libre de refuser. C'est la première idée qui m'est venue à l'esprit mais, si elle vous dérange, je trouverai sans peine une autre solution...

Allons ! semblait-il lui dire.

— Vous cherchez un endroit où dormir ?

Elle acquiesça d'un air penaud.

— Vous voulez vous installer dans mon autre maison ?

— Rien ne me rendrait plus service.

— Considérez-la comme la vôtre.

Elle ne put retenir un soupir de soulagement.

— Vous êtes certain ?

— Absolument. Je ne compte pas y passer, vu que mon fils arrive demain.

— Je sais que vous utilisez parfois l'ordinateur qui s'y trouve. Dites-moi quand vous souhaitez vous en servir et je vous laisserai le champ libre. Elle est si bien située ! À l'écart de tout. Et si calme surtout ! Il me faut du temps pour réfléchir. Je me servirai de mon téléphone portable, pas de votre ligne. En plus, je suis très ordonnée. Je prendrai bien soin de votre intérieur.

— Je ne me fais pas de soucis.

— Vraiment ?

— Vous êtes la personne que je souhaite le plus laisser dormir dans mon lit, avoua-t-il en souriant.

Julia rit de plaisir. Elle se rappela la mise en garde de Molly à propos de la tournure que prenaient les événements. Elle se dit que Noah devait être au courant des bruits qui circulaient. S'ils ne le gênaient pas, eh bien elle ne s'en soucierait pas non plus.

— Merci, dit-elle en souriant toujours.

Elle allait partir lorsqu'elle se retourna pour jeter un coup d'œil à Lucas puis à Noah.

— Euh... vous pouvez me rappeler la route ?

Noah fit mieux encore : il la précéda le long du chemin dans sa camionnette après avoir acheté à l'épicerie quelques provisions qu'il voulut à tout prix payer malgré les protestations de Julia. Il se disait qu'au fond, c'était elle qui lui accordait une faveur. Elle se trouvait à ses côtés en ce moment où il regrettait la disparition de son père, où il appréhendait la venue de son fils et où il éprouvait surtout le besoin de faire quelque chose qui puisse justifier sa survie. Aider Julia lui parut une bonne idée.

En plus, il l'appréciait beaucoup. Elle ne ressemblait pas aux autres femmes de sa connaissance. Elle ne manquait pas de caractère et saurait lui tenir tête lors d'une discussion, sans pour autant prétendre qu'elle détenait toutes les réponses. Voilà qui le changeait de Sandi !

Puis elle était mariée. Il ne courait aucun risque à la fréquenter. Pas la peine de chercher à l'impressionner ou à deviner si l'île lui plaisait, si elle souhaitait rester, si elle saurait survivre sans équipements culturels ni confort. Pas la peine de s'excuser parce qu'il se couchait tôt pour se lever à l'aube. Pas la peine non plus de prendre trop soin de sa tenue.

Il ne se passerait jamais rien entre eux puisqu'elle était mariée. Certes, les langues allaient bon train mais les gens qui comptaient à ses yeux savaient ce qu'il pensait des relations extra-conjugales. Il les réprouvait avec conviction.

Lucas semblait pour sa part sous le charme mais ce n'était qu'un chien. Qu'en savait-il ?

Noah considérait Julia Bechtel comme une amie. Voilà pourquoi il lui prêtait sa maison sur la colline en y apportant du bois pour la cheminée. Il en éprouva un sentiment de satisfaction, une joie intense même. L'endroit lui parut plus chaleureux, une fois ses affaires déposées à l'intérieur. Le fait que sa maison semblait plaire à Julia ajouta encore à son bonheur.

Elle n'avait pas emporté grand-chose. Ils vidèrent son coffre en deux temps trois mouvements puis rangèrent provisions et habits avant de brancher l'imprimante à l'ordinateur de Noah. Ainsi Julia pourrait imprimer ou envoyer des photos à sa guise. Noah installa même ses logiciels de traitement photographique sans tenir compte de ses protestations. Ainsi, elle aurait tout loisir de retravailler ses prises de vue. Puis, comme il n'était que 16 heures, il l'emmena dans des endroits qu'il connaissait bien dans les bois aux alentours de la maison, en empruntant des sentiers à peine visibles bordés de murs de pierre en ruine – les vestiges d'une ancienne cave, des bouleaux dont l'écorce blanche s'en allait en lambeaux, un rocher isolé d'où l'on avait une vue magnifique. À leur retour, vers 18 heures, Noah déboucha une bouteille de chardonnay et coupa une baguette de pain. Julia décida de son côté de laver du raisin et de passer au four un morceau de brie. Ils emportèrent leur repas sur la terrasse du bas où ils s'installèrent sur des chaises longues en savourant la quiétude de la soirée.

Noah rentra à la maison de ses parents en débordant d'énergie, même s'il n'aurait su expliquer pourquoi : à cause du vin, de son dîner en tête-à-tête le plus agréable à ses yeux depuis des années ou parce qu'il ne pouvait plus remettre le ménage à plus tard, vu que Ian arrivait dans seize heures. Peu lui importait que la nuit ne tarderait pas à tomber. Pour la première fois depuis son départ de l'île en compagnie de son père ce jeudi fatal, il ouvrit volets et fenêtres afin d'aérer la maison. Il changea les draps des lits. Il dégagea de la place dans son placard pour les affaires de Ian puis emporta les siennes dans la chambre de Hutch où il fourra dans des cartons les habits de son père sans s'appesantir sur sa disparition. Il jeta à la poubelle le contenu, à moitié périmé, du réfrigérateur, puis nettoya l'intérieur afin d'y ranger de nouvelles provisions le lendemain. Il récura la salle de bains et lava d'abord les serviettes de toilette, ensuite ses habits. Enfin, il changea une ampoule grillée dans le salon et débarrassa la cheminée des cendres.

Minuit approchait lorsqu'il mit la dernière touche à son rangement. Il se sentait épuisé mais content d'avoir accompli son devoir. La maison toute propre sentait le frais. Il n'éprouverait aucune gêne face à Ian. Il s'allongea sous des draps à peine sortis de la machine dans le lit de ses parents où il dormirait désormais. Une brise familière venue du large par la moustiquaire lui caressait le corps. Cela faisait longtemps qu'il ne s'était plus senti aussi bien.

Il songea à ses parents, aux années où ils avaient dormi ensemble dans cette chambre, dans ce lit. Ils étaient alors heureux. Il se souvint des regards qu'ils s'échangeaient, de brefs contacts discrets, trahissant leur complicité. La pensée qu'ils étaient de nouveau réunis lui apporta un réconfort.

Sur ce, il s'endormit du sommeil du juste et ne se réveilla pas avant l'aube comme un honnête pêcheur, mais dormit jusqu'à 8 heures. Il bondit ensuite du lit pour se débarrasser à toute vitesse d'un tas de corvées de dernière minute. Il se rua au magasin afin de remplir son réfrigérateur et ses placards, tondit la pelouse et baigna Lucas.

C'est alors qu'il pensa à Julia dans sa maison sur la colline. Elle acceptait de bonne grâce les services qu'il lui rendait. Il lui semblait même qu'elle l'admirait quelque peu. Ragaillardi, il siffla Lucas, grimpa dans sa camionnette et prit la route de Portland où il devait retrouver Ian.

Julia fit la grasse matinée parce que c'est là tout l'intérêt des vacances mais surtout parce qu'elle s'était couchée tard la veille. Des tas de petites choses s'étaient accumulées : un coup de fil à Zoe pour lui dire où la joindre, un message de même nature à Monte, ses affaires à déballer, des allées et venues à n'en plus finir d'un étage à l'autre, et des placards à explorer avant de se rendre à la terrasse admirer la lune et les étoiles sous un voile mouvant de nuages. Le temps de se laver, de poser son alliance sur l'étagère de la salle de bains puis de soulever le couvre-lit blanc tout simple en se remémorant les événements de la journée, elle avait fini par avoir une poussée d'adrénaline, partagée entre l'incrédulité et la fierté, l'enthousiasme et la crainte.

En plus, en se glissant sous les draps de Noah, elle avait parfaitement conscience de... se glisser sous les draps de Noah ! Cette plaisante constatation sut la distraire un instant de tout le reste sans pour autant l'aider à se calmer.

Au bout du compte, l'idée lui vint qu'elle n'avait jamais vécu seule. Elle avait quitté la maison de ses parents pour une chambre en résidence universitaire qu'elle partageait avec deux amies, avant d'aller vivre avec Monte. Certes, il arrivait à ce dernier de partir en voyages d'affaires, mais rester sur le carreau, ce n'est pas la même chose que vivre seule. Pour l'instant du moins, elle vivait seule. Personne d'autre ne se servirait de son lit ou de la salle de bains pendant son séjour. Personne ne partagerait le café préparé par ses soins au saut du lit le matin.

Elle s'en félicita. Après l'accident, il fallait qu'elle tente ce genre d'expérience inédite. Mais à long terme ? Elle n'en savait rien. Voilà qui soulevait la question de son avenir. Que faire ? Ce problème épineux la tint éveillée jusqu'à 3 heures du matin.

Elle s'endormit sans la moindre solution en vue, pour se redresser d'un coup au souvenir d'une proue rouge foncé jaillissant du brouillard. Une minute s'écoula avant que Julia, à bout de souffle et tremblante, ne se rappelle où elle était puis ne se calme enfin. Par chance, elle parvint à se rendormir.

Elle se réveilla ensuite à 9 heures passées. Le soleil éclairait déjà la chambre. À travers la baie vitrée apparaissait à la place du ciel, de la mer et des bois, un camaïeu de bleus et de verts nappé d'une légère brume. Adossée aux oreillers qu'elle avait admirés le jeudi précédent, Julia se laissa happer par le brouillard au point de ne pas même entendre une voiture s'arrêter devant la maison. Elle ne remarqua pas non plus que quelqu'un sonnait à la porte. Seule une série de courtes sonneries insistantes lui fit comprendre qu'un visiteur l'attendait.

Elle enfila une robe de chambre et grimpa les escaliers. Elle s'étonna de trouver, sur le pas de la porte, non pas Noah comme elle le pensait, mais Molly. La mine agressive de sa fille aurait en toute logique dû faire ressurgir en elle l'angoisse de la veille. Au contraire, Julia lui décocha un franc sourire.

— Molly ! Il faut que tu voies ça ! déclara-t-elle en prenant sa fille par la main pour la conduire à la terrasse. Peux-tu imaginer plus belle vue ?

Molly contempla un instant le paysage avant de se tourner vers Julia.

— C'est vraiment joli. La maison aussi. Zoe prétend qu'elle appartient à Noah.

— Oui. D'ailleurs, tu viens d'arriver sans prévenir. L'aperçois-tu quelque part ?

— Non.

— Vois-tu des preuves de sa présence ?

— Tu ne portes pas ton alliance.

— Je l'ôte toujours avant d'aller me coucher. Tu le sais bien. Essaie encore. Y a-t-il ici le moindre signe de sa présence ?

— Je n'en ai pas cherché.

— Fais-moi confiance, déclara Julia d'un ton conciliant mais ferme. Il ne vit pas ici. Voilà pourquoi je loge dans cette maison. C'est l'endroit idéal pour moi. Tu ne trouves pas ?

— Je ne sais plus quoi penser, répondit Molly en perdant contenance. La vie a toujours suivi son cours puis soudain ce n'est plus le cas. Tu restes ici loin de papa. Grand-père vient nous rejoindre en abandonnant grand-mère. J'ai toujours considéré ma famille comme la plus unie parmi toutes celles que je connais. Qu'est-ce qui cloche avec papa ? Il ne se rend pas compte qu'il ne trouvera jamais aucune femme qui vaille mieux que toi ?

Julia s'émut. Elle serra Molly contre elle mais sa fille ne tarda pas à s'écarter. Elle attendait une réponse.

— Alors ? Qu'est-ce qu'il cherche ?

— De l'admiration ? Une simple aventure ? Du changement ? Une prise de risques ? Je n'en sais rien, Molly. En tout cas, je lui en veux vraiment.

Autrefois, seule Julia souffrait de son comportement mais, depuis peu, Molly aussi en pâtissait. Voilà qui changeait la donne.

— Je l'ai appelé ce matin, déclara Molly. On ne s'était plus parlé depuis le soir de mon retour, mais je voulais qu'il sache à quel point tu es hors de toi. Il prétend qu'il n'y a rien entre lui et cette femme.

Molly se laisserait peut-être convaincre. Pas Julia.

— Il affirme qu'il s'agissait d'une amie de longue date que son mari refusait de laisser rentrer chez elle. Pourquoi pas, après tout ? Je ne les ai rien vus faire. Je lui ai dit que tu logeais ici toute seule. Comme ça, s'il veut venir, tu gardes ton intimité.

— Tu ne lui as pas proposé une chose pareille !

— Si. D'ailleurs, il a répondu qu'il viendrait peut-être.

Cette perspective consterna Julia.

— Mais je ne veux pas de lui ici. Je m'accorde un peu de temps à moi, ce sont mes affaires. Rien ne t'autorisait à lui suggérer de me rejoindre.

— C'est mon père...

— Molly, tu es une adulte maintenant. Il se peut que tu passes encore un peu de temps à la maison, mais tu vas bientôt vivre ta propre vie en compagnie de tes amis. Moi, par contre, je resterai aux côtés de ton père. C'est à moi de décider ce que je veux.

— Il jure qu'il ne s'est rien passé, insista Molly.

— Cette fois-ci ? Ou la fois précédente ? Ou celle d'avant ?

— Tu ne peux donc pas lui pardonner ?

— Le problème n'est pas de pardonner mais de lui accorder à nouveau ma confiance. Puis il y a d'autres choses en jeu, Molly. Il ne s'agit pas que de mon couple. Tu te rappelles ce que je disais hier à propos de mon désir de toujours satisfaire tout le monde ? Je ne mentais pas. Je n'en veux ni à ton père ni à toi ni à ton grand-père. J'aurais très bien pu adopter une autre attitude. Vous aviez tous besoin de moi et cela me faisait plaisir.

— Plus maintenant. Voilà le message que tu cherches à faire passer ?

— Depuis toujours, je me définis par rapport aux autres : je suis l'épouse de Monte, la mère de Molly, la fille de Janet. Je ne possède pas d'identité propre.

— Tu crois que c'est indispensable ?

— Oui.

— Tout d'un coup ? À cause de l'accident ?

— La plupart des victimes étaient plus jeunes que moi. Tant de choses les attendaient encore. J'ai réchappé à la mort. Pour quelle raison ? Dans quel but ? Il doit exister une réponse qui dépasse de loin tout ce que j'ai pu accomplir jusqu'à présent. Il ne s'agit pas d'action politique ni de vouloir changer le monde mais de moi-même. Je voudrais me considérer comme une personne à part entière.

— Il me semble pourtant que c'est le cas.

— Je ne partage pas ton avis. Peut-être à cause de ce qui manque à ma vie. À moins que je ne m'estime pas assez.

Ces mots lui parurent familiers. Il lui fallut une minute avant de s'apercevoir qu'elle les avait déjà entendus en analyse, des années plus tôt. À ce moment-là, elle n'y avait pas prêté attention. Le changement ne va jamais sans peine. Les difficultés connues semblent toujours préférables à celles qu'on ignore.

Que faire maintenant ?

— Reviens chez Zoe ! la supplia Molly.

— Je me trouve très bien ici pour l'instant. Tu peux venir me rendre visite quand tu veux.

— Je peux m'installer ici ?

Hé ! Ho ! faillit s'écrier Julia. Après avoir tant insisté sur son besoin d'espace ? Elle glissa un bras sous celui de sa fille pour la reconduire à la porte.

— Je veux que tu restes chez Zoe.

— Moi, je veux que tu m'y rejoignes. Qu'est-ce qui se passe entre grand-père et grand-mère ? Et entre grand-père et Zoe ? Ils n'ont pas échangé un seul mot, leur attitude frisait vraiment l'impolitesse. Je voulais leur préparer des petits pains aux myrtilles mais Zoe tenait à tout prix à cuisiner. Elle n'est même pas venue s'asseoir à côté de nous, tellement elle s'affairait aux fourneaux. Grand-père se plongeait dans la lecture de son quotidien dès qu'il ne me parlait plus. Je crois que je vais appeler grand-mère.

— Surtout pas ! Tu m'entends ? Laisse tes grands-parents régler eux-mêmes leurs problèmes.

Si seulement Julia avait pu se résoudre à suivre ce bon conseil ! *Ce ne sont pas tes affaires*, se dit-elle. *Tu ne peux pas t'occuper des problèmes de tout le monde alors que tu as déjà les tiens.*

Sa mère resterait toujours sa mère. Son époux venait de l'abandonner après quarante ans de vie conjugale pour se réfugier chez sa rivale. Il aurait fallu à Julia un cœur de pierre pour ne pas compatir à sa peine.

Elle repensait sans cesse aux paroles de Zoe à propos de sa ressemblance avec sa mère. Julia n'aimait pas songer qu'elle fuyait ses problèmes.

Elle appela Janet à son travail. Sa mère la prit aussitôt en ligne, sans lui accorder d'autre concession.

— Oui, Julia ? déclara-t-elle d'un ton dégagé.

— Tout va bien ? demanda Julia en sentant son estomac se nouer, comme à l'ordinaire en pareille circonstance.

— Mais oui.

— Tu sais que papa est venu me rejoindre.

— Eh bien oui.

— Ça ne te contrarie pas ?

— Ton père est un grand garçon. Il est libre d'aller où il veut.

— Tu ne réponds pas à ma question.

— Il semblerait que personne ne se soucie de ce qui me contrarie ou pas. Je n'approuvais pas ton séjour, tu es quand même partie et ton père vient de te rejoindre. Si tu veux mon avis, je crois qu'il se montre aussi irresponsable envers moi que toi envers ton mari. Ni toi ni lui n'avez rien à faire là-bas.

— Au contraire, protesta Julia, parce qu'elles évitaient le sujet depuis trop longtemps. Nous sommes venus parce que Zoe vit ici.

Un court silence accueillit sa déclaration.

— Certes. Il est temps pour moi de me rendre à ma réunion. Passe une bonne journée.

L'avion d'Ian atterrirait en retard. Noah devrait patienter une heure à l'aéroport sans rien d'autre à faire que de se demander à quoi il s'occuperait pendant le séjour de son fils, s'ils parviendraient à s'entendre, de quoi ils discuteraient, s'il réussirait à rétablir le dialogue avec lui. Sandi ne se trompait pas en traitant Noah de père absent. Il devrait affronter le ressentiment de son fils, sans parler de leur réserve l'un envers l'autre. En dix ans, ils n'avaient pas passé beaucoup de temps ensemble. Par bien des côtés, ils étaient comme deux étrangers.

Noah voulait que cela cesse. Il disposait de trois semaines pour y parvenir – trois semaines, sans aucune idée sur la manière dont il devait s'y prendre. Il connaissait parfaitement son métier de pêcheur mais son rôle de père... De ce point de vue, il était comme un marin perdu dans le brouillard sans corne de brume. Les temps avaient changé depuis sa propre adolescence. Les méthodes d'éducation de son père ne porteraient sans doute pas leurs fruits avec Ian. Le problème, c'est que Noah ignorait quelle méthode fonctionnerait.

Il se posta face à la vitre en attendant l'atterrissage du jet. Il se sentait déboussolé. Une vague appréhension le submergea. Il avait échoué en tant qu'époux puis en tant que père. Peu importe s'il disposait désormais de meilleures chances de s'en sortir. Comment s'assurer qu'il ne courrait pas une fois de plus à l'échec ?

Derrière la baie vitrée apparut l'avion. Le cœur de Noah se mit à battre la chamade avant même l'ouverture de la porte. Au diable la réaction de Ian ! Noah ne savait même pas à quoi il ressemblerait ! Ian était plutôt présentable à leur dernière rencontre, deux mois plus tôt à New York, pendant le week-end de Pâques. Son pantalon à pli, sa chemise et ses chaussures à la mode lui avaient permis d'entrer dans un restaurant chic puis au théâtre et au Ritz à Central Park. Certes, sa chemise sortait sans arrêt de sa ceinture et son pantalon tombait trop bas. Il manquait un bon coup de ciseaux à ses cheveux mais il était assez beau pour surmonter ces désagréments, surtout lorsqu'il adressait un sourire aux serveurs ou aux chauffeurs de taxi ou aux réceptionnistes. Jamais à Noah.

Noah avait décidé de l'emmener au musée d'Histoire naturelle en espérant faire partager à son fils son amour de la nature. Ian avait trouvé le temps long.

Les premiers passagers débarquèrent. Grâce à sa taille, Noah avait une vue dégagée sur le hall de l'aéroport. Il ne quitta pas des yeux le portail d'arrivée. Un nombre croissant de passagers en sortit puis la foule se tarit. Deux personnes se présentèrent encore, suivies d'un trio d'adolescentes. Noah commença à s'inquiéter et même à se fâcher. Si jamais son fils avait raté son vol, il venait de perdre sa matinée alors qu'il aurait pu l'employer à relever ses casiers.

Ian apparut enfin. Il portait un jean assorti à un T-shirt de marque à la dernière mode et ses cheveux courts aux mèches blondes se dressaient sur le sommet de son crâne. Il était toujours aussi beau. Il se pavanait dans le hall de l'aéroport lorsque le groupe de filles ralentit puis l'interpella avant de s'éloigner. Des amies de Baltimore ? Peu importe. Noah qui ne croyait pas Ian assez âgé pour sourire aux filles comme il venait de le faire éprouva une bouffée de fierté masculine. Son fils était un homme, du moins il ne tarderait plus à le devenir.

Lorsque Ian l'aperçut, son sourire s'évanouit. La fierté de Noah ne s'envola pas pour autant. Ian affichait un petit air facétieux. Noah ne lui ressemblait pas à son âge. Les jeunes garçons grandissent plus vite aujourd'hui. À moins que les garçons vivant sur le continent ne grandissent avant les autres.

— Hé ! le salua Noah en avançant.

Il lui tendit la main puis étreignit son fils sous le coup d'une impulsion subite. Son geste manquait un peu de tact et la raideur de Ian ne facilita pas les choses. Il parut même gêné lorsque Noah s'écarta de lui.

Noah ne regretta pourtant pas sa réaction une seule seconde. Elle prouvait mieux que n'importe quels mots qu'il considérait Ian comme son fils, la chair de sa chair. Non, il ne s'excuserait pas.

— Tu m'as l'air en pleine forme.

Ian haussa les épaules.

— Ton vol s'est bien passé ?

— Ouais, répondit-il de sa voix de basse, qui surprenait encore Noah.

— On t'a nourri ?

— De cacahuètes, lâcha-t-il d'un air dégoûté.

Noah comptait déjeuner à Portland mais Ian aurait peut-être faim avant.

— Tu dois récupérer des bagages ?

— Non, répliqua le garçon d'un ton qui frisait l'insolence avant d'ajouter en désignant son sac à dos : C'est tout ce que j'ai pris. Ton île, ce n'est quand même pas New York !

En voilà une remarque insultante ! Noah restait très sensible à l'absence de raffinement de son éducation à l'écart du continent. Bien sûr, ses années passées à New York ne comptaient pas pour rien mais le problème de ses origines modestes se poserait toujours. Elles fournissaient à Sandi une explication commode à ce qui ne lui plaisait pas chez lui.

Noah sentit qu'il ne tarderait pas à se tenir sur la défensive. Préférant éviter une telle situation, il pointa du pouce la sortie.

— Allons-y.

Noah fit de son mieux pour engager une conversation avec son fils sur l'autoroute du Maine.

— Alors, le base-ball ? Ça se passe bien ?

— J'ai terminé.

— Jusqu'à la rentrée ?

— Oui.

— Tu jouais dans une bonne équipe ?

Ian haussa les épaules en guise de réponse.

— Ça veut dire oui ou non ?

— Oui.

— Tu joues toujours en position de défenseur ?

— Oui.

— Tu vas reprendre la course de fond à l'automne. Ça te plaît ?

Un nouveau haussement d'épaules accueillit sa question, puis Ian ajouta, à contrecœur :

— Ça me maintient en forme.

— L'équipe des Orioles s'en est bien sortie, cette saison ?

— Oh non. Tout a changé depuis le départ de Cal Ripkin.

— Je croyais qu'ils avaient d'autres bons joueurs.

— Ils sont tous partis.

— Si tu veux mon avis, rien ne vaudra jamais les Red Sox, conclut Noah avec un soupir.

Noah quitta l'autoroute à Brunswick où il emprunta la nationale jusqu'à Wiscassett en longeant la côte. C'est là qu'ils s'arrêtèrent pour déjeuner.

— On mange ici ? l'interrogea Ian en jetant un regard méfiant au petit restaurant rouge équipé d'un comptoir pour la vente à emporter et de tables et de chaises en plastique.

— Tu vois ce qui est écrit sur la devanture ? C'est ici qu'on trouve les meilleurs rouleaux au homard de tout l'État.

— Je ne mange jamais de homard.

— Parce que tu n'as jamais goûté de rouleau digne de ce nom.

— Le homard me donne envie de vomir.

Noah ne put retenir un soupir.

— Et les crevettes frites ? Tu les aimes ?

— Oui.

— Prends-en alors, lui suggéra-t-il en sortant de voiture.

Ian suivit son conseil et vida son assiette. Lorsque Noah lui demanda une serviette en papier, Ian lui en tendit une. Lorsqu'il lui proposa de passer aux toilettes avant de reprendre la route, Ian s'exécuta. Lorsque Noah lui rappela d'attacher sa ceinture, il l'attacha.

Au moins il savait obéir. Un bon début, même s'il n'annonçait rien de bien folichon du point de vue de leur complicité. Enfin !

Noah attendit les abords de Damariscotta pour se risquer à nouer une conversation avec Ian.

— Comment va ta mère ?

— Bien.

— Elle te donne du fil à retordre ?

— Non.

— Elle est fière de toi, de te voir entamer ta dernière année au lycée. Quel effet ça te fait ?

— De quoi tu parles ?

— De t'apprêter à quitter l'enseignement secondaire.

— Ça craint ! Tout le monde me tanne à propos de la fac. Je n'irai pas !

— Pourquoi ?

— Je ne sais pas ce que je veux faire. Ça ne me servirait à rien. À moins de pouvoir jouer au base-ball, ce qui n'est pas possible, vu mon niveau.

— Qui t'a dit ça ? lui demanda Noah en jetant un coup d'œil dans sa direction.

— Mon entraîneur, répondit Ian en lui décochant un regard méfiant.

— Comment peut-il en être sûr ?

— Il sait de quoi il parle.

— Ouvre la boîte à gants et passe-moi mes lunettes de soleil, demanda Noah à son fils qui lui obéit aussitôt. Quelles universités vas-tu visiter ?

— Je n'en sais rien. Maman a tout organisé.

— Ian ! Il s'agit de ton avenir. Trouve donc un endroit où tu te sentiras bien.

Ian ne répondit rien.

Noah ne réagit pas non plus avant Rockland où ils croisèrent un groupe de jeunes filles.

— Tu connaissais les filles qui sont descendues de l'avion en même temps que toi ?

— Non.

— Elles étaient plutôt jolies.

— C'étaient des filles de la ville.

Il voulait dire par là qu'elles fréquentaient des établissement publics et non une école privée comme lui.

— Et alors ? Ta mère et moi avons tous deux été dans un lycée public. Comment sont les filles de ton école ?

Ian renifla d'un air de mépris.

— Bien plus canons que celles-là, en tout cas !

— Tu t'intéresses à l'une d'elles en particulier ?

— Non.

— Pas même à celle que tu as emmenée au bal de promo ?

— Ce n'est qu'une amie. On y est allés en bande. Pas de quoi en faire tout un plat.

Noah repéra une jolie fille aux abords de la jetée.

— Que penses-tu de celle-ci ?

— Elle n'est pas mal.

— À ton âge, je l'aurais trouvée sensass.

— Mais tu n'as pas mon âge, répliqua Ian en lui lançant un regard noir.

— Dieu merci ! rétorqua Noah en coupant le moteur et en le foudroyant du regard à son tour. Je ne me rappelle pas avoir jamais eu une attitude aussi agressive mais je suis certain que j'ai dû plus d'une fois porter sur les nerfs de mes parents. S'il y a une chose qu'ils m'ont enseignée par l'exemple, c'est bien la patience. On embarque dans dix minutes, conclut-il.

Va pour la patience mais autant renoncer au moindre progrès, songea Noah. Debout contre la rambarde pendant la traversée du ferry, il se demanda s'il parviendrait à faire évoluer sa relation avec son fils à force de patience. Une alternance de questions et de réponses ne constitue pas une véritable relation.

Bonne nouvelle : le ferry offrait de nombreuses cachettes, pourtant Ian ne s'éloigna pas de lui. Il se tenait appuyé à la balustrade à quelques mètres de son père en contemplant les îles dont la forme émergeait peu à peu. Noah aurait pu lui nommer les quatre où s'arrêterait le bateau. Il aurait aussi pu lui signaler le passage du homardier que pilotait Leslie Crane puis lui montrer les balises vertes et dorées que Leslie attachait à ses filières en les plaçant dans un axe nord-sud. Il aurait pu lui expliquer que ces balises vertes et dorées délimitaient la meilleure zone de pêche car Leslie capturait toujours plus de homards que les autres caseyeurs de l'île. Enfin, il aurait pu signaler à Ian l'endroit où l'*Amelia Celeste* avait coulé en emportant son grand-père.

Mais Noah ne dit rien. Il se méfiait d'une éventuelle remarque désobligeante de la part de son fils, qui risquerait de le mettre en colère. Mieux valait laisser la situation se détendre d'elle-même.

Il devait en aller autrement : le ferry venait à peine d'accoster à Big Sawyer lorsque Mike Kling, dont le crâne rasé luisait au soleil, interpella Noah.

— On a des ennuis, expliqua-t-il. Ces balises, que tu as posées la semaine dernière au nord du rocher de Main Mast, elles sont toutes grises.

— Ah bon ?

— Peintes en gris si tu préfères. Une fois qu'on les a repérées, on distingue bien les traits bleus et orange au-dessous mais le plus difficile consiste justement à les repérer. Elles se confondent avec la mer.

Voilà du nouveau. Les caseyeurs n'emportaient pas de peinture à bord de leur bateau. Seuls des novices contrariés par la découverte de filières nouées feraient une chose pareille.

— Du vandalisme, c'est ça ?

— Exactement.

— Seules les miennes ont été peintes ?

— On dirait.

— Un coup d'Haber et Welk ?

— Sans doute.

C'était toujours la même chose, Noah le savait bien. Tu empiètes sur mon territoire alors j'emmêle tes filières et tu repeins mes balises. La prochaine étape consisterait à couper les lignes. Et il y était prêt. Haber et Welk semblaient bien décidés à le harceler. Pourquoi ne pas leur rendre la pareille ?

Noah capturait d'habitude de nombreux homards et il attendait beaucoup des casiers placés aux alentours de Main Mast. Ils reposaient sur un fond rocheux convenant parfaitement aux homards en pleine mue à la fin du mois de juin. Une fois sortis de leurs anciennes carapaces, les homards attendent que durcissent les nouvelles. Ils représentent alors des proies faciles pour les différents prédateurs. Les fonds rocheux leur offrent de multiples recoins où s'abriter, à l'inverse des bancs de sable.

Il pourrait toujours relever les pièges, leur emplacement figurait dans son carnet de bord. Mais il faudrait repeindre les balises. Pour ce faire, il devrait les emporter chez lui ainsi que ses casiers. Plusieurs voyages lui seraient nécessaires s'il ne voulait pas remplir son bateau à ras bord, vu le nombre de nasses concernées. De toute façon, il perdrait plus d'une journée de pêche.

— Je n'y couperai pas ! dit-il en s'adressant autant à Mike qu'à lui-même.

Il s'apprêtait à conduire Ian chez lui lorsqu'une autre idée lui vint. Il partit se ranger sur une place de parking. Le soleil ne se coucherait pas encore tout de suite. Il fallait qu'il constate l'étendue des dégâts avant de prendre une décision.

14.

Après sa tentative de dialogue avec sa mère, Julia prit une longue douche. Elle couvrit le moindre centimètre carré de son corps de lait hydratant au muguet, mit son alliance et s'habilla. Puis elle dégusta un muffin en buvant du thé, mais ce n'est qu'après une promenade dans les bois qu'elle se détendit enfin. De retour à la maison, elle emporta un livre sur la terrasse où elle lut jusqu'à ce que son estomac gargouille. Elle se confectionna alors un sandwich avec le pain de seigle et la viande froide achetés par Noah, avant de retourner sur la terrasse. Pendant ce temps, elle refusa de s'appesantir sur quoi que ce soit d'autre que sur cette impression nouvelle de pouvoir faire ce qu'elle voulait, quand elle le désirait, sans avoir de comptes à rendre à personne.

En milieu d'après-midi, quand le soleil cessa d'éclairer la terrasse, Julia s'installa dans une chaise longue sous le porche d'entrée où elle reprit sa lecture. C'est là qu'elle se tenait lorsque la deuxième voiture de la journée vint s'arrêter devant la maison. La visite de Molly lui avait fait plaisir mais c'est une véritable joie qu'elle éprouva en reconnaissant la petite Honda bleue de Kim.

Julia ferma son livre puis, voyant que Kim ne faisait pas mine de sortir, elle s'approcha de la portière d'un pas nonchalant. Kim fixait ses genoux, la tête penchée. La vitre grande ouverte semblait indiquer qu'elle ne demandait pas mieux que de l'écouter.

— Comment as-tu su où me trouver ? l'interrogea Julia. Ah ! Ne me dis rien. Mon père a acheté son journal à la boutique où il a entamé une conversation avec Daryl, le propriétaire, qui a dû tout répéter à June qui s'est empressée de le dire à Nancy qui t'a appris la nouvelle.

L'ombre d'un sourire passa sur le visage de Kim. Voilà qui semblait prometteur, faute de paroles. D'après les bruits parvenus aux oreilles de Julia, depuis deux semaines, Kim passait tout son temps à la falaise ou chez elle. La maison de Noah lui offrirait l'intimité dont elle ne pouvait disposer ailleurs.

— Entre donc ! proposa-t-elle. J'allais me faire du café en grignotant quelque chose.

Kim ne bougea pas. Julia entra tout de même en laissant la porte ouverte. Kim venait de se poster sur le seuil de la pièce lorsque la machine à café émit ses premiers sifflements.

Elle mesurait un peu moins que le mètre soixante-dix de Julia mais possédait une silhouette aussi avantageuse que sa mère et sa grand-mère – autrement dit : elle n'avait que des rondeurs bien placées. Julia comprenait sans peine pourquoi elle attirait les hommes. Elle portait une tenue toute simple : un chemisier, un jean et un pull à fermeture éclair. Ses cheveux qu'elle venait de laver semblaient plus longs, plus épais et plus roux que jamais.

Julia lui désigna un siège mais la jeune fille ne bougea pas. Julia sortit du réfrigérateur les restes de baguette et de brie de la veille qu'elle plaça sous le gril du four. Elle attendit que de petites bulles se forment à la surface du fromage pour déposer l'en-cas sur deux assiettes à dessert et s'assit.

Kim s'approcha de la table. Elle s'assit sur le bord d'une chaise, comme si elle comptait s'enfuir à tout moment.

Julia leur versa deux tasses de café. Une bonne minute s'écoula avant que Kim ne tende une main hésitante en direction de la baguette.

— Voilà qui me rassure ! J'avais peur de m'être donné du mal pour rien.

Le front plissé, Kim ne quitta pas des yeux son assiette. Avec son teint diaphane et ses traits réguliers, elle était ravissante. Ses yeux noisette étaient d'une couleur plus chaude que ceux de sa mère ou de sa grand-mère. Aucune boucle d'oreille ne pendillait de ses lobes, percés cependant. Sa bouche parut à Julia plus grande que dans son souvenir, elle ressortait d'autant plus dans son petit visage.

Kim mangea sans bruit puis posa ses mains sur ses genoux.

— Si tu as appris ma présence ici grâce aux bruits qui courent sur l'île, alors tu dois être au courant de la progression de l'enquête, reprit Julia d'une voix douce.

Kim déglutit. Julia supposa que cela confirmait son hypothèse.

— On ne m'a pas posé de questions à ton sujet mais personne n'ignore qu'il y avait quelque chose entre Artie et toi.

Kim inspectait ses mains.

— Si c'est vrai, poursuivit Julia d'un ton conciliant, tôt ou tard quelqu'un va se demander sur quel bateau tu te trouvais.

Kim leva sur elle des yeux remplis d'angoisse.

— Les gens se poseront la question mais ils ne pourront jamais obtenir de certitudes. Je ne jurerais pas que tu n'étais pas à bord de l'*Amelia Celeste* et Noah non plus. Quelqu'un t'a vue en compagnie d'Artie, le jour de l'accident ?

Kim se contenta de la dévisager de ses grands yeux noisette.

— Tu lui as tiré dessus ? Tu sais qui l'a fait ?

Julia n'obtint toujours pas de réaction de sa part.

— Je veux t'aider. Dieu sait pourquoi ! Tu te rends compte à quel point c'est mal de nouer une liaison avec un homme marié ? Tu as la moindre idée de la peine que cela peut causer à l'épouse ? Aux enfants ?

Kim ne bougea pas. Elle ne quittait pas Julia des yeux.

— Je devrais te haïr mais je n'y parviens pas. Il y a un lien entre nous, Kim. Nous avons partagé la même expérience, ce soir-là. Peu importe où tu te trouvais ou pourquoi tu y étais. Tu as survécu à une horrible catastrophe, comme moi. Tu ne te demandes pas pourquoi ?

Kim acquiesça puis sortit de sous son pull une feuille de papier qu'elle tendit à Julia d'un geste hésitant.

Il s'agissait d'un relevé de compte. Gênée, Julia le parcourut. Kim avait ouvert un compte à son nom voilà huit ans. Les dépôts les plus anciens correspondaient à de petites sommes, sans doute gagnées en gardant des enfants ou ce genre de choses. Des virements plus conséquents, de plusieurs milliers de dollars, dataient des dix-huit derniers mois. Le solde créditeur s'élevait à vingt-trois mille dollars et quelques.

Julia s'efforça d'en comprendre le sens.

— Tu travailles depuis longtemps en économisant.

Kim confirma son hypothèse d'un hochement de tête.

Julia ne voyait aucun mal à ce que Kim garde des enfants ou travaille en tant que serveuse mais les gros virements la mettaient mal à l'aise.

— Il s'agit de l'argent d'Artie ?

L'envie subite la prit de repousser le relevé de compte, sans même attendre la réponse de Kim, et d'oublier qu'elle l'avait vu, de faire comme s'il n'existait même pas. Le document constituait une preuve contre Kim. Julia devait en informer la jeune fille.

— Tu savais qu'on le soupçonnait d'introduire des clandestins sur le territoire des États-Unis ?

Kim posa sur elle un regard suppliant. Julia tenta de lui rendre son document mais Kim l'en empêcha.

— N'essaye pas d'acheter mon silence. Je ne l'accepterai pas.

Le regard de Kim lui indiqua qu'elle se trompait. Elle ne voulait pas donner d'argent à Julia.

— Tu veux que je le garde à ta place ?

Kim fit signe que oui.

— Pour que personne d'autre ne le découvre ? Je deviendrais ainsi ta complice !

Kim lui adressa un autre regard suppliant, qui émut Julia. Les mises en garde de Noah, ajoutées aux propos de Zoe, eux-mêmes ajoutés à ce que lui soufflait son instinct, ne parvenaient pas à la convaincre des mauvaises intentions de Kim.

— Tu aimais Artie ? lui demanda-t-elle, car seule cette hypothèse lui paraissait sensée. Il te donnait de l'argent en cadeau ?

Certains hommes offrent des fleurs, d'autres des bijoux. Julia ne pensait pas que Kim ait eu envie de quoi que ce soit de cet ordre. Par contre, elle pourrait très bien vouloir de l'argent.

— Tu économisais dans un but précis ? T'acheter un bateau ? Une maison ?

Les yeux de Kim se posèrent sur la cime des arbres qu'on apercevait par la fenêtre puis se remplirent de larmes. Soudain, Julia se rappela l'horreur qu'exprimait le visage de la jeune fille lors de leur dernière conversation, quand Julia avait rêvé tout haut de ne plus jamais quitter Big Sawyer.

— L'argent te permettra de t'échapper, suggéra-t-elle d'un ton compréhensif. Tu sais où tu veux aller ? Ce que tu veux faire ?

Kim gagna la porte, les yeux toujours humides.

Julia se leva aussitôt.

— Ne pars pas ! Dis-moi tout. Si tu ne peux pas parler, écris. Je pourrai t'aider.

Kim ne s'arrêta même pas.

Julia étudiait encore le relevé de compte bien après la disparition de la Honda dans les bois. Elle aurait sans doute mieux fait de le refuser, de suivre Kim dehors et de le jeter dans sa voiture. Il témoignerait à charge contre la jeune fille, peu importe qu'elle ait joué auprès d'Artie le rôle de maîtresse ou de complice.

Appeler la police parut une mauvaise idée à Julia. Elle estimait de son devoir de ne pas trahir Kim. Elle descendit dans la chambre et rangea le relevé de compte dans son sac de cuir renfermant ses affaires les plus personnelles. Sous le coup d'une impulsion subite, elle emporta le sac dehors où elle tria son contenu encore vaguement humide depuis son séjour dans l'océan. Elle supposa que, sans la fermeture éclair, tout serait aujourd'hui couvert d'algues.

À vrai dire, sans fermeture éclair, toutes ses affaires se seraient dispersées. Heureusement, ce n'était pas le cas. Julia sortit du sac deux enveloppes. L'une contenait des reçus de paiement et des tickets de carte bancaire rassemblés avec autant de soin que de culpabilité. L'autre renfermait des photographies plus anciennes mais tout aussi importantes à ses yeux.

Quel ne fut pas son soulagement de constater en les sortant de leur enveloppe que l'essentiel des clichés était intact malgré les couleurs ternies par l'humidité ! Elle les aligna tous les cinq. L'un représentait le port, un autre la jetée. Sur un troisième figurait un amas de casiers à homards et sur un quatrième, les hommes occupés à les charger. C'était le cinquième qu'elle désirait voir. Y figuraient, non en gros plan – jamais elle n'aurait osé à quinze ans ! – mais d'assez loin, six jeunes gens assis sur la rambarde de la jetée. Tous portaient des jeans et des bottes de caoutchouc, le torse nu. Tous arboraient autour de leurs biceps le tatouage qui permettait de reconnaître en eux des pêcheurs de l'île.

Julia examina de plus près la photo. C'est alors qu'elle l'aperçut ou du moins crut l'apercevoir – Noah Prine à dix-sept ans, la carrure moins développée qu'aujourd'hui mais beau tout de même.

Elle songeait aux fantasmes suscités par cette image au fil des ans lorsque le téléphone raccordé à la ligne fixe sonna. Elle hésita à répondre puis se dit qu'il pourrait s'agir de Noah, or elle désirait lui parler. Elle se précipita à l'intérieur où elle décrocha le poste près du lit.

Une voix lui parvint, moins grave et plus sèche que celle de son ami.

— Mrs Bechtel ? Alex Brier, de *La Gazette de l'île*. Zoe m'a conseillé de vous joindre à ce numéro. J'ai une faveur à vous demander. Ces photos que vous avez remises à la police, je voudrais les imprimer dans mon journal. Vous pourriez me les envoyer par e-mail ?

Julia n'en revint pas. Elle se demanda si elle avait le droit de publier ces images. Après tout, rien ne s'y opposait.

— Bien sûr, finit-elle par répondre. Quand vous les faut-il ?

— Le plus tôt sera le mieux. Vous avez un crayon ?

En ouvrant le tiroir de la table de chevet, Julia découvrit des crayons et des grilles de mots croisés à demi complétées d'une écriture hardie, sans doute celle de Noah. Elle gribouilla l'adresse du journaliste dans la marge et lui envoya les clichés depuis l'ordinateur sur la mezzanine dès qu'elle eut raccroché.

Elle contacta ensuite Noah sur son portable.

— Oui ? répondit-il d'un ton irrité.

— Ici Julia. J'ai peut-être mal choisi le moment d'appeler ?

Elle savait qu'il se trouvait en compagnie d'Ian et n'aurait pas tenté de le joindre sans un sentiment d'urgence.

— Non, la rassura-t-il d'une voix soudain plus douce. On est à bord du *Leila Sue*, expliqua-t-il avant de la mettre au courant de la détérioration intentionnelle de ses balises. On dirait qu'une quarantaine d'entre elles ont été peintes.

— Par les fruitiers ?

— Sans doute.

— Quelqu'un les a vus à l'œuvre ?

— Non. Ne quittez pas.

Il dut glisser son téléphone dans sa poche car sa voix parut soudain plus éloignée.

— Sers-toi de la gaffe, Ian. Prends-la par la pointe. Voilà. Et maintenant, lève l'ensemble avec le cabestan.

Un bruit de moteur se fit entendre.

— Vous m'accordez encore une minute ? demanda-t-il à Julia.

— Bien sûr.

— On n'est qu'à trente pieds de fond. Ça ne prendra pas longtemps. Ouvre bien les yeux, surtout. Tu vas voir quelque chose de clair remonter à la surface à toute vitesse. Le treuil va le hisser sur la lisse et il faudra que tu le passes par-dessus bord. Comme ça. Tu as vu ? Parfait. À toi de t'occuper du prochain. Mon fils ne s'attendait pas à une épreuve pareille à son réveil à Washington, poursuivit-il à l'adresse de Julia. C'est son baptême du feu !

— Tout se passe bien entre vous deux ?

— Hum...

Il ne se sentait sans doute pas libre de parler.

— Quarante balises représentent combien de casiers ?

— Quatre-vingts mais je ne les relève pas tous. Empile-les à l'arrière, ordonna-t-il à Ian. Il me reste encore quelques balises en réserve. Il suffirait de les repeindre mais je dois agir vite. N'importe qui pourrait relever mes casiers en attendant. Tout va bien de votre côté ?

— Kim est passée me voir.

— Ah bon ?

— Je dois vous demander conseil mais pas par téléphone. Je sais que vous êtes occupé avec Ian...

— Rejoignez-moi dans ma cabane vers 9 heures. Vous m'aiderez à peindre.

Julia sourit, soulagée.

— Bonne idée ! conclut-elle avant de raccrocher en songeant qu'elle parviendrait peut-être enfin à dédommager Noah de son séjour chez lui.

Elle regagna sa chaise longue sans parvenir à se décontracter. Quelque chose venait de changer. Les bois lui offraient une vue plus apaisante que jamais mais ses pensées revenaient sans cesse au monde réel, aux balises repeintes et à Noah, à Kim et ses secrets à cacher, à Molly et Zoe, à George et Janet et tout ce qui n'allait pas dans sa vie.

Appelle Monte, lui suggéra une petite voix qui l'agaça. Elle ne voulait pas retomber dans ses anciens travers, maintenant qu'elle se sentait aussi forte et indépendante. Monte ne ferait qu'assombrir son humeur.

Zoe, c'était autre chose. Julia décida de lui passer un coup de fil.

— Bonjour ! lança-t-elle d'une voix fluette en se demandant si Zoe lui en voudrait.

— Bonjour ! Ça me fait plaisir de t'entendre, répondit Zoe d'un ton gai. Je m'inquiétais !

— Moi aussi. Je t'ai laissée seule avec les lapins et papa. Comment ça se passe ?

— Oh, bien. J'ai demandé à George de se charger des animaux. Ça l'occupe et en même temps ça me rend service. Il ne s'y prend pas avec autant d'aisance que toi, on voit qu'il n'a pas le cœur à l'ouvrage, mais il fait ce que je lui dis.

— En général, il fait aussi ce que dit maman. Sa présence doit te paraître bizarre, non ?

— Un peu.

— Désolée.

— Tu n'y es pour rien. Tout est de ma faute et de la sienne. Au moins, Molly a déjeuné avec nous. Elle travaille au grill en ce moment. C'est la soirée homard. Elle prépare des crêpes fourrées en entrée.

— Il faut qu'on y aille ! s'écria Julia. Laisse-moi vous inviter.

— Pardon ? toussota Zoe. Qui réclamait un peu d'espace ?

— Moi. Mais j'ai obtenu ce que je voulais. Voilà pourquoi je peux choisir de passer du temps avec d'autres personnes et, ce soir, j'ai envie de passer du temps en votre compagnie.

— On ne forme pas un couple.

— Tant mieux. Je souhaite quand même vous inviter à dîner.

— Si tu te sens coupable...

— Bien sûr ! s'écria Julia. Le sentiment de culpabilité fait partie intégrante de mon comportement depuis trop longtemps pour que je m'en débarrasse en un jour, mais j'ai tout de même envie de dîner avec vous. Alors, c'est d'accord ?

Julia se rendit de bonne heure au grill en espérant y rencontrer Matthew Crane avant l'arrivée des autres. Il se tenait dans le même coin que d'habitude à siroter son whisky en regardant la pleine mer. Il ne devait pas distinguer grand-chose car le brouillard venait de s'installer. Pourtant, il ne quittait pas l'océan des yeux.

Julia se glissa sur le banc. Matthew lui adressa la parole le premier.

— Vous savez pourquoi le lundi, c'est le soir du homard ?

Elle fit signe que non.

— Comme les pêcheurs ne sortent pas le dimanche, ils en attrapent plus le lundi et ce jour-là les prix diminuent. Tout est question d'argent. Ça n'a pas toujours été comme ça. Autrefois, on pêchait tellement de homards qu'on les considérait comme une nourriture de pauvres.

— Vraiment ?

— On en servait aux veuves et aux orphelins, aux détenus et aux domestiques. Ces derniers en avaient marre du homard au point de préciser dans leur contrat qu'ils n'en voulaient pas plus de trois fois par semaine.

— Vous plaisantez ? sourit Julia.

Matthew secoua la tête. Il vida son verre puis le reposa contre sa cuisse.

— Les Indiens en ramassaient au milieu des algues sur le rivage. Ils s'en servaient comme engrais dans leurs champs de maïs.

— Pourquoi en reste-t-il si peu aujourd'hui ?

— Si peu ? Je ne suis pas certain qu'il y en ait moins. Les caseyeurs du Maine en ont pêché vingt mille tonnes l'année dernière. Le problème, c'est la demande. Avant, on consommait du homard bouilli ou cuit à la vapeur. Maintenant, on peut en déguster cuit au four, farci ou grillé, en soupe ou en ragoût, en salade ou en rouleaux. On trouve même des tartes au homard ou des raviolis au homard. Qu'est-ce qui figure au menu ce soir ? Des crêpes fourrées au homard ! Où tout cela finira-t-il ? s'interrogea Matthew en levant les yeux à l'approche de la serveuse. Moi, je ne jure que par le bouilli.

— Voilà pour vous, capitaine Crane, lui dit la jeune fille en adressant un clin d'œil à Julia. Notre plus beau spécimen d'une livre et demie avec du pain de maïs.

Elle posa l'assiette sur le banc et prit le verre vide de Matthew.

— Moi qui vous prenais pour un fidèle amateur de morue ! le taquina Julia dès le départ de la jeune fille.

— Du mardi au dimanche, je commande du cabillaud. Mais le lundi, je mange du homard bouilli. Mon Amelia adorait ça, elle aussi. Bien sûr, elle n'a jamais su s'y prendre pour les démembrer. Trop sensible !

Il attrapa le corps de la bête d'une main et, de l'autre, sa queue, qu'il sépara d'un simple mouvement de poignet.

— Je m'en chargeais à sa place. Ça ne me dérangeait pas.

Il détacha les articulations du corps avec la même facilité puis ôta les pinces. Julia n'en revenait pas.

— Comment faites-vous ?

Matthew éclata de rire.

— J'ai plus de mal qu'autrefois. À cause de mon arthrite.

Il saisit la queue qu'il plia jusqu'à ce qu'elle se brise puis en retira un morceau de chair.

— Mrs Bechtel ?

Julia leva les yeux. Un homme aux cheveux clairs posait sur elle un regard préoccupé. Elle ne le reconnut pas, bien que sa voix lui parût familière.

— Je me présente : Alex Brier. Merci pour vos photos. Je compte les publier dans le journal de cette semaine et je devais rendre mon article il y a une heure à peine. Ça vous dit d'en prendre d'autres ?

— Des casiers ?

— Des balises de Noah ou d'autre chose. La suite des événements ne devrait plus tarder. Vous pouvez compter là-dessus. D'habitude, je prends les photos moi-même mais mon épouse qui attend un bébé doit rester au lit, alors je n'arrête pas de courir entre le journal et nos deux autres enfants. Je pourrais trouver quelqu'un pour vous conduire, si vous acceptez.

— Bonne idée ! acquiesça Julia en souriant.

— Parfait. Merci beaucoup. Je vous dédommagerai...

— Inutile. Ça ne me coûtera rien.

C'était inimaginable pour Julia d'être payée puisqu'elle n'avait aucune compétence. Elle n'était qu'une simple touriste se trouvant par hasard au bon endroit au bon moment.

— Merci. Dès que je trouve quelqu'un qui accepte de vous emmener au large, je vous passe un coup de fil.

— Je m'en charge, proposa Matthew. Mon neveu m'a proposé son *Cobalt*, un bateau plutôt sophistiqué pour un caseyeur mais pas pour une dame de New York.

Alex sourit enfin.

— Mes problèmes devraient tous se résoudre aussi facilement. Merci à vous, conclut-il avant de s'en aller.

Julia aurait aimé trouver une solution aussi simple à ses problèmes. Ils refirent surface au bout de trente minutes de conversation avec George et Zoe, le temps de choisir du vin, de dévorer les crêpes de Molly et de discuter des balises de Noah dont le nom était sur toutes les lèvres. À l'arrivée des salades, George se tut et, lorsque la serveuse leur apporta leurs commandes respectives de homard bouilli, cuit à la vapeur et émincé, il prit un air abattu.

Comme de juste, Julia voulut savoir s'il avait parlé à Janet. Lorsqu'il lui répondit par la négative, elle lui suggéra de l'appeler. Il répliqua qu'il ne se sentait pas prêt puis retourna la question en lui demandant si elle s'était entretenue avec Monte. Julia changea de sujet.

Elle ne regretta pas ce dîner pour autant. Elle aurait recommencé sans hésiter. George semblait d'humeur chagrine. De son côté, Janet se sentait sans doute seule. Quoi qu'ils fassent, ils resteraient toujours ses parents. Monte aussi faisait encore partie de sa vie. Tout ceci méritait une bonne discussion.

Mais pas maintenant. Pas encore.

Après avoir réglé l'addition, elle fut ravie d'aller rejoindre Noah dans sa cabane. Le brouillard qui masquait le coucher de soleil laissait maintenant place à un épais crépuscule, saturé d'humidité. Julia boutonna son gilet en conduisant.

La cabane se dressait au bout de Spruce Street où il n'y avait plus de maisons, mais des herbes folles et des arbres. Elle serait sans doute passée devant l'abri de planches sans l'apercevoir s'il n'y avait pas eu de lumière à la fenêtre. Dès qu'elle eut garé sa voiture, Lucas surgit de nulle part et se mit à courir en tous sens, puis il vint frotter son museau contre sa paume. Julia, ravie, lui caressait la tête lorsque Noah apparut sur le seuil. Soudain, tout en lui la bouleversa – ses cheveux emmêlés, ses habits tachés de peinture, son allure d'adolescent lorsqu'il se tenait au milieu de ses camarades aux biceps ornés du même tatouage et le souvenir de sa voix, soudain plus douce, lors de son coup de fil.

Julia se sentit fondre. Elle parvint tout juste à sourire.

Noah lui sourit à son tour.

— Vous êtes en beauté ce soir. Vous revenez d'un dîner ?

Elle acquiesça puis jeta un coup d'œil dans la cabane. L'odeur de peinture fraîche était plus forte que celle de l'air marin.

Il s'écarta pour la laisser entrer. Lucas passa devant elle.

— J'ai dit à Ian de rentrer à la maison. Il n'en pouvait plus. Je le plaindrais presque s'il n'était pas sorti jusqu'à 2 heures du matin avec ses amis pas plus tard qu'hier.

La lampe à pétrole projetait sa lumière sur des douzaines de balises fraîchement peintes d'un bleu vif.

— Ça alors ! s'exclama Julia. Vous avez fait tout ça ce soir ?

— Je n'avais pas le choix. Je ne veux pas perdre mes casiers. Je m'apprêtais à commencer les rayures.

— Donnez-moi un pinceau.

— Pas dans cette tenue.

Julia aperçut un pull suspendu à une patère.

— Il devrait faire l'affaire, non ? demanda-t-elle en déboutonnant son gilet.

En moins de temps qu'il n'en faut pour le dire, elle enfila le pull trop grand, tout à fait adapté aux circonstances, et s'empara d'un pinceau qui traînait auprès d'un bidon de peinture orange.

— Montrez-moi comment m'y prendre.

Il lui donna ses instructions et ils travaillèrent sans rien dire un certain temps auprès de Lucas endormi. Ils avaient peint près de la moitié des balises lorsque Noah rompit le silence.

— Racontez-moi la visite de Kim.

Julia s'exécuta. Lorsqu'elle aborda la question du relevé de compte, Noah aussi s'était arrêté de peindre.

— Vingt-trois mille dollars ?

— Et quelques.

— La plupart des virements datent des dix-huit derniers mois ?

— Exact.

— Donc, conclut Noah, non sans justesse, il nous reste à savoir en échange de quoi il la rémunérait. Elle n'a rien laissé entendre ?

— Rien, à part qu'elle économisait dans l'espoir de quitter l'île. Elle m'a confié le relevé de compte. Je suppose qu'elle ne veut pas qu'il attire l'attention d'éventuels enquêteurs. Mais la banque possède elle aussi une trace de toutes les opérations. La police le découvrirait tôt ou tard si jamais quelqu'un décidait d'enquêter, ajouta Julia en proie à un cruel dilemme. Que dois-je faire ? Ce relevé prouve-t-il sa culpabilité, oui ou non ? Je ne sais à bord de quel bateau elle se trouvait le soir de l'accident. En attendant, ce relevé de compte m'apprend quelque chose que la police ignore. Artie la payait mais pour quoi ?

— Quelle impression Kim vous a-t-elle laissée ?

— Elle ne m'a paru ni dangereuse ni manipulatrice. Plutôt abattue. Voilà le plus pénible à mes yeux. Je me sens le devoir de la protéger. Elle se trouvait près de nous, ce fameux soir. Peu importe dans quelle combine elle trempait ; elle souffre.

Noah réfléchit. Il se remit à peindre au bout d'une minute. Julia suivit son exemple. Elle voyait bien qu'il était préoccupé, à la manière dont il plissait le front en serrant les lèvres. Il parlerait lorsqu'il aurait quelque chose à dire.

Lorsque la dernière balise bleue striée de rayures orange se retrouva suspendue au plafond en attendant de sécher, Noah éteignit la lampe à pétrole et conduisit Julia dehors. C'est alors qu'il déclara, en s'adossant à la voiture :

— Laissez-moi en discuter avec John. Il m'apprendra ce qui se passe. Il a confiance en moi. Il ne fera pas d'objection si je me mêle de l'affaire. Après la mort de mon père...

Elle aurait voulu voir son visage afin de découvrir ce que sa voix n'exprimait pas, mais le brouillard obscurcissant le ciel rendait la nuit aussi noire que possible.

— Vous arrivez à faire face ? s'enquit-elle d'une voix douce.

— À peu près. Je viens de trier ses affaires. Depuis que Ian m'a rejoint, ce n'est plus pareil.

— Tout s'est bien passé avec lui aujourd'hui ?

— Oh... Il me répond quand je lui pose une question mais ne prend aucune initiative. En tout cas, il m'obéit. Demain matin, à la première heure, on va remplacer les balises. Voilà qui devrait lui plaire.

— Je vous verrai peut-être à ce moment-là, dit Julia d'un ton plus léger.

Comme ses yeux s'habituaient à l'obscurité, elle vit Noah se tourner vers elle pour l'observer de plus près.

— Alex Brier m'a demandé de prendre des photos des balises peintes en gris. Matthew Crane me conduira au large.

— Matthew ? reprit Noah d'une voix caressante, en penchant la tête. Parce qu'aucun autre pêcheur n'aurait accepté, à votre avis ?

— Je ne sais pas. Je ne me suis même pas posé la question. Matthew me l'a proposé et j'ai accepté.

— Il vous obéit au doigt et à l'œil. Je parie que vous ensorcelez tous les hommes.

— Oh non. Pas tous !

— Mon chien, lui, vous adore. Regardez-le, assis à vos pieds.

— Peut-être qu'il apprécie juste la compagnie des femmes, suggéra Julia en grattant la tête de Lucas.

— Nan ! Il y a plein de femmes par ici mais elles ne l'intéressent pas. Je vous l'ai déjà dit : il sait reconnaître une belle femme quand elle croise son chemin.

Julia ne répondit rien. Noah lui avait plus d'une fois lancé ce compliment mais il s'agissait de simples mots. Mieux valait ne pas y attacher trop d'importance. Monte aussi la trouvait ravissante, or elle n'avait pas su le retenir pour autant.

Rien de plus facile que de prononcer des paroles en l'air. Pourtant, les propos de Noah lui réchauffèrent le cœur dans la nuit. Peut-être à cause de sa hanche frôlant la sienne ou de son regard s'attardant sur elle malgré lui, comme s'il ne parvenait pas plus à contrôler ses yeux qu'elle-même ne maîtrisait la chaleur croissante de son corps.

— Oh Seigneur ! finit-il par murmurer.

— Tout s'enchaîne au mauvais moment.

— Mon fils, votre mari...

— L'accident.

— La guerre des balises.

— Ce n'est peut-être rien de plus ? Une simple réaction aux événements ? s'interrogea-t-elle.

Il secoua la tête en signe de dénégation puis croisa les bras. Julia l'imita. Le bon sens lui dictait de prendre sa voiture et de s'en aller. Elle serait sans doute repartie à New York le lendemain matin si elle avait accepté d'écouter ce fameux bon sens.

— Voilà où l'accident devait nous mener... reprit-il calmement.

— Vous et moi, tous les deux ?

— Oui. À quoi ressemble votre couple ?

— Ne me posez pas la question ! soupira-t-elle.

— Si vous y tenez, je m'en vais.

— Noah...

— Alors ?

Elle inclina la tête puis se tourna vers Noah. Aussitôt, ses bras l'enveloppèrent en l'attirant à lui. Elle posa la joue contre son torse en fermant les yeux et respira bien autre chose qu'une simple odeur de peinture. Il se tenait blotti contre elle, le cœur battant. Ses mains tremblaient un peu. Son corps dégageait une chaleur intense. Si elle désirait se sentir désirée, elle en avait la preuve. Il ne tenta même pas de le cacher en la pressant contre la voiture.

Elle ne put retenir un soupir de plaisir.

— Je peux vous embrasser ? murmura-t-il d'une voix rauque dans le creux de son oreille.

Elle secoua la tête et le serra dans ses bras à son tour.

— Même un baiser chaste sur le bout des lèvres ?

Elle ne put s'empêcher de rire.

— Quel intérêt ?

— Aucun. Je suis plutôt doué pour les vrais baisers...

— Je n'en doute pas, parvint-elle à articuler alors que ses genoux se dérobaient sous elle.

Sans le corps de Noah collé contre le sien, elle aurait sans doute glissé par terre pour fondre sur place.

Il prit le visage de Julia entre ses mains. Une certaine gravité se lisait dans son regard.

— J'ai détruit mon couple parce que je me trompais de priorités, or je n'ai pas cessé de me tromper depuis. Seul le travail a compté pour moi ces dix dernières années. Compter ? Tout est relatif. Je me contentais de répéter les mêmes gestes : je me réveillais le matin pour trimer toute la journée avant de rentrer chez moi, épuisé au point de m'écrouler dans mon lit. Depuis l'accident, je ne cesse de penser aux occasions ratées. Je n'ai pas fait assez attention à mes parents et, aujourd'hui, tous deux ont disparu. Mais pas Ian. Alors je m'efforce de rendre notre relation plus solide. Puis il y a eu notre rencontre. Dis-moi ce que tu veux, Julia.

Incapable de le satisfaire quand tant de choses dans sa vie lui semblaient encore confuses, Julia posa un doigt sur ses lèvres minces au modelé ferme. Elle s'échappa de son étreinte pour se glisser derrière le volant. Après avoir failli refermer la portière sur le nez de Lucas, elle démarra.

Noah se tenait à quelques pas de distance. Julia s'éloigna sans cesser de jeter des coups d'œil au rétroviseur. Il s'assombrit bien vite, mais l'image de Noah resta imprimée dans ses pensées, lui rappelant ce que cela faisait d'être désirée. Après une soirée riche en émotions, pleine d'incertitudes et de peines, elle était aux anges. Rien que pour cette raison, Noah méritait qu'elle l'aime.

Sous le coup d'une impulsion que lui dictait en partie la culpabilité, elle décida d'appeler Monte dès son retour à la maison. Ce n'était pas la première fois qu'elle tentait de le joindre, ils jouaient au chat et à la souris en s'échangeant des messages tous les deux ou trois jours. Elle entendit sa propre voix sur le répondeur la prier de bien vouloir laisser un message, mais raccrocha sans même attendre le bip sonore.

Elle pourrait le joindre sur son portable. Où se trouvait-il à 22 heures ? Elle n'était pas certaine de vouloir le savoir.

Faux. Au contraire. Elle ne demandait pas mieux que de l'apprendre.

Mais lui dirait-il la vérité ? Elle en doutait. Monte avait réponse à tout. Elle en était tellement persuadée que même s'il lui racontait la vérité elle ne le croirait sans doute pas.

À quoi ressemble votre couple ? lui avait demandé Noah.

Il ne va pas fort, songea-t-elle. Pas fort du tout, même.

15.

Noah se leva dès l'aube puis il réveilla son fils avant de consulter la météo. Il fit rissoler du bacon à côté d'une demi-douzaine d'œufs et griller six tranches de pain. Enfin, il leur versa de grands verres de jus de fruit.

En entrant dans la cuisine, Ian jeta un coup d'œil à la table dressée.

— J'espère que tu n'as rien préparé pour moi. Je ne peux rien avaler à cette heure de la journée.

— Tu vas devoir travailler dur. Tu auras besoin d'énergie.

— Un café suffira, décréta Ian en s'en servant une tasse pleine.

Noah ne discuta pas. Inutile. Ian mangerait au déjeuner s'il avait faim et il prendrait un petit déjeuner demain si son estomac le tiraillait trop. Encore un sujet de discorde avec Sandi. Noah n'avait jamais forcé Ian à manger, ni à quatre ans, ni à douze. Il n'avait jamais non plus obligé le jeune garçon à porter un blouson quand le temps fraîchissait. Un enfant peut apprendre seul ce genre de choses. Contrairement au travail scolaire ou aux bonnes manières que tout parent doit inculquer à sa progéniture.

Noah ne luttait que pour ce qui en valait la peine – encore un autre principe hérité de ses parents.

Il mangea son petit déjeuner pendant que Ian buvait son café. Le garçon assis à table prenait soin d'éviter le regard de son père qui confectionna pendant ce temps quatre sandwiches au thon. Il les déposa dans sa glacière avec des cannettes de soda et des chips. Puis il nettoya la cuisine.

Il enfila un pull en suggérant à Ian d'en faire autant mais son fils répliqua qu'il s'en passerait.

— Emporte la glacière, lui ordonna Noah.

Il ouvrit la porte, son carnet de bord en main. Enfin un peu d'air frais ! Quel bonheur, d'autant que Lucas gambadait dans la lumière pourpre de l'aube. Lucas respirait l'enthousiasme, l'énergie, la fidélité. Il vouait à son maître un amour inconditionnel dont Noah éprouvait en ce moment un immense besoin.

Il prit la tête du chien entre ses mains.

— Hé ! Comment tu vas ?

Lucas remua la queue.

— Tu as passé une bonne nuit ? Où étais-tu ?

Lucas tira la langue de plaisir.

— Ce chien me déteste, lança Ian.

Noah ouvrit la portière de la camionnette. Lucas grimpa à l'arrière.

— Pourquoi dis-tu une chose pareille ?

— Il ne veut pas s'approcher de moi.

Noah aurait pu lui répliquer que les chiens comme les jeunes enfants se sentent attirés par les signes d'affection dont Ian se montrait plutôt avare. Préférant user de diplomatie, il suggéra :

— Il ne te connaît pas encore, alors il reste prudent. Les chiens de sa race réagissent toujours ainsi.

Ian n'ajouta rien et se mura dans le silence en chargeant les balises dans le véhicule. Il ne desserra pas non plus les dents en les emportant à bord du bateau pendant que la camionnette stationnait sur la jetée. À sa décharge, Ian n'avait rien d'une mauviette. Noah distingua des biceps sous les manches de son T-shirt. Il s'aperçut aussi que son fils avait la chair de poule.

Sur le bateau, il y avait des pulls bien en évidence. Il supposa que Ian en enfilerait un s'il avait froid. Pareil pour les casquettes. Noah portait la sienne à l'emblème des *Patriots*. Il espérait à moitié que Ian l'interrogerait à ce propos. Sa question lui donnerait l'occasion de discuter de sport ou de Hutch. L'un et l'autre sujet faisaient partie de leurs préoccupations communes, pourtant Ian ne manifestait pas le moindre intérêt pour Hutch. Il n'avait pas prononcé un mot à son sujet depuis son arrivée – ni condoléances ni question touchant l'accident ou l'enquête, ou le fait qu'il dormait peut-être dans le lit de son grand-père.

Une fois la camionnette déchargée, Noah la gara au bout de la jetée. Il passa chez Rick récupérer son thermos et en trouva deux à côté d'un sac accompagné d'une note manuscrite : *Un petit quelque chose pour le garçon en cas de coup de barre.*

Il coinça les thermos sous son bras en souriant puis retourna au bateau où il enfila un ciré ainsi que des bottes en caoutchouc. Il se sentit soulagé de voir Ian suivre son exemple. Ils ne portaient que des souliers la veille mais Ian aurait dû manquer de bon sens pour ne pas se rendre compte qu'une journée complète de travail nécessiterait une meilleure protection contre l'humidité.

Depuis le pont du *Mickey 'n Mike*, Mickey Cling leur adressa quelques mots à propos du temps prévu ce jour-là et Leslie Crane les salua à sa sortie du port, sur son propre bateau.

Noah siffla Lucas puis ordonna à Ian de démêler les lignes pendant que le moteur chauffait. Il lui fallut tripoter les fils de sa radio avant qu'elle n'émette le moindre son mais ce n'était pas nouveau. En sortant du mouillage, il se sentit de bonne humeur. Certes, Ian se montrait pénible au possible, la guerre des balises menaçait de dégénérer et Kimmie Colella l'inquiétait autant que son penchant croissant pour Julia Bechtel. En attendant, il partait pêcher le homard en compagnie de son fils. Voilà qui sortait de l'ordinaire !

Le brouillard moins dense que la veille ne semblait pas près de se lever. Le soleil se cachait sous la brume et le monde se fondait en une masse cotonneuse gris pâle. Le *Leila Sue* fit route vers la poissonnerie Foss, où Noah récupéra des appâts, puis le bateau prit de la vitesse en sortant du port. Bientôt, ils mirent le cap sur le rocher de Main Mast en avançant à dix-huit nœuds.

Julia partit à son tour moins d'une heure plus tard. À l'inverse de Ian Prine, elle portait, outre son jean et son T-shirt : un pull, une veste, des chaussettes en laine, des tennis et une casquette. Elle emporta en plus de son appareil photo des muffins à peine sortis du four, deux sandwiches à la dinde et un thermos de thé chaud. À la dernière minute, elle ajouta même une autre paire de chaussettes qui pourraient lui servir de gants.

En arrivant au quai, elle aperçut Matthew occupé à faire tourner le moteur d'un élégant bateau. Il portait son vieux pantalon de coton habituel, une veste bleu marine, une casquette de capitaine et semblait satisfait de lui-même.

— C'est un bateau de vingt-neuf pieds, d'une puissance de six cents chevaux, équipé d'un système de guidage par satellite, d'un gouvernail en cuir, d'un tableau de bord en bois, de l'air conditionné, etc. Je me demandais comment naviguerait un bijou pareil, dit-il en l'aidant à monter à bord, mais il est facile à manœuvrer. Forcément ! Les types qui ont les moyens de se payer des embarcations de ce genre ne connaissent pas grand-chose à la mer. Moi, j'ai appris à conduire des homardiers tout petit. Je ne suis peut-être pas à la page en ce qui concerne les volets de réglage de l'assiette, les propulseurs et les autres gadgets de ce genre, mais je l'ai mené ici sans problème. C'est la connaissance du vent et de la mer qui importe le plus. Rangez donc vos affaires dans la cabine pendant que je largue les amarres.

Julia ne voulait pas se laisser conduire. Parfois, elle avait le sentiment d'avoir passé le plus clair de ses vingt dernières années sur le siège arrière d'un taxi. À partir de maintenant, elle voulait agir.

— J'ai une meilleure idée, lança-t-elle en posant ses affaires sur le pont. Je largue les amarres. Vous manœuvrez.

Noah connaissait les environs de Big Sawyer comme sa poche. Il jeta à peine un coup d'œil au radar avant de diriger son bateau vers les fonds rocheux où abondaient les poissons. Lucas se tenait blotti contre sa jambe tandis que, debout à la barre, il prêtait une oreille distraite aux propos de ses amis à la radio en buvant du café de son thermos. Ian attachait des balises repeintes de frais aux filières de casiers entassées à la poupe.

— On commencera par poser ce tas-là d'abord, déclara Noah à son fils lorsque celui-ci eut terminé. Tu vois comme leur poids déséquilibre le bateau ? Ce n'est pas bon si jamais la houle se lève. Une fois qu'on s'en sera débarrassés, on aura de la place pour travailler.

Ian tentait de percer le brouillard du regard.

— Comment sais-tu où vont atterrir les casiers ?

— Ils se poseront là où je veux qu'ils se posent.

— Où veux-tu donc qu'ils se posent ? demanda le garçon d'un ton dédaigneux vaguement moqueur.

— Là où vont les homards, répliqua Noah.

L'arrogance de son fils éveillait en lui des sentiments pénibles. Son attitude respirant la suffisance ravivait son vieux complexe d'infériorité. Sandi prétendait que tout se passait dans sa tête mais il savait qu'il n'était pas le seul à réagir ainsi. Les insulaires doivent subir toute leur vie la condescendance des citadins. Voilà pourquoi ils se tiennent sur la défensive.

Mieux valait éviter de réagir ainsi pour l'instant.

— Je dépose mes casiers dans des eaux peu profondes, en cette saison où muent les homards. Ils quittent leurs anciennes carapaces puis se cachent dans les rochers jusqu'à ce que les nouvelles puissent les protéger des prédateurs. Hier, on a relevé des nasses placées à trente pieds. Aujourd'hui, on les posera à dix-huit pieds de profondeur. Même sans cette histoire de balises, j'aurais dû les déplacer. On ne peut pas laisser les casiers au même endroit tout l'été en espérant ramasser des prises dignes de ce nom. Il faut suivre les homards.

Il ralentit le bateau et désigna l'un des écrans du tableau de bord.

— Dix-huit à vingt pieds. On y va.

Il montra à Ian comment faire passer par-dessus bord, une par une, les nasses attachées à une balise. Ils revinrent en arrière poser deux autres filières. Plus au nord, ils placèrent encore deux fois deux lignes. Lorsque le dernier casier disparut de la poupe, Noah fit route vers les autres balises peintes en gris aperçues la veille.

Aujourd'hui, il fallait aussi pêcher. Il mit le bateau au point mort à l'approche d'une balise grise qu'il remonta en se servant d'une gaffe. Tandis que Ian remplaçait la balise endommagée, Noah entreprit de relever à l'aide du treuil les deux casiers attachés à la filière. Pendant ce temps, de l'eau giclait sur le pont et s'échappait par les dalots. Elle était glacée comme toujours dans l'Atlantique Nord, même au début de l'été.

— Tu me serviras d'équipier, déclara-t-il à Ian. Ton travail consistera à vider les casiers, mesurer les homards, attacher les pinces de ceux qu'on garde et placer un nouvel appât, précisa-t-il avant de tendre à son fils une paire de gants de coton épais. Mets-les. Et ne laisse pas ton doigt traîner près des pinces.

Ian posait un regard perplexe sur le premier casier.

— Qu'est-ce que c'est ? s'enquit-il d'un ton mal assuré.

— Une roussette, répondit Noah. (Il portait lui aussi des gants et sortit le poisson de la nasse.) Une sorte de petit requin, si tu préfères. Celui-là est encore tout jeune mais il a des dents bien aiguisées et du poison entre les nageoires dorsales.

Il rejeta la roussette à la mer ainsi qu'un bernard-l'ermite et quelques algues. Trois homards restaient encore dans le casier. Il les lança sur le plan de travail où ils agitèrent leurs pinces en donnant de grands coups de queue.

— Ceux-là ne sont pas assez grands, dit-il en rejetant les deux plus petits dans l'océan. Celui-ci, je ne sais pas. (Il s'empara d'un petit instrument de mesure.) On mesure la carapace depuis l'œil jusqu'au début de la queue. On ne peut pas conserver une bête qui fasse moins de huit centimètres ou plus de treize. Il faut laisser aux petits le temps de grandir puis de se reproduire. Quant aux plus grands, s'ils ont survécu aussi longtemps, c'est qu'ils comptent parmi les plus forts, or les spécimens les plus résistants doivent se reproduire le plus possible. Tu vois ? Celui-ci approche des neuf centimètres. On peut le garder. Il doit peser une livre. C'est encore un bébé.

Il montra à Ian comment placer un élastique sur les pinces.

— Allez, mon gars, murmura-t-il en voyant le homard refuser de refermer sa pince.

Il finit par souffler dessus et l'animal lui obéit.

— Waouh ! s'écria Ian en s'animant pour la première fois.

Noah lança le homard dans une caisse en songeant à la quantité de choses que Hutch lui avait apprises à sa façon si peu communicative.

— Au tour de l'appât. Tu vois la garcette à l'intérieur du casier ? Sors-la.

Ian s'exécuta. Il n'y trouva que des arêtes et de petits morceaux de chair.

— Beurk !

Noah ne tint pas compte de sa réaction.

— Ce genre d'appât fait désormais partie intégrante de l'écosystème marin. Les plus petits homards viennent s'en nourrir, expliqua-t-il avant de lui désigner une ouverture rectangulaire au fond de la nasse. Ils s'échappent par là. En grandissant, ils deviennent la proie d'autres espèces.

Ian observait la garcette avec une moue dégoûtée.

— Qu'est-ce qu'on est censés en faire ?

Noah jeta par-dessus bord ce qui restait de l'appât. Une mouette attrapa au vol les bouts de poisson avant même qu'ils ne tombent dans l'eau. Une autre ne tarda pas à l'imiter.

— Maintenant, on doit attacher un nouvel appât.

Lorsque Ian lui eut obéit en prenant un air pincé à cause de la mauvaise odeur, Noah lui montra comment fixer la garcette au casier, qu'il mit ensuite de côté afin de s'occuper du second. Celui-là contenait des algues, une étoile de mer et un homard doté d'une unique pince. Les algues accompagnèrent l'étoile de mer par-dessus bord, seul le homard fut conservé. Noah n'avait pas besoin de le mesurer pour s'assurer qu'il pourrait le garder mais il demanda à Ian de le faire quand même.

— Même si les homards à une seule pince ne valent pas aussi cher, on peut malgré tout en tirer un certain prix.

— Comment a-t-il perdu sa pince ?

— Au cours d'un combat, sans doute. Il arrive aux homards de laisser tomber une pince en cas de danger mortel. Parfois aussi, ils s'accrochent au treillis du casier quand on tente de les en sortir et perdent une pince de cette manière. Une autre ne tarderait pas à pousser s'ils restaient dans l'océan, pas aussi grosse que la première, mais elle leur suffirait.

Il laissa Ian se débattre avec les élastiques. Son père en faisait autant quand il était petit et ne demandait qu'à apprendre. À sept ans, il manquait de la force nécessaire à une opération aussi délicate mais il fixait du moins les appâts. Son père lui donnait une pièce de cinq cents par casier.

Ian finit par attacher l'élastique aux pinces du homard puis à fixer l'appât à la nasse. Noah enclencha une vitesse et les casiers passèrent un par un par-dessus le tableau. Dès que la balise repeinte de frais flotta de nouveau sur les vagues, ils poursuivirent leur chemin. Ils venaient de relever vingt paires de casiers et s'apprêtaient à remonter à l'aide d'une gaffe les dernières balises endommagées lorsqu'un bruit de moteur leur parvint du brouillard.

Noah se redressa. Il connaissait assez bien la flotte locale pour distinguer le *Mickey 'n Mike* du *My Andrea* ou le *Long Haul* du *Nora Fritz* sans même les apercevoir. Il ne s'agissait d'aucun de ces bateaux. Celui qui s'approchait était trop bien huilé. Noah commençait à se poser des questions quand apparut le *Cobalt*. Il ne put s'empêcher de sourire en distinguant la cabine de pilotage où Julia se tenait à côté de Matthew Crane. Son visage s'éclaira d'un franc sourire et elle le salua.

Il lui répondit en agitant la main.

Matthew ralentit et vint se placer aussi près que possible du bateau de Noah, compte tenu de la houle.

— Comment ça va ? l'interpella Julia.

— Et vous ?

— J'ai pris des photos incroyables ! Mais c'est vous que je veux.

— Dans quelle pose ? demanda-t-il en souriant.

— Peu importe ! Vous n'avez qu'à vaquer à vos occupations habituelles.

— Il faut que je fasse comme si vous n'étiez pas là, comme un jour de travail ordinaire.

— Tout à fait, confirma-t-elle en jetant un coup d'œil à Ian. C'est votre fils ? Bonjour, Ian !

Noah considéra un instant son fils. Il profitait de ce moment de répit pour dévorer un croissant au chocolat extrait du sac offert par Rick Greene. Son ciré couvert de bouts d'algues, ses cheveux emmêlés par le vent et son torse musclé lui donnaient l'allure d'un authentique caseyeur. Noah en éprouva une certaine fierté.

Le garçon salua Julia d'un mouvement de tête en avalant les dernières miettes du croissant. Il rejoignit Noah, occupé à hisser la dernière balise à bord. Ils attendirent le premier casier pendant que la ligne s'enroulait sur le pont. Ian s'en empara puis en fit autant du second. Tandis qu'il remplaçait la balise endommagée par une autre repeinte, Noah examina le contenu des nasses. Il rejeta un petit cabillaud, quelques oursins et un homard de trop petite taille et en conserva trois autres dont il attacha les pinces pendant que Ian fixait un nouvel appât. Ce faisant, il s'efforçait d'oublier la présence de Julia.

Il y réussit en apparence. L'appareil photo capturerait peut-être un pêcheur à l'œuvre mais pas les battements de son cœur affolé ni le tremblement de ses mains.

Ian s'en aperçut. Dès que le *Cobalt* disparut dans le brouillard après un dernier salut de Julia, il déclara :

— Qu'est-ce qui se passe ?

— Pardon ? dit Noah, une balise à la main, en attendant que la ligne s'enfonce dans l'océan.

— Qui c'est, cette femme ?

— Elle s'appelle Julia, déclara Noah en laissant tomber la balise à l'eau. Elle aussi a réchappé à l'accident. Elle vient de New York.

— Tu m'étonnes ! Avec un bateau pareil...

Incapable de passer outre l'arrogance de Ian, Noah lui répondit en accélérant :

— Ce bateau appartient à un pêcheur de l'île. Tu as peut-être du mal à le croire mais la plupart des caseyeurs gagnent très bien leur vie.

Ian ne parut pas impressionné. Il avait l'esprit ailleurs.

— C'était son mari qui l'accompagnait ?

— Non. Il se trouve à New York pour le moment, conclut Noah d'un ton qui n'engageait pas à poursuivre la conversation. Voilà la prochaine balise. Attrape-la à l'aide d'une gaffe, tu veux bien ? Il nous reste encore du pain sur la planche avant le déjeuner.

Noah ne ménagea pas son fils : ensemble, ils relevèrent un par un chaque casier et les vidèrent avant d'y fixer un appât puis de les replonger dans l'océan. Il réclama à Ian une énergie qu'aucun entraîneur de base-ball n'avait jamais dû exiger de lui et ne s'attendrit pas le moins du monde lorsque Ian parut soudain épuisé.

Mais la fatigue risque de provoquer des accidents. Si, à un moment donné, Noah n'avait pas compris ce qui allait se passer en jetant un coup d'œil juste à temps, et n'avait pas poussé Ian de côté, le jeune garçon serait sans doute passé par-dessus bord.

— Qu'est-ce que tu fiches, bon sang ? s'écria Ian.

Il venait de tomber à la renverse sur le pont où Noah lançait à l'eau le second casier de la filière.

— Tu n'as pas vu la ligne qui traînait par terre ?

Le cœur battant, Noah laissa tomber la balise à la suite du casier et se retourna, soudain à bout de forces.

— Il y a toujours un bout de corde qui traîne sous le treuil. Si tu poses ton pied dedans comme tu viens de le faire, quand la filière se déroule à toute vitesse, tu peux dire adieu à ton pied ; à moins de passer par-dessus bord à la suite du casier. L'un de mes amis d'enfance est mort de cette façon.

Ian se redressa, l'air renfrogné.

Noah revint à la barre et coupa le moteur.

— J'ai besoin d'un bon déjeuner, marmonna-t-il en sortant la glacière.

Il retourna deux seaux et s'assit sur l'un d'eux. Il lança un sandwich à son fils puis en déballa un autre qu'il se mit à manger. Un certain temps s'écoula avant que son cœur ne reprenne son rythme normal et qu'il s'aperçoive du goût de ce qu'il dévorait.

— Je m'en serais voulu toute ma vie s'il t'était arrivé quoi que ce soit, dit-il enfin.

— Et moi, alors ? s'écria Ian d'une voix suraiguë. Tu crois que j'ai envie de finir mes jours ici ?

Noah réfléchit à ce que son fils venait de dire. Ou plutôt, il réfléchit à la réponse qu'il pourrait lui fournir. La remarque insultante de Ian ne méritait de le blesser que dans la mesure où elle était justifiée, ou plutôt dans la mesure où Noah avait de bonnes raisons de se sentir inférieur. Soudain, il songea que ce n'était pas le cas et se sentit assez remonté pour faire part de son sentiment à Ian.

— Tu pourrais finir ta vie dans un endroit bien pire ! Ici, les gens réfléchissent. Ils se soucient les uns des autres. Ils ne sont pas indifférents. Tes grands-parents sont morts ici et ton père y mourra sans doute aussi. C'est là que sont tes racines. Tu refuses de l'admettre par pure ignorance.

Il voulait dire par étroitesse d'esprit, mais le mot ignorance s'était présenté spontanément. La réaction de Ian ne se fit pas attendre.

— Qu'est-ce que j'ignore ? Quoi faire de ces trucs-là ? reprit le jeune garçon en posant sur les déchets qui jonchaient le pont un regard méprisant. Je suis censé me préoccuper de tout ça ? C'est ce que tu voulais, toi, mais pas moi. Tu te caches ici.

— Je me cache ?

— Tu as couru te réfugier ici après le divorce et tu n'es jamais reparti.

— Pour aller vivre ailleurs ? Pourquoi ça ? Je me plais ici.

— Avant, tu faisais quelque chose de ta vie. Ce n'est pas comparable.

— Ah bon ? répliqua Noah d'un ton agressif. Tu ne connais rien à rien pour oser dire une bêtise pareille. Rien ne m'obligeait à revenir ici après le divorce. J'aurais pu aller n'importe où. Je m'en sortais bien dans mon travail. Tu en es conscient ? Tu ne pouvais pas t'en douter à sept ans mais, à dix-sept, tu devrais le comprendre. Je gagnais beaucoup d'argent, et pas par hasard, crois-moi. La chance finit toujours par nous abandonner un jour ou l'autre. C'est parce que j'étais malin que je m'en sortais.

— Mais tu as tout abandonné ! l'accusa Ian d'un ton condescendant.

— Non, répliqua Noah. C'est faux. J'exerce une activité de consultant.

— Tu ignores sans doute tout ce qui se passe dans le monde, hasarda Ian d'un air sceptique.

— J'en sais certainement plus que toi.

— Comment ça ?

— Je me sers du téléphone, du fax, d'Internet. On ne vit pas comme des arriérés sur l'île.

— Tu n'es pas relié au Net. J'ai vérifié, répliqua Ian.

— Tu n'as pas cherché au bon endroit, affirma Noah sans pour autant se soucier de développer.

Ian voudrait envoyer des messages à ses amis, Sandi l'avait prévenu. D'ici là, Noah n'éprouvait aucun scrupule à laisser mariner son fils.

— Tu ne connais rien de ma vie, Ian. Pour cela, il faudrait que tu m'interroges, mais on dirait que tu n'en as pas envie.

— C'est toi qui refuses de parler, marmonna le jeune garçon.

— Très bien, rétorqua Noah. Je vais te parler. Vas-y. Pose-moi des questions.

— Tu reçois les chaînes du satellite ?

— Oui, sauf quand il y a trop de nuages.

— Ça t'arrive de manger thaïlandais ?

— Au grill, on trouve du homard à la thaïlandaise, des coquilles Saint-Jacques au gingembre et des moules au curry.

— On y sert jusqu'à quelle heure ?

— 21 heures.

— Qu'est-ce que les gens font après ?

— Ils vont se coucher parce qu'ils se lèvent tous les jours à l'aube, comme nous ce matin, pour pêcher le plus possible avant que la mer monte. Les gens font de grosses journées ici et ils ne fournissent pas qu'un effort physique. Il faut bien s'y connaître pour pêcher le homard. Ça ne correspond peut-être pas à tes attentes mais il y a des familles qui pêchent le homard depuis des générations et se transmettent leurs connaissances de père en fils, ou même en fille. Ces gens-là auraient pu faire fortune ailleurs mais ils ont choisi de rester. Comme moi j'ai choisi de revenir ici. Ne crois pas que je me cache. Je choisis la vie que je mène.

Il n'utilisait pas le présent par hasard.

Un bourdonnement s'échappa du brouillard. Noah tourna la tête. Il reconnut sans peine le *Trapper John* au bruit de son moteur. Il ne fit qu'une bouchée du reste de son sandwich et s'approcha du plat-bord. L'autre homardier surgi de la brume vint se poster auprès du *Leila Sue*. Noah agrippa le plat-bord afin que les deux bateaux s'élèvent et s'abaissent en même temps. Le *Willa B* ne tarda pas à les rejoindre.

— C'est ton garçon ? demanda John Mather.

Noah se chargea des présentations. Il se réjouit de voir Ian serrer la main de John et saluer Hayes Miller à bord du troisième bateau.

— J'ai vu tes nouvelles balises, l'apostropha Hayes.

— J'ai remplacé les autres, endommagées.

— Dis-nous ce qu'on doit faire, proposa John.

— J'ai bien envie de mettre la main sur ces sales types ! s'exclama Hayes.

— C'est à moi qu'ils s'en sont pris, les coupa Noah ; il savait ce qu'il voulait. C'est donc à moi de riposter. À mon avis, quelques filières coupées ne leur feraient pas de mal.

Hayes brandit un poing en l'air en esquissant un sourire vengeur. John ne réagit pas mais il approuvait :

— Si tu veux un coup de main, n'hésite pas.

— Ça ira. Mon fils et moi, on s'en occupe. Merci quand même.

Noah finit de relever les casiers qu'il se proposait d'inspecter. Il ne s'étonna pas d'y découvrir bon nombre de homards car il n'avait pas du tout pêché pendant qu'il remplaçait les balises détériorées. Ses caisses contenaient au final quelque trois cents livres de crustacés, soit un peu plus d'une livre par nasse. Oui, il avait fait une bonne pêche aujourd'hui.

Mieux encore : Ian et lui ne s'étaient plus disputés depuis le déjeuner. Certes, ils n'avaient pas dit grand-chose mais ils étaient parvenus à s'accorder au même rythme de travail, ce qui n'est pas le cas de tous les pêcheurs travaillant en équipe. Noah aurait pu en faire la remarque à Ian, s'il n'avait pas craint l'une de ses réflexions acerbes. Il ne voulait plus affronter son tempérament irascible. La mer montait et il leur restait encore pas mal de travail.

Comme le brouillard se dissipait peu à peu, il mit le cap du *Leila Sue* sur un amas de balises citron, prune, citron puis mena Ian à la barre.

— Tu vois ces balises ? Approche-toi et laisse le moteur tourner au ralenti.

Il mit le point mort, le temps de lui faire comprendre ce qu'il attendait, puis repartit.

— Vas-y. Je n'en aurai pas pour longtemps.

— Je n'ai jamais piloté de bateau, risqua Ian.

— Il n'y a pas meilleur endroit pour apprendre. Le seul danger consiste à emmêler les filières. Tu peux t'en donner à cœur joie. Au moins, je ne devrai pas trancher moi-même les lignes coupées par les hélices. Vas-y, ordonna-t-il en désignant la première balise.

Il s'en alla dans la cabine chercher un couteau aiguisé puis détacha la balise de sa ligne d'un geste précis en se penchant par-dessus bord. Le *Leila Sue* s'attarda plus que nécessaire puis se remit en marche en manquant de l'assurance que Noah aurait sans doute eue à la manette des gaz. Mais, la deuxième fois, Ian se débrouilla mieux et, la troisième, mieux encore.

— Tu apprends vite, s'écria Noah en détachant une autre balise.

Ian se tenait les jambes écartées afin de ne pas perdre son équilibre.

— Ce ne serait pas un peu illégal, ce que tu fais ? l'interrogea-t-il en approchant de la balise suivante.

— Pas d'après les lois qui ont cours sur l'île.

— Tu détruis ce qui appartient à quelqu'un d'autre.

— Il se trouve que cet autre empiète sur mon territoire.

— Qui dit que ce bout de mer est à toi ?

— Les gens qui respectent les lois en vigueur par ici. Ceux qui pêchent le homard depuis des générations. Des gens comme ton grand-père.

Ian aurait pu l'interroger à propos de Hutch mais il se contenta de lui demander, en s'approchant d'une autre balise :

— Si jamais ils te traînaient en justice ?

— Ils ne le feront pas.

— Pourquoi ?

— Parce qu'il se trouvera dix personnes pour affirmer qu'ils ont repeint mes bouées mais pas une pour dire que j'ai tranché leurs filières.

— Qu'est-ce qui arrive aux casiers ?

Noah se pencha sur le plat-bord en tendant son couteau entre deux vagues. Le bateau s'éleva puis s'abaissa plus d'une fois avant qu'il ne parvienne à couper la ligne.

— Ils sont perdus pour Haber et Welk, à moins qu'ils n'envoient un plongeur les récupérer mais, sans balises, ils ne pourront pas retrouver l'emplacement des nasses.

— Et s'il y a des homards à l'intérieur ? Des gros qui ne peuvent pas s'échapper ?

— Chaque casier possède une paroi maintenue par des attaches biodégradables. En temps voulu, elles se détruisent, le casier s'ouvre et le homard s'enfuit.

— Vivant ?

Noah attendit d'arriver à la balise suivante pour lui répondre :

— Ou sinon les autres poissons les mangent. L'écosystème s'entretient, de toute façon.

Ils ne détachèrent pas toutes les balises citron, prune, citron. Noah voulait que Haber et Welk en découvrent quelques-unes attachées à des casiers, en sachant que les autres avaient été délibérément coupées. Noah s'amusait comme un fou. Il tranchait les lignes pour lui-même et pour son père, pour Greg Hornsby, Dar Hutter et Grady Bratz.

Il en coupa d'autres en mémoire des Walsh. Sans oublier l'assistant de Zoe, Todd Slokum. Haber et Welk n'avaient peut-être rien à voir avec leur disparition mais c'étaient tout de même de sales types.

Noah aurait sans doute continué sur sa lancée si son bateau ne s'était pas approché des hauts-fonds. Comme Ian ne paraissait pas rassuré, il reprit le gouvernail et mit le cap sur le port. Là aussi, du travail les attendait. Ils s'arrêtèrent d'abord à la poissonnerie Foss où ils déchargèrent leurs prises puis à la station-service où ils firent le plein avant de retourner au mouillage nettoyer le bateau.

À 16 heures, il déposa chez lui son fils, épuisé, puis repartit en ville s'entretenir avec l'officier de police.

Julia regagna la terre ferme bien plus tôt. Elle mangea son sandwich en compagnie de Matthew sur le bateau amarré au quai avant de rentrer chez Noah visualiser sur l'ordinateur les photos qu'elle venait de prendre. Elle en recadra certaines et en éclaircit d'autres, précisa les contours de quelques-unes et modifia les couleurs des dernières.

En temps voulu, elle fit parvenir à Alex Brier celles où l'on voyait Noah et Ian remplacer les balises endommagées. Elle en envoya quelques autres à Monte afin qu'il sache qu'elle adorait l'appareil photo dont elle n'hésitait pas à se servir. Elle imprima même ses clichés préférés en s'amusant avec le logiciel.

Elle se rendit ensuite chez Zoe en espérant la trouver dans l'écurie mais elle n'y découvrit que son père. Il nettoyait les plateaux sous les cages et remplissait les mangeoires d'un air satisfait. Pourquoi pas ? Les nébulisateurs diffusaient de temps à autre leur parfum, les lapins remuaient dans leur litière et le brouillard semblait mettre en sourdine le reste du monde. L'écurie lui parut plus paisible que jamais.

En y regardant de plus près, elle se rendit compte que son père ne paraissait pas tant satisfait que préoccupé, comme la veille au dîner.

Sans plus se soucier de lui, Julia s'intéressa aux petits dans leurs nichoirs. Comme toujours, elle se sentit attirée par Gretchen. Julia n'avait même plus besoin de s'asseoir. Désormais, elle maintenait dans le creux de son bras le lapin qu'elle caressait en le berçant.

— Alors, lança-t-elle au bout d'un moment. Tu te plais ici ?

— Oh oui, déclara son père avec un peu trop d'empressement. C'est agréable de ne pas devoir suivre un programme défini d'avance, pour une fois.

— Tu parles de ton travail ou de maman ?

— Des deux.

— Alors, raconte-moi ta journée. Qu'est-ce que tu as fait ?

— Oh, je me suis promené, répondit-il d'un ton désinvolte.

— Où ?

— En ville, au port. J'ai fait un brin de causette, si tu vois ce que je veux dire.

Julia voyait surtout qu'il semblait rien moins qu'enthousiaste.

— Tu l'as appelée ?

— Pas encore.

Elle attendit la suite mais il se contenta de remplacer une bouteille vide suspendue à la paroi d'une cage.

— Tu en as l'intention ?

— Il faudra bien ! répondit-il d'un air bravache. Je ne peux pas rester toute ma vie ici. J'ai un travail. Elle n'est pas la seule à occuper un poste important. Par chance, le deuxième trimestre vient de s'achever. La saison s'annonce calme.

— Maman t'aime, tu le sais bien.

— C'est ce que tu dis.

— Allons, papa, tenta de l'amadouer Julia comme elle l'avait déjà si souvent fait. Elle doit montrer son autorité au travail, c'est la clé de sa réussite. Elle a du mal à y renoncer à la maison, voilà tout, ajouta-t-elle en le regardant remplacer une autre bouteille. Tu n'as pas vraiment l'intention de divorcer ? Tu commettrais une grave erreur. Maman est quelqu'un de bien.

— Tu crois ? Après ce qu'elle t'a fait ?

Julia se mordit la langue. Non, sa mère n'avait pas su la soutenir après l'accident. Son père non plus. C'était donc la paille et la poutre ! Le plus grand tort de Janet aux yeux de Julia résidait dans son attitude envers Zoe. George ne se trouvait-il pas à l'origine de ce problème ?

— Dis-moi, papa. Tu aurais pu rendre visite à oncle Martin ou à Charlie Payne. Pourquoi es-tu venu ici ?

— Parce que je voulais te rejoindre. Tu avais besoin de moi.

— Et Zoe, alors ? Maman doit avoir d'autant plus de peine que tu es venu ici chez elle.

Son père dévisagea Julia assez longtemps pour comprendre qu'elle était au courant de son aventure avec Zoe. Il ne tenta pas de nier les faits et s'exprima d'un ton moins amer, plus responsable.

— Tout s'est passé en un éclair il y a une éternité. Il est temps que ta mère tire un trait là-dessus. Nous évitons le sujet depuis des années. Peut-être que cela nous aiderait d'aborder la question de front.

Il s'empara d'autres bouteilles pleines avant de se diriger vers les cages au bout de l'écurie.

Aborder le problème en fuyant ? En refusant d'appeler ?

Certes, Julia était coupable de la même erreur. Que faire ? Elle caressa Gretchen sans parvenir à oublier ses préoccupations, puis la remit dans sa cage. Ned vint alors se frotter contre sa jambe. Julia s'accroupit pour lui gratter les oreilles jusqu'à ce que, lassé, il s'en aille. Elle se dirigea vers la maison et entra.

— Zoe ?

— Je suis dans ma chambre !

La chambre de Zoe, une pièce ajoutée au reste de la maison quelques années plus tôt, était bien plus vaste et mieux éclairée que les autres, et pour cause : Zoe y filait l'essentiel de sa laine. Son ameublement se composait d'un lit, d'une table de chevet, d'une coiffeuse, d'une armoire et d'un fauteuil pourvu d'un repose-pieds. La lumière filtrée par les œils-de-bœuf ménagés sous les vastes combles éclairait un magnifique rouet en noyer. Les pieds nus de Zoe actionnaient en rythme des pédales tandis que ses mains alignées l'une en face de l'autre guidaient vers la roue la fourrure des angoras.

Julia l'observa un instant depuis le pas de la porte. La roue se mouvait avec une parfaite régularité. Le cliquetis du rouet l'hypnotisa. Même les pédales semblaient pousser un léger soupir à chaque pression du pied. Il régnait dans la pièce une quiétude comparable à celle de l'écurie. Dans le monde de Zoe, les sons prenaient un relief considérable.

Julia s'approcha sans bruit.

— Tu files la fourrure de quel lapin ?

— De celui au pelage couleur lilas. Tu ne la reconnais pas ? lui demanda Zoe en arrêtant le rouet, le temps de lui montrer la laine. Une nuance subtile, presque mauve. La teinte de la fourrure n'est pas la même partout. Elle prend un aspect moucheté, une fois filée.

Julia avait à peine eu le temps de s'en apercevoir lorsque Zoe reprit son travail.

— On distingue même une nuance lavande quand on la tricote.

— Elle n'est donc pas destinée au tissage ?

— Oh, on pourrait s'en servir de cette façon mais pas en confectionner un tapis. La laine est beaucoup trop fine. C'est une commande de la propriétaire d'un magasin de laine à Boston. Elle tente de rassembler les pelotes les plus belles et les plus rares. Si ce que je lui propose lui plaît, elle m'achètera d'autres types de laine. Ce serait une chance pour moi.

Ses mains habiles tenaient la fourrure entre le pouce et l'index pendant que la roue tournait au rythme du cliquetis de la broche.

— Je pourrais passer des heures à te regarder ! s'exclama Julia en lui souriant. C'est aussi apaisant que de s'occuper des lapins. D'ailleurs, papa s'affaire dans l'écurie en ce moment même. Comment ça se passe entre vous ?

— On commence à se sentir un peu moins gênés en présence l'un de l'autre, répondit Zoe sans cesser de filer la laine.

— Il t'attire toujours ?

— Non. Il a vieilli et moi aussi. D'autres hommes ont compté dans ma vie depuis. Tu le sais bien. Il s'agissait de relations plus longues et plus importantes à mes yeux que ma liaison avec George. Je ne minimise pas ce qui s'est passé entre ton père et moi. C'est un homme formidable. Mais j'ai changé depuis ce temps-là. Pas toi ?

Oh si. À n'en pas douter.

— Tu l'aimais pourtant. Essaierais-tu de me dire que l'amour ne dure pas ?

— Dans mon cas, ce que je prenais pour de l'amour n'en était pas. Toi, c'est différent, poursuivit Zoe en lisant comme par magie dans les pensées de Julia. Ce qui se passe entre Monte et toi vous aidera sans doute à progresser. Parfois, on évolue dans le même sens que son compagnon, mais pas toujours. C'est le fruit d'années de réflexion, ça n'arrive pas du jour au lendemain.

— Je vois les choses sous un angle si différent depuis l'accident.

— Mon hypothèse, c'est que c'était déjà le cas avant, mais tu refusais de l'admettre.

— Je m'en rendais bien compte, finit par avouer Julia.

Simplement, elle ne se sentait pas prête à agir.

— Et si tu expliquais ça à Monte ?

Julia se l'était déjà proposé une bonne douzaine de fois.

— Il n'arrêterait pas de me répéter que mon attitude est due au traumatisme que je viens de vivre, et que mon malaise passera parce que je n'ai pas à me plaindre de mon sort. Il ajouterait que même si nous sommes différents on peut en dire autant de tous les couples, que rien ne m'autorise à croire qu'il y a d'autres femmes dans sa vie : je suis la seule qui compte à ses yeux. Et il réussirait à me convaincre, Zoe. Il a un bagout incroyable. Il a toujours réponse à tout.

Zoe cessa de filer la fourrure. La roue ralentit et le cliquetis de la broche s'arrêta.

— Tu as déjà tenté de consulter un thérapeute ?

— Oui. Il aurait pu nous aider si Monte avait bien voulu m'accompagner, mais il ne pensait pas en avoir besoin. À son avis, il s'agissait d'un problème d'insécurité de ma part.

— Si tu demandais le divorce ?

Julia y avait déjà songé.

— Il dirait que je n'ai aucune raison.

— L'adultère ne suffit pas ?

— Il prétendrait que rien n'est arrivé, que j'ai tiré des conclusions hâtives, que j'étais hors de moi, que je ne me doute pas de ce qu'implique un divorce, que si je pouvais prévoir la triste fin qui m'attend, jamais je n'y ferais même allusion.

— Il s'agit d'une menace ?

— Plus ou moins.

— En tout cas, ce ne sont pas là les propos d'un mari aimant.

Voilà le plus pénible pour Julia. Rien dans l'attitude de Monte n'exprimait un amour sincère. Il ne faisait jamais d'effort pour elle, jamais de sacrifice. Tout était programmé : *C'est ton épouse donc tu lui offres de la lingerie pour son anniversaire, des fleurs le soir de votre anniversaire de mariage et des bijoux à Noël.*

Un mari aimant ?

— Non, admit-elle en éprouvant un sentiment d'abandon qui la déchira. Un mari obstiné, c'est tout.

— Mais pourquoi ? s'écria Zoe. Quel intérêt pour lui ? S'il a des aventures, s'il ne t'aime plus, pourquoi tient-il à votre couple ?

Julia eut un rire amer.

— Il sait qu'il a de la chance de m'avoir. L'eau a coulé sous les ponts depuis notre mariage. Une autre femme plus jeune se montrerait plus exigeante. Elle ne supporterait pas ses liaisons. Sans compter qu'elle ne voudrait jamais nettoyer seule la cuisine après un dîner de six personnes à 23 heures pendant que Monte regarde les informations, allongé dans le canapé.

— Oh, Julia !

— La situation n'est pas très brillante.

— Et Noah ? Il te plaît, non ?

Elle acquiesça.

Zoe posa sur elle un regard compatissant.

— Méfie-toi, Julia. Méfie-toi.

16.

Le poste de police de Big Sawyer consistait en une unique pièce donnant sur la rue principale, entre le bureau de poste et la boutique de matériel de pêche. On n'y trouvait pas de véritable cellule. Une arrière-salle fermant à clé servait à ceux qui avaient besoin de se dégriser ou de se calmer, le temps d'une nuit.

En entrant, Noah surprit John Roman, les chevilles croisées sur son bureau en bois et les yeux rivés à l'écran de son ordinateur. Aussitôt, il se redressa.

— Voilà justement l'homme que je voulais voir. Tu t'es bien amusé aujourd'hui ?

— Ça oui ! confirma Noah sans le moindre remords.

Contrairement à ce que pensait Ian, il ne préconisait pas la destruction du bien d'autrui, sauf dans le cas de ceux qui violent la loi de l'île. Ceux-là privaient de leurs moyens de subsistance des pêcheurs bien plus nécessiteux que Noah.

— Regarde ça, lança John en désignant son écran d'ordinateur.

Oubliant un instant ses préoccupations au sujet de Kim, Noah contourna le bureau. Il ne reconnut pas le visage sur l'écran – il ne se trouvait pas au grill au bon moment – mais la légende ne laissait aucun doute. « Kevin Welk » lut-il au-dessus d'un casier judiciaire impressionnant. Il venait à peine de terminer sa lecture lorsque John afficha une autre page consacrée à Curt Haber. Au cours des douze dernières années, tous deux avaient été condamnés pour attaque à main armée et vol par effraction.

— Leurs noms reviennent sans arrêt, alors j'ai décidé de m'y intéresser de plus près. Voilà des caseyeurs qui sortent de l'ordinaire.

Sans doute. Ils ne correspondaient même pas au profil du braconnier type : un petit nouveau ignorant les règles du jeu ou un pêcheur d'une autre île désireux de poser ses casiers dans des eaux plus poissonneuses.

— Ils possèdent un permis de pêche ?

— Bien sûr. J'ai commencé par m'en assurer. Leurs papiers sont en règle, sinon... s'interrompit John d'un air perplexe. Je me demande ce qu'ils fichent ici. Malgré moi, j'établis sans cesse des rapprochements qui n'ont pas lieu d'être.

Noah comprenait à quoi il faisait allusion. Lui-même y songeait souvent.

— Quelle est la dernière hypothèse en date concernant la mort d'Artie ?

— Faute de mieux, on prétend qu'il s'est tiré une balle. Les services de l'immigration s'intéressent à la question des clandestins. Ils surveillent de près un type de Floride censé diriger toute l'affaire. Quelqu'un transportait des immigrés sans papiers depuis de gros bateaux à la limite des eaux territoriales jusqu'à des débarcadères privés sur le continent, à moins qu'il ne s'agisse d'un groupe. Ils n'imaginent pas qu'Artie ait pu se charger seul du transfert, il devait se contenter de coordonner les opérations.

Pas une seule fois il ne mentionna Kim. Soulagé, Noah reprit :

— Haber et Welk viennent de Floride.

— Ouaip. Je me demande ce qu'ils fabriquent ici et pourquoi ils se créent des ennuis au vu et au su de tous.

Bon sang ! Il n'y en a que pour eux ! À se demander si la pêche ne leur sert pas de simple couverture.

Noah partageait son avis. La plupart des braconniers sont discrets. Ils réagissent au premier avertissement. Au contraire, Haber et Welk ne ménageaient pas leur peine pour faire comprendre à tout le monde qu'ils voulaient poser des casiers à homards dans l'océan, pêcher et rien d'autre.

— Quand même, souligna-t-il, ils n'auraient pas pu tirer sur Artie dans ce brouillard.

— Sauf si l'un d'eux se trouvait sur le bateau.

— Dans ce cas, il serait mort, suggéra Noah d'un air dégagé.

— Pas forcément, répliqua l'officier de police en le scrutant de près. Et si quelqu'un s'était retrouvé projeté du *Fauve*, comme toi de l'*Amelia Celeste* ? Comment prouver que ça n'est pas arrivé ? S'il s'agissait de Haber et Welk, ou même d'une tierce personne ?

Noah comprit que John était au courant – du moins, il soupçonnait quelque chose – sans connaître pour autant l'existence du relevé de compte.

— Voilà toute l'histoire, poursuivit John d'une voix calme, presque résignée. On sait qu'Artie était lié à Kim mais on ignore de quelle manière. Ils avaient peut-être une liaison ou autre chose. Une seule personne peut le dire : Kim. Allons, ne me regarde pas comme ça, Noah. Les Colella sont mes cousines par alliance ; moi aussi, je cherche à les protéger. Même dans l'hypothèse d'une relation purement physique, Kim pourrait se rappeler un détail qui nous aiderait. Elle fréquentait Artie. Elle allait chez lui, naviguait sur son bateau. Je lui répète sans arrêt qu'elle n'a pas à s'inquiéter, que je la protégerai, mais elle n'ouvre pas la bouche.

— Peut-être qu'elle craint de parler, suggéra Noah.

L'idée venait de lui traverser l'esprit que si Kim avait été davantage qu'une maîtresse pour Artie et que quelque chose avait mal tourné, la jeune fille courait un danger.

— Je suis passé chez elle tous les jours cette semaine. La plupart du temps, elle n'est pas là. Sinon, elle reste assise sur le canapé à contempler ses mains. Combien de temps faudra-t-il encore patienter avant qu'un de mes supérieurs estime le moment venu pour elle d'avouer ce qu'elle sait et ne l'interroge ?

Noah céda sur le chapitre de l'ordinateur mais uniquement parce qu'il voulait que Ian s'occupe pendant que Julia et lui parleraient à Kim – du moins c'est ce qu'il se dit. Au fond, il cherchait sans doute à impressionner son fils. La maison sur la colline ne ressemblait pas plus aux autres sur l'île que son équipement électronique à celui d'un plouc de province.

Il décida de regagner la terre ferme le mercredi dès 15 heures. Ce n'était pas plus mal, compte tenu du brouillard épais et de la mer agitée. Il rentra chez lui avec son fils et tous deux se douchèrent avant de se présenter à la maison sur la colline, une heure plus tard. Julia avait laissé la porte entrebâillée et Lucas se rua tout de suite à l'intérieur. Lorsqu'ils le rejoignirent, ils trouvèrent Julia en train de lui caresser les oreilles en riant entre deux baisers humides. Un sourire flottait encore sur son visage quand elle se redressa ; elle était belle dans son vieux jean et son chemiser tout simple. Ses cheveux blonds pendaient sur ses épaules. Ses traits s'animèrent. Elle venait de sortir du four des scones, certains aux pépites de chocolat, d'autres aux myrtilles. Elle avait dû faire des courses. Noah aurait voulu se convaincre que ses efforts visaient à lui faire plaisir ou du moins à satisfaire son fils.

La seconde hypothèse le toucha d'ailleurs plus que la première. Elle comprenait ce qu'il tentait d'instaurer entre son fils et lui et semblait vouloir l'aider. Vu l'appétit de Ian ces derniers jours, elle n'aurait pu s'y prendre mieux.

— Les scones se dégustent en général accompagnés de thé, dit-elle à Ian d'un ton aimable, mais j'ai pensé que tu devais préférer quelque chose de plus consistant. Alors j'ai acheté du Coca et un cappuccino.

Ian tendit la main en direction des scones au chocolat.

— Ils ont déjà suffisamment refroidi pour qu'on les mange ?

— Je crois, oui, répondit Julia en lui tendant une serviette en papier.

Noah aussi prit un scone. Julia semblait quêter son approbation en le regardant mordre dedans. Noah se sentit fondre en même temps que le chocolat. Le scone était délicieux. Il poussa un grognement de plaisir. Après l'avoir remerciée du fond du cœur, il conduisit Ian à la mezzanine.

Le regard de son fils s'illumina au sommet des marches.

— Waouh ! C'est vraiment à toi ?

— Oui. Julia habite ici jusqu'à ce qu'une chambre se libère chez sa tante.

Il alluma l'ordinateur mais n'eut pas besoin d'aller plus loin. Le temps que la page d'accueil apparaisse, Ian se connectait déjà au Net.

Noah n'avait plus rien à faire à ses côtés. Il l'observa une minute ou deux, fasciné par l'aisance avec laquelle son fils surfait d'une page à l'autre. Il se demanda même si Ian l'entendit lui dire qu'il redescendait.

Il prit un autre scone avant de sortir en compagnie de Julia. Le chien refusa de lui obéir et de rester avec Ian : il se fraya un chemin jusqu'au siège arrière de la camionnette où il se planta en lançant un regard de défi à son maître.

Noah céda sur ce point également.

— On va sur la plage ou à la falaise ?

— À la falaise. Je viens de parler à Nancy.

En effet, la petite Honda bleue stationnait auprès de la maison du gardien de phare. Toutes deux se fondaient dans la brume. Julia eut encore plus de mal à distinguer Kim assise sur les rochers. La jeune fille posa sur la camionnette un regard las.

Julia sortit en enfilant un pull puis repoussa les cheveux que le vent ramenait sur son visage.

— Bonjour ! s'écria-t-elle par-dessus le bruit des vagues.

Elle s'approcha de Kim, un sachet de scones à la main.

Noah sortit à son tour. Le vent violent rendit Lucas perplexe. Le chien suivit Julia de son regard inquiet puis finit par se pelotonner et posa son museau sur ses pattes.

C'était la première fois depuis l'accident que Noah rencontrait Kim. Elle se tenait blottie dans son gilet. Son visage dégagé lui parut plus maigre que dans ses souvenirs. Elle devait avoir perdu du poids qu'elle ne pouvait se permettre de perdre. Il comprit soudain pourquoi Julia voulait absolument lui apporter à manger.

Pourtant, malgré son teint pâle, elle ne semblait pas tant malade que craintive. Assez pour ne plus parler ?

Kim posa sur Noah un regard apeuré.

— Tu le connais, c'est un ami, déclara Julia d'un ton doux mais ferme.

Elle s'installa auprès de Kim puis lui proposa un scone. Kim se mit à manger en restant sur la défensive. Elle ne quittait pas Noah des yeux.

Il s'assit sur un rocher d'où il scruta le brouillard en réfléchissant à une entrée en matière. Il n'enviait pas son travail à John Roman. Faire pression sur les gens en les interrogeant ne devait pas être une partie de plaisir. À moins que Noah ne sût tout simplement pas communiquer. Sandi devait avoir raison. S'il ne parvenait pas à établir un dialogue avec son propre fils, comment se tirerait-il d'une situation comme celle-ci ?

Il attendit que Kim ait fini de manger pour lui exposer le motif de sa visite avec autant de tact que possible.

— Notre officier de police s'efforce de tenir à l'écart les enquêteurs. Il ne veut pas qu'ils viennent t'embêter tant que tu n'as pas repris le dessus. Le problème, c'est que l'enquête n'aboutit à rien. John craint de ne pas pouvoir les repousser plus longtemps. Ils s'imaginent que tu sais quelque chose parce que tu étais liée à Artie. Peu importe s'il s'agissait d'une aventure ou pas. Les enquêteurs cherchent à découvrir ce que tu aurais pu apprendre, qui passait des coups de fil à Artie, ou qui lui rendait visite.

Kim déglutit mais ne dit rien.

Noah observa de nouveau la masse grise du ciel. Le brouillard s'installait d'ordinaire plus souvent en août qu'en juillet. À cause du réchauffement de la planète ? Sinon, il devait exister une autre explication. La météo annonçait une semaine de tempêtes. En tant que pêcheur, il pouvait s'accommoder du brouillard et même d'une houle modérée mais si la force des vagues augmentait et qu'il se mettait à pleuvoir, il devrait rester chez lui. Voilà qui était frustrant.

Autant que la situation présente. Il voulait aider Kim du fond de son cœur. Y parvenir lui parut soudain essentiel, comme une part de la responsabilité dont il se sentait investi depuis l'accident.

— Pourquoi ne peux-tu pas parler ? lâcha-t-il d'un ton moins prévenant qu'il ne l'aurait fallu. (Il ignorait comment s'y prendre autrement.) Il s'agit d'un problème physique ? Affectif ? Le silence peut passer pour une preuve de culpabilité. Si l'on te pose des questions et que tu refuses d'y répondre, on te croira coupable. Les policiers ne te connaissent pas aussi bien que nous. Ils ne t'accorderont pas le bénéfice du doute. Parle-nous, Kim. Dis-nous ce que tu sais.

Julia posa une main sur le bras de Noah.

— Je ne peux pas tenir John à distance indéfiniment, ajouta-t-il d'un ton plus posé. Lui-même ne peut pas toujours empêcher les enquêteurs de s'intéresser à toi.

— Tu pourrais noter par écrit les réponses aux questions qu'on te poserait ? demanda Julia.

Kim ferma les yeux puis enfouit la tête entre ses genoux.

— Très bien, risqua Noah. Je pense à une chose : on sait qu'Artie trempait dans une affaire louche et qu'il avait des fréquentations douteuses. Ces gens sont dangereux. Tu te crois peut-être à l'abri tant que tu ne parles pas, mais si jamais ces gens ne se sentent pas tranquilles, ils vont vouloir s'assurer de ton silence. John ne peut pas te protéger s'il ignore de quoi il retourne.

La main de Julia se referma sur son bras mais son avertissement ne servirait à rien. Il se rendait compte du danger qu'ils couraient en harcelant Kim. Julia n'était pas la seule à s'imaginer la jeune fille prête à se jeter de la falaise. Mais Julia ignorait qu'il disposait d'une arme secrète.

Il s'accroupit face à Kim puis, tout doucement, lui avoua :

— Je sais qui c'est, Kim.

La jeune fille écarquilla les yeux.

— Tu as parfois cru que c'était moi, poursuivit-il, mais je ne suis jamais sorti avec ta mère. Parle, dis-nous quelque chose et je t'aiderai.

Nancy ne voudrait sans doute pas lui révéler l'identité de son père, mais Kim était majeure. Noah se sentait responsable de son secret.

— Il n'a jamais rien su. Il est parti d'ici du jour au lendemain.

Kim semblait suspendue à ses lèvres. Elle ouvrit la bouche et, l'espace d'une minute, Noah crut qu'elle allait parler mais seul un souffle rauque s'échappa de sa gorge, aussitôt emporté par le vent.

— Artie magouillait avec un type de Floride. Tu le connais ?

Kim fit signe que non.

— Il n'a jamais prononcé les noms de Curt Haber et Kevin Welk devant toi ?

Kim le nia d'un air craintif.

— Il te parlait de son travail ?

Même réaction de la jeune fille.

— Tu avais une liaison avec Artie ?

Kim secoua la tête d'un air résolu.

— Tu te trouvais à bord du *Fauve* avec lui ce jour-là ?

Kim ne fit aucun signe de dénégation mais se redressa comme pour lui dire : *Je ne suis pas stupide. Tu tentes de me tendre un piège.*

— Je ne suis pas ton ennemi, Kim. Je ne sais même pas qui pourrait t'en vouloir. Voilà pourquoi j'ai besoin de ton aide. Es-tu déjà retournée en mer depuis l'accident ?

Toujours aussi méfiante, Kim se contenta de le toiser.

— C'est bien ce que je pensais, conclut-il sous le coup d'une inspiration subite. Moi, j'ai navigué partout sauf sur les lieux de la catastrophe. Même chose pour Julia. Alors débarrassons-nous une bonne fois pour toutes de ce spectre menaçant. On va prendre le bateau tous les trois. Sans compter mon fils que tu ne connais pas encore. Il a dix-sept ans et se comporte comme si de rien n'était. Un petit rappel des événements ne lui ferait pas de mal.

Une émotion brutale guérirait peut-être Kim, songea Noah. Et même si cela ne les avançait pas, rien n'était encore perdu.

— Tu me trouveras sur les quais demain à 16 heures. On rentrera tôt. Tu sais où mouille mon bateau. N'oublie pas : demain, 16 heures.

Julia observa Noah à la dérobée sur le chemin du retour. Elle se rappelait ces quelques instants près de la cabane en se répétant qu'elle ne devait pas flirter avec lui mais, en attendant, elle n'arrêtait pas de s'émerveiller du bien-être qu'elle avait ressenti sur le moment.

Noah, lui, paraissait distrait, préoccupé par les problèmes de Kim. Julia se reprit.

— Vous croyez qu'elle sera là demain ?

— Je ne sais pas, avoua-t-il avec un soupir en revenant à la réalité. Il m'a semblé que c'était la meilleure chose à lui proposer, peut-être par égoïsme. Ça me fournit une bonne excuse d'emmener Ian là-bas.

Il décocha à Julia un regard interrogateur où perçait une angoisse qui ne s'était plus manifestée en lui depuis les quelques jours suivant l'accident.

— Je trouve que c'est une bonne idée.

— À condition que Kim vienne. Honnêtement, elle a besoin d'un psy.

— Elle refuse d'en consulter. Je lui ai posé la question. J'ai même demandé à Nancy de la convaincre. En tout cas, une chose est sûre : elle craint de parler.

— À moins qu'elle ne se sente coupable.

— De quoi ? s'enquit Julia qui aurait tout donné pour le découvrir. Vous croyez vraiment qu'elle trempait dans un trafic de clandestins ?

Elle ne parvenait pas à s'imaginer Kim faire une chose pareille en pleine connaissance de cause. La jeune fille semblait trop innocente, trop sensible.

— Le problème, répliqua Noah, c'est qu'elle ne parle pas depuis plus de deux semaines. Si c'était le traumatisme du naufrage ou la mort d'Artie qui avaient causé son mutisme, elle devrait être guérie. À moins que ce ne soit la culpabilité qui la rende muette. Pourrait-elle se reprocher une liaison avec un homme marié ? Je ne le crois pas. C'est trop banal autour d'elle. Ni Nancy ni June ne la réprimanderaient. En tout cas, elle a peur. Vous ne croyez pas ?

— Si. Vous connaissez vraiment l'identité de son père ?

Il acquiesça.

— Trois de mes camarades sont venus sur l'île travailler avec moi pendant nos premières vacances à l'université. Son père était le plus bouillant de notre groupe. Il servait au restaurant, cet été-là. Il projetait de faire fortune à Wall Street après son diplôme mais il s'amusait trop et ses notes en ont pâti. Il a repris l'affaire de son père qui a fait faillite quelques années plus tard. Il n'a jamais gagné beaucoup, ce n'est pas comme s'il avait pu aider Nancy ou Kim. C'est quelqu'un de charmant, incompétent dans son travail et maladroit comme tout en société, mais charmant.

— Il est marié ?

— Oui, il a même deux enfants ou trois.

— Vous croyez qu'il s'intéresserait à Kim ?

Julia se disait qu'il y avait pire encore que d'ignorer l'identité de son père : savoir qu'il ne voulait rien avoir à faire avec son enfant.

— Je pourrais le convaincre.

Julia ne lui demanda pas comment. Elle ne voulait pas le savoir. Seule Kim la préoccupait. Pourquoi ne pas proposer à Molly de les accompagner demain ? Une jeune fille de son âge parviendrait peut-être à établir un dialogue avec Kim. Julia en était là de ses pensées lorsque la maison de Noah surgit au tournant de l'allée. On aurait dit que le simple fait de penser à Molly l'avait fait apparaître : la petite Plymouth de Zoe dont elle se servait était garée en face de la porte d'entrée.

Julia lança un regard perplexe à Noah avant de descendre. La cuisine bruissait d'activité. Molly et Ian s'y tenaient au milieu d'un tas de provisions sur le plan de travail, de casseroles sur le feu et d'assiettes sur la table. Une demi-douzaine de plats étaient en train de mijoter. Une odeur délicieuse s'échappait des fourneaux.

En apercevant sa mère, Molly s'écria d'un ton indigné :

— Je pensais te trouver seule et affamée ! Je t'aurais préparé à manger, puisque c'est aujourd'hui mon jour de congé, mais je n'ai trouvé que Ian. On prépare de la bouillabaisse. Il n'y en aura pas assez pour quatre.

Noah se pencha sur la plus grosse des marmites.

— Hum... Ça sent bon ! Qu'est-ce qui mijote là-dedans ?

— Des coquilles Saint-Jacques, des moules, des palourdes, de la lotte et du homard, répondit Ian.

— Je croyais que tu n'aimais pas le homard.

— Avec cette recette, c'est tolérable.

— Tolérable ? répéta Molly d'un air blessé, qui répliqua aussitôt : Si tu ne trouves pas ma bouillabaisse succulente c'est que tes papilles gustatives fonctionnent de travers. Sans doute la faute à leur immaturité, ajouta-t-elle, un sourire ironique aux lèvres. Passe-moi le poivre, tu veux bien ?

Ian lui obéit. En les voyant l'un à côté de l'autre, Julia ne put s'empêcher de les trouver beaux. Les cheveux blonds de Molly coupés court lui donnaient une allure des plus chics – autant l'admettre – sans parler de ses traits fins et de sa silhouette épanouie. Ian qui la dépassait d'une bonne tête, comme il se doit, semblait désireux de l'aider.

— Il y a du homard dans le congélateur, proposa Noah. On devrait en avoir assez pour quatre.

— Du homard congelé ? Dans ma bouillabaisse ? Ah non !

— Si je passais à l'épicerie chercher d'autres ingrédients ?

— Il n'y a de produits frais que chez Rich.

— Je peux faire un saut au grill.

— Rick ne travaille pas ce soir.

— Si je l'appelais ? proposa Noah en sortant son portable. Il dira à ses employés de me donner ce qu'il te faut. Marché conclu ?

Julia s'efforça de ne pas sourire. Il venait d'avoir le dessus.

Molly ne s'avoua pas vaincue. Cette digne fille de son père avait de la repartie. Elle énuméra aussitôt une liste de courses :

— Il me faudra une autre baguette, un poireau et un bulbe de fenouil. N'oubliez pas les entrées : disons des escargots et des cœurs de palmier. Et une tarte aux myrtilles en dessert. Prenez-en plutôt une grande. Ian meurt de faim.

Satisfaite, elle adressa un franc sourire à Noah.

— Merci, lui dit Julia quelques heures plus tard.

Elle se tenait seule à côté de Molly dans le canapé du salon. La maison, enveloppée dans le brouillard et la bruine, où flottait une odeur persistante de sauce tomate à l'ail, semblait plus accueillante que jamais.

— Je viens de faire un merveilleux dîner.

— C'était chouette, confirma Molly en souriant.

— Merci pour ta politesse, lui dit Julia en lui prenant la main.

— Ma politesse ?

— Et même ta gentillesse. Ça ne t'a pas coûté autant que tu le croyais, pas vrai ?

— Non, grogna Molly. Noah et son fils m'ont paru plutôt sympathiques. Ils ont tout nettoyé en partant.

— Qu'est-ce que tu penses de Ian ?

— Il est trop jeune pour moi.

— Non ! Je veux dire : en tant que personne.

— Repose-moi la question dans cinq ans. Pour l'instant, il est encore en pleine crise d'adolescence.

— Parole d'une experte de vingt ans !

— Tu me comprends ! Il semble en vouloir au monde entier.

— Comme toi ces derniers temps.

— Et pour cause ! Ma vie sombre dans le chaos. Je ne sais pas ce qui se passe. Tant de changements se sont produits depuis le lycée et maintenant... toi ! Tu es différente, plus indépendante.

— Ce n'est pas une bonne chose ? lui demanda Julia en s'efforçant de prendre sa remarque à la légère.

— Pour toi, oui, mais pas pour moi. Jusqu'ici, je pouvais prévoir tes réactions. Depuis peu, je n'arrive plus à anticiper.

En fait, Julia n'y parvenait pas non plus. La spontanéité représentait à ses yeux un luxe auquel elle n'avait pas souvent goûté.

— Il y a des choses qui ne changeront jamais. Je t'aimerai toujours. Je serai toujours là pour toi.

Molly se pencha vers Julia, qui lui ouvrit les bras.

— Ensemble, on fait des choses que je n'ai jamais faites avec ma mère.

— Tu as le temps, pas elle. À cause de son travail.

— Beaucoup de mères actives entretiennent avec leurs enfants le même genre de relation que nous. C'est une question d'attitude.

— De moments qui comptent.

— Tout à fait.

— Alors ? Quel effet ça te fait, d'avoir pris ton indépendance ?

— Je suis en train de le découvrir !

— Tu as eu le temps de réfléchir, poursuivit Molly d'un ton plus prudent. Tu sais où tu vas ?

Qui suis-je ? Julia n'avait pas encore de réponse définitive à cette question. Il n'existe pas de guide pratique qui explique comment réinventer sa vie. Il faut se contenter d'expérimenter en tirant parti de ses erreurs un petit peu à la fois.

— J'y réfléchis toujours.

— Tu ne comptes pas retourner à New York ? reprit la jeune fille en abordant le problème de front.

La Julia d'avant aurait tergiversé puis fini par admettre ce qui soulagerait le plus Molly, la Julia d'aujourd'hui devait se montrer plus honnête.

— Il y a un an, j'aurais dit oui parce que tout le monde ici voudrait que je le fasse. Prendre une décision n'est pas simple. On ne gagne pas à tous les coups en divorçant.

Elle sentit sa fille se raidir et la serra encore plus fort contre elle.

— J'ai la chance d'avoir une fille en parfaite santé, à l'aube d'une merveilleuse carrière. Tu vas bientôt trouver ta propre voie et je ne pourrai pas te retenir, même si je le voulais. Tu découvriras ce qui te rendra heureuse. Je veux en faire autant. Je n'ai que quarante ans. Avec un peu de chance, je vivrai encore une autre quarantaine d'années.

— Papa adore les femmes indépendantes.

Ça oui ! Julia en ressentit une pointe d'amertume. Hélas, il ne la considérait pas comme quelqu'un d'indépendant. Julia doutait de parvenir un jour à modifier l'image que son mari se faisait d'elle, comme elle doutait de contrôler son besoin compulsif de conquêtes. Pour la première fois de sa vie, elle se demanda si elle s'en souciait. Elle en voulait à Monte. À plusieurs reprises, il l'avait trahie. Il pourrait toujours prétendre qu'elle l'avait abandonné cet été mais, en vérité, il ne demandait pas mieux que de la voir s'éloigner.

En toute franchise elle se félicitait d'être partie. Quel bonheur de ne plus devoir satisfaire ses moindres besoins, de ne plus souffrir les petites piques qu'il prenait tant de plaisir à lui lancer, mine de rien ! *Ton poissonnier ne t'a pas vendu un morceau d'espadon très frais aujourd'hui. Tu ne devrais pas te donner un coup de peigne ? Tu ne vas quand même pas porter ça ce soir ! Ce serait bien si de temps en temps tu pouvais réussir quelque chose.*

Julia était heureuse d'échapper enfin à tout cela. Elle se demanda si sauver son couple pour le simple fait de sauver son couple porterait encore ses fruits.

— Si tu ne repars pas à New York, lui demanda Molly, tu resteras ici ?

— Ma décision compte à tes yeux ?

— Oui. J'ai le sentiment que tu évolues dans un monde que je ne connais pas, comme si j'allais te perdre.

— J'ai ressenti la même chose à ton départ à la fac, avoua Julia en souriant. J'étais persuadée que c'en était fini des liens qui nous unissaient autrefois, que ma petite fille vivait sa vie de son côté et que plus rien ne serait jamais comme avant. J'avais raison, sauf que ce n'est pas plus mal si les choses sont différentes aujourd'hui. Rien ne prouve que ce n'est pas mieux ainsi ! J'apprécie beaucoup notre relation actuelle, je la trouve très adulte.

— Tu sembles aborder le problème avec sérénité.

Julia s'en étonnait elle-même, d'autant plus que son estomac se nouait encore quand elle pensait à Monte. Il représentait un gros point d'interrogation dans sa vie. Prononcer à haute voix le mot « divorce » était une chose, affronter la réalité d'une telle expérience l'effrayait bien davantage. Son avenir demeurait un mystère qui à lui seul justifiait ses craintes.

Julia se sentait sans doute plus impliquée que sereine.

— J'ai l'impression d'aller dans la bonne direction. À vrai dire, c'est merveilleux de suivre sa propre direction, quelle qu'elle soit. Je fais du surplace depuis trop longtemps.

En tout cas, plus depuis l'accident. Comme Kim, elle éprouvait un choc chaque fois qu'elle se remémorait ce fameux soir. Son passé avait explosé en même temps que l'*Amelia Celeste* et *le Fauve*. Au final, elle se sentait libérée.

— Il n'y a aucune raison pour que j'évolue dans un monde dont tu ignores tout. D'ailleurs, j'aimerais te présenter quelqu'un. À quelle heure commences-tu demain ?

— 14 heures.

— Oh ! C'est bien trop tôt. On emmène Kim à bord du *Leila Sue*. Elle n'est pas sortie en mer depuis l'accident. On espère que ça va l'aider à reprendre le dessus. Tu as presque le même âge qu'elle, tu es si gentille. Ta présence nous aiderait beaucoup.

— À quelle heure vous partez ?

— 16 heures.

— Compte sur moi, répondit Molly d'un air ravi.

— Mais ton travail...

— Rick se fait autant de souci pour Kim que n'importe qui. Il m'accordera bien quelques heures de congé.

Naturellement, Julia apporta des provisions. Ils ne fêtaient rien, même s'ils comptaient accomplir une sorte de rituel, c'était simplement une habitude chez Julia qui ne pensait pas changer un jour sur ce point. D'ailleurs ce n'était pas plus mal. Noah et Ian mouraient de faim. Ils venaient de laver le bateau après une journée de travail et semblaient à bout de forces. Leur regard s'anima à la vue du sac isotherme de Julia. Ils firent honneur aux pilons de poulet accompagnés de fromage grillé et au cidre chaud, en ce jour de brouillard où l'air frais et humide défiait l'été de s'installer. Rick Greene, habitué aux caprices du temps dans le Maine, avait confié à Molly des coquilles Saint-Jacques enveloppées de bacon et des champignons de Paris grillés tout chauds. Noah et son fils ouvrirent les sacs dans la voiture et se servirent pendant que Julia remplissait les tasses au thermos. Noah dégageait un charme fou quand il tentait de réfréner son appétit par pure politesse alors que son fils, soi-disant plus civilisé, dévorait comme un loup.

Noah ne manquait décidément pas de charme, songea Julia, qui ne flirtait pas avec lui, bien sûr que non ! Il n'empêche qu'elle frissonnait de plaisir en sa présence. Qui n'aurait rêvé d'être à sa place ?

16 heures sonnèrent. Noah et Ian avaient englouti l'essentiel des provisions en prenant soin d'en laisser encore pour Kim. À 16 h 05, Noah jeta un coup d'œil à sa montre avant d'échanger avec Julia un regard inquiet. À 16 h 10, il se mit à scruter le rivage à travers le brouillard. Julia commençait à craindre que leurs efforts n'aient servi à rien.

À 16 h 15, une voiture bleue apparut. Julia ne se sentit pas rassurée en la voyant se garer à bonne distance de la jetée. Celle qui en sortit ressemblait pourtant bien à Kim : même silhouette frêle et même sweat-shirt à capuche que sur la falaise. Tête baissée, elle rejoignit au pas de course le *Leila Sue*. Julia remarqua qu'une casquette noire couvrait entièrement sa chevelure sous sa capuche. Ainsi, elle passait inaperçue.

Elle ne voulait pas que quelqu'un la reconnaisse. Julia prit soudain conscience du courage qu'il lui avait fallu pour venir. Courage, désir de guérir, besoin de retourner sur les lieux de l'accident ou simple volonté d'obéir à Noah qui possédait une information qu'elle souhaitait obtenir – peu importe : elle était là. Kim ne leva la tête et ne salua les autres, d'un air inquiet, qu'une fois installée dans la cabine.

Elle soutint le regard de Molly et Ian lors des présentations et refusa la nourriture qu'ils lui proposèrent. Noah s'assura qu'elle n'en voulait vraiment pas avant de finir les restes avec son fils.

Le *Leila Sue* quitta le port. Ils croisèrent en mer plus de bateaux que deux semaines auparavant. Les plaisanciers venaient de rejoindre les caseyeurs et les estivants arrivaient enfin.

Le *Leila Sue* dépassa un bateau magnifique aux voiles tendues. Dans la cabine, des lampes éclairaient un groupe de vacanciers à la mine dépitée.

— La météo ne doit pas les réjouir ! s'exclama Julia. Vous pensez que le temps va s'éclaircir avant la fin du week-end ?

— Je ne crois pas, non, répondit Noah. La tradition veut qu'on organise des courses de homardiers le jour de la fête nationale, le 4 juillet, mais il est possible que tout soit annulé. On annonce du vent et de la pluie dimanche après-midi et lundi. Tu as entendu, Ian ?

Ian se tenait près de Molly, qui ne quittait pas Kim d'une semelle, au grand soulagement de Julia. Tous trois se serraient dans la cabine, gilets boutonnés, capuches nouées et mains enfouies dans les manches. Julia elle-même se protégeait de la pluie sous sa capuche.

— Un jour de congé ne serait pas de refus, avoua Ian.

— Navré ! répliqua Noah d'un ton qui laissait entendre le contraire. Si le temps ne change pas, on travaillera dimanche aussi. La loi ne nous autorise pas à pêcher mais on pourra toujours déplacer les casiers en prévision de la tempête. Le moindre coup de vent un peu brusque abîmerait les nasses posées sur des hauts-fonds rocheux, ajouta-t-il à l'intention de Julia. On va les relever pour les lancer dans des eaux plus profondes. Sinon, on risque d'en perdre la moitié.

— Comment pouvez-vous distinguer quoi que ce soit ? s'étonna Julia en scrutant le brouillard par la vitre avant.

Noah désigna les écrans de contrôle en guise de réponse.

— En plus, je connais la zone comme ma poche.

De la radio dont il venait d'ajuster le réglage leur parvinrent des bribes de conversation, aussitôt emportées par le vent.

— Vous savez où a eu lieu l'accident ?

— Je connais la latitude et la longitude exactes.

Julia n'ajouta rien de plus et ne s'éloigna pas non plus de Noah. Dans ce brouillard qui lui rappelait étrangement le jour du drame, il la rassurait par sa simple présence.

Le *Leila Sue* prit de la vitesse. Supposant que Kim aussi devait songer à cette fatale journée, Julia intercepta son regard.

— Tout va bien ? lui demanda-t-elle.

Kim avait ôté sa casquette. Des mèches rousses s'échappaient du bord de sa capuche. Elle ne semblait pas au mieux de sa forme. On aurait même dit qu'elle allait hurler. Ce serait sans doute la meilleure chose qui puisse lui arriver.

Elle se contenta de hocher la tête.

Le bateau fendait les vagues sans le moindre bruit, à part le vrombissement du moteur et le crachotement de la radio. Le trajet ne dura pas longtemps. L'*Amelia Celeste* était sur le point d'arriver à quai au moment de la collision avec *le Fauve*. Noah ne quittait pas des yeux ses instruments de navigation. Enfin, il coupa le moteur en déclarant :

— C'est ici.

Le bateau s'éleva au rythme des vagues tandis que le vent soufflait sur la cabine. Un épais silence enveloppait tout le reste. Noah s'approcha du plat-bord d'un air maussade. Quelques instants plus tard, Ian vint l'y rejoindre. Une bonne coudée le séparait de son père. Malgré tout, Julia lui sut gré de son geste.

Elle regagna la poupe afin de leur laisser un peu d'intimité. C'était ici que tant de personnes avaient trouvé la mort à bord de l'*Amelia Celeste*. Le *Leila Sue* ne lui ressemblait pas – plus petit, il n'aurait pu servir de bac – pourtant, Julia se sentit aussitôt ramenée à ce fameux soir. Elle ne se rappelait pas les détails de l'embarquement. Dans sa précipitation, ils étaient restés flous. Mais elle ne pouvait faire abstraction de la présence des huit disparus, tant et si bien qu'elle frissonna. Molly la rejoignit peu après. Sachant cette fois comment réagir, elle prit Julia sans ses bras.

— Tout doit te revenir en mémoire, non ? murmura-t-elle.

— Oh oui ! lui répondit Julia d'une voix étouffée.

— Les passagers ont compris ce qui leur arrivait ?

— Ils ont vu *le Fauve* approcher.

— Exprès ? s'écria Molly, bouleversée.

Julia s'apprêtait à lui répondre qu'elle l'ignorait lorsqu'une main glacée se posa sur la sienne. En se tournant, elle aperçut Kim à sa gauche.

La jeune fille lui jeta un regard désespéré puis secoua la tête en signe de dénégation.

— Il ne l'a pas fait exprès ? reprit Julia.

Kim secoua de nouveau la tête et s'effleura l'épaule.

— Il s'est fait tirer dessus, interpréta Julia. Pourquoi n'a-t-il pas cessé de piloter son bateau ?

Kim afficha une mine perplexe.

— Tu n'en sais rien ?

La jeune fille secoua de nouveau la tête, non sans crainte.

— Tu étais pourtant là, soupira Julia.

Sur les traits de la jeune fille, la peur céda la place à quelque chose qui dépassait de si loin les regrets que Kim parut en souffrir. La réponse ne faisait plus le moindre doute. Julia aurait poursuivi son interrogatoire s'il ne lui avait pas paru déplacé sur le moment. Les explications pouvaient attendre. Pour l'instant perçait dans les yeux de Kim une intense douleur, compensée par un besoin de se faire accepter malgré tout.

Julia la serra contre elle. Molly en fit autant. Toutes trois se soutenaient contre le roulis en regardant en arrière.

Le vent les frappait de plein fouet. La réalité s'imposait enfin, aux limites de ce que l'âme peut endurer.

Noah, plus large de carrure que les jeunes femmes et plus aguerri au roulis, était campé à la proue, le regard perdu dans l'océan. Il remarquait à peine les rafales de vent et l'écume qui jaillissait à chaque embardée du bateau. En inspirant à pleins poumons, il devinait l'âme de son père s'élevant des profondeurs. Les images affluaient au rythme des vagues : Hutch au travail, du matin tôt au soir tard, sans jamais une plainte. Hutch épargnant afin d'acheter une nouvelle alliance à son épouse à l'occasion de leurs noces d'or, alors qu'elle se savait déjà condamnée. Hutch à côté de sa camionnette en ce matin de septembre où Noah était parti à l'université, regardant son fils s'éloigner sans bouger jusqu'à la disparition du ferry.

Ses souvenirs lui rappelèrent les liens qui l'unissaient à son père. Tous deux partageaient bien plus qu'un métier ou une maison. Ils ressentaient quelque chose de très fort l'un pour l'autre, même s'ils ne se l'étaient jamais dit de vive voix. L'émotion noua la gorge de Noah.

Croyait-il vraiment que Kim avait besoin d'une telle expérience ? C'est à lui qu'elle était nécessaire ! Il n'était pas revenu sur les lieux de la catastrophe depuis le fameux soir. Entre-temps, les funérailles avaient eu lieu. Il s'était remis à travailler, à relever des casiers toute la journée. Haber et Welk servaient de soupape à sa colère. Aux moments de calme, il réfléchissait à la chance qu'il avait eue de réchapper à l'accident, aux opportunités qu'offre parfois la vie, au rôle qu'il devrait tenir à l'avenir. Il fallait qu'il marque une pause. C'est en ce lieu où son père avait rendu son dernier soupir que Noah en prit conscience.

Les yeux remplis de larmes, il tenta de s'imprégner de ce qu'il y avait eu de meilleur en Hutch, en priant pour devenir quelqu'un d'aussi bon. L'idée lui vint qu'il n'avait peut-être réchappé à la mort que dans un seul but :

comprendre ce qui faisait la richesse intrinsèque de son père.

Il devina une présence à côté de lui. Ian se tenait auprès de son père, l'air embarrassé.

— Je ne le connaissais pas, lâcha-t-il enfin.

Noah acquiesça en songeant que c'était de sa faute. Il aurait dû inviter Ian sur l'île chaque été. Il se disait toujours que d'autres occupations retenaient son garçon, que Sandi ne voudrait pas qu'il reste aussi longtemps à Big Sawyer, que Noah et Hutch devaient pêcher l'été et ne pouvaient laisser un enfant les ralentir dans leur travail. En fait, Noah cherchait des excuses à son indécision. Il pouvait toujours tenter d'en rejeter la faute sur son mariage mais cela ne le mènerait nulle part. Il était temps qu'il accepte ses responsabilités. Voilà aussi pourquoi il avait survécu à l'accident.

Il disposait de trois semaines. Il entendait bien en profiter au maximum en commençant par un dîner au grill ce soir même. Il voulait présenter son fils à ses amis. Ils ne possédaient certes pas les diplômes dont se prévalaient les connaissances de Sandi mais c'étaient de braves gens. Il voulait que Ian les entende parler de Hutch.

Content d'avoir enfin l'impression d'être sur la bonne voie, il jeta un coup d'œil à la poupe et croisa le regard inquiet de Julia : Kim ne parlait toujours pas.

Il refusa de se laisser décourager. L'une ou l'autre idée finirait bien par porter ses fruits. Il retourna au gouvernail et démarra le moteur. Dès que le trio de femmes partit se réfugier dans la cabine, il mit le cap du *Leila Sue* sur le port. Le brouillard ne se levait toujours pas. Noah dut ralentir en arrivant près des quais afin de ne pas heurter d'autres embarcations. Il fut soulagé de regagner enfin le mouillage.

Kim débarqua sitôt larguées les amarres en s'enfonçant dans le brouillard un peu plus à chaque pas. Elle avait presque rejoint le vague point bleu que formait sa voiture lorsque Molly s'écria :

— Oh ! Elle a laissé tomber sa casquette.

Puis elle courut rejoindre la jeune fille.

Au même instant, Kim dut s'apercevoir que sa casquette lui manquait : elle sortit de sa Honda dont elle venait à peine de tourner la clé de contact pour se précipiter le long de la digue. Au moment où elle rejoignit Molly, quelque chose explosa à l'intérieur de la Honda qui prit aussitôt feu.

17.

Quelques secondes à peine après l'explosion, Julia se précipita sur les quais. Molly venait de s'effondrer sur le ponton à côté de Kim. Toutes deux formaient dans la brume une masse indistincte. Le cœur de Julia battait à tout rompre. Elle dut se frayer un chemin entre les passants accourus au bruit de la détonation avant de rejoindre enfin les filles. Molly, saine et sauve, tenait dans ses bras Kim, qui sanglotait sans parvenir à se maîtriser.

Molly leva sur sa mère un regard terrorisé.

Pendant que d'autres personnes encore se pressaient autour de la voiture en cherchant à éteindre l'incendie, Julia s'accroupit et serra contre sa poitrine les jeunes filles tremblantes aux visages blêmes baignés de larmes.

— Oh mon Dieu !

L'exclamation fusa d'une voix brisée, entre deux sanglots, mais impossible de s'y méprendre : c'était bien Kim qui parlait.

— Quelqu'un a plastiqué la voiture, déclara Molly, bouleversée.

— Il veut ma mort ! s'écria Kim d'une voix suraiguë.

— Qui ? lui demanda gentiment Noah.

— Il a déjà essayé une première fois, reprit-elle en hoquetant. Je lui ai pris son arme. Le coup ne devait pas partir, mais il tenait bon et, au final, il est parti quand même.

Artie. Les différentes pièces du puzzle s'emboîtaient enfin. Julia venait de résoudre l'énigme malgré le choc de l'explosion et la crainte de ce qui aurait pu arriver à sa fille, sans parler des souvenirs de la précédente déflagration en mer. Un nouveau tableau des événements à bord du *Fauve* en ce jour fatidique se composait dans son esprit.

Noah croisa son regard. Il pensait la même chose qu'elle.

— Il faut qu'on l'emmène loin d'ici.

Une foule croissante de gens les entouraient. Une confession publique ne lui disait rien qui vaille. John Roman surgit du brouillard à l'extrémité du parking, courant dans leur direction. Des couvertures avaient étouffé le plus gros des flammes. La voiture de Kim se réduisait à un tas de pièces carbonisées autour du moteur fumant.

— On va dans mon bureau, suggéra John.

— Non, rétorqua Noah. Chez moi. Ça lui paraîtra moins menaçant. En plus, ajouta-t-il en guise d'avertissement au policier, je veux l'entendre avant de te l'amener.

Il aida Kim à se relever puis la soutint jusqu'à sa camionnette.

Julia tendit une main à Molly avant de la prendre dans ses bras, tout simplement. Les gens s'approchaient d'elles pour les réconforter d'un geste amical, ce qui leur apporta un grand soutien. Ils témoignaient à Julia et à sa fille leur affection alors que trois semaines plus tôt personne ici n'avait encore entendu parler d'elles. La peur panique instinctive déclenchée par l'explosion s'empara de nouveau de Julia dans toute sa force. Si Molly avait réagi plus vite ou Kim plus lentement, toutes deux se seraient trouvées auprès de la voiture au moment de la déflagration et l'une comme l'autre auraient sans doute péri. En songeant à cette éventualité, Julia manqua défaillir.

Elle ne voulut toutefois pas quitter Kim ni Noah. Dès qu'elle eut repris contenance, elle passa un bras autour de la taille de Molly et se remit en route. Il ne fut même pas question pour sa fille de retourner travailler au grill. Rick, qui comptait au nombre des badauds attirés par l'explosion, raccompagna Julia et Molly à leur voiture. Il leur proposa même de conduire. Julia refusa. Elle éprouvait le besoin de contrôler un minimum ce qui lui arrivait. Le temps d'arriver chez Noah, elle était suffisamment rassurée au sujet de sa fille pour se concentrer de nouveau sur Kim.

Tous se rassemblèrent dans le salon meublé de consoles en bois vieilli et de fauteuils. Le poêle dans un coin réchauffait l'atmosphère. La pièce leur offrait une échappatoire au brouillard autant qu'à la crainte.

Kim se tassait à un bout du canapé. Sa mère et sa grand-mère, arrivées peu après Julia, gardaient leurs distances, comme si elles se méfiaient de ce que Kim allait dire.

Noah s'assit sur la table basse, près de Kim qu'il enveloppa d'un regard compatissant.

— L'explosion tout à l'heure... Voilà pourquoi tu dois nous raconter ce qui se passait avec Artie. On ne peut pas te protéger sans savoir quel type de danger te guette.

Kim parut se raccrocher à l'assurance qui transparaissait dans sa voix. Elle tenait un verre d'eau contre elle d'une main rien moins que ferme.

— Tu te trouvais à bord du *Fauve*, ce fameux soir ? lui demanda Noah.

Kim acquiesça.

— Tu venais de passer chez Artie ?

Elle hocha de nouveau la tête, sans desserrer les lèvres. Du coup, Julia eut peur qu'elle ne retombe dans son mutisme. Mais Kim but un peu d'eau, s'éclaircit la gorge et lâcha d'une voix rauque :

— Je suis allée lui parler. Je voulais qu'il m'explique ce qui se passait.

— Entre vous ?

— Non ! Il n'y a jamais rien eu entre lui et moi.

— Vous ne sortiez pas ensemble ?

— Non. On devait faire comme si, c'est tout, avoua-t-elle en baissant les yeux. C'était censé nous servir de couverture.

— À quoi ?

— L'argent, précisa-t-elle en lançant à John un regard méfiant.

— Ne tiens pas compte de lui, conseilla Noah. Ce que tu nous racontes n'a rien d'un aveu officiel. Tes amis veulent simplement savoir ce qui s'est passé le jour de l'accident. John ne t'a pas énoncé tes droits. Rien de ce que tu diras ne sera retenu contre toi et s'il ose citer tes propos, nous nierons que tu les as prononcés.

Ils risquaient ainsi de se rendre coupables de parjure, pourtant Julia accepterait volontiers de mentir à la justice si jamais quelqu'un tentait d'inculper Kim. Son histoire avait de quoi déchaîner les passions. Quelle bonne chose que de réagir avec fougue à ce qui en valait la peine ! La vie de Julia manquait de relief. Jamais elle n'avait dû lutter pour Molly, ce qui lui parut somme toute une bonne chose. Mais peut-être que dans le cas contraire, si elle avait dû manifester un peu plus de fougue, elle aurait mûri plus tôt.

Noah partageait son émotion. Il semblait maître de ses gestes mais il n'hésiterait sans doute pas à livrer le fond de sa pensée.

Kim parut s'apaiser.

— Je déposais de l'argent sur son compte à Portland. Il me rémunérait en échange. Il prétendait qu'il ne voulait pas payer d'impôts. Je savais qu'il désobéissait à la loi mais il m'offrait de grosses sommes et... je voulais à tout prix de l'argent.

— Pour quoi faire ? s'enquit John.

Quelle importance ? s'écria Julia en son for intérieur. Elle savait à quoi l'argent lui servirait. Les explications de

Kim ne laissaient aucune place au doute. Comment la jeune fille pourrait-elle avouer à tous ces gens qui se plaisaient tant à Big Sawyer qu'elle n'aimait pas l'île ? Elle ne pouvait risquer de les vexer. Ils détenaient en quelque sorte son avenir entre leurs mains. Sa position restait précaire.

Julia ne connaissait pas encore la Kim qui servait au bar avant l'accident. Cette jeune fille-là savait tenir tête aux marins ou aux pêcheurs les plus coriaces et avait plus de peps que ne l'imaginait Julia.

En levant le menton d'un air de défi, elle répliqua :

— M'en aller d'ici. J'ignorais tout de ses activités, je ne me doutais vraiment pas qu'il gagnait de l'argent en introduisant des clandestins sur le territoire jusqu'à ce que je surprenne une conversation chez lui. Le téléphone s'est mis à sonner. Je ne voulais pas décrocher parce que j'aurais pu tomber sur sa femme. Elle se serait fait de fausses idées, pour le coup. Mais le téléphone ne voulait pas se taire. Une fois déjà, Artie m'avait crié dessus parce que je n'avais pas répondu à un appel qu'il attendait, alors j'ai soulevé le combiné. On a tous les deux décroché en même temps. Il a dit « Allô » le premier, sans s'apercevoir que j'étais en ligne. S'il m'avait entendue raccrocher ensuite, il aurait cru que je l'espionnais. Mieux valait faire semblant de rien. J'ai donc tendu l'oreille. Il m'a fallu un certain temps avant de comprendre de quoi il retournait. Je suis rentrée chez moi sans cesser de penser aux propos que je venais de surprendre. Alors j'ai compris qu'il se servait de moi pour un délit bien plus grave qu'un simple mensonge aux impôts. Je suis retournée chez lui l'interroger.

— Qu'a-t-il dit ?

— Que je me trompais. Que j'avais mal entendu et mal compris puis il m'a proposé un tour en bateau parce qu'il avait besoin d'air. Alors on est sortis et, avant que j'aie le temps de comprendre ce qui se passait, il a brandi un pistolet. Il l'a pointé sur moi. Il n'a rien dit mais je savais qu'il tenterait de me tuer et je ne voulais pas mourir. Alors je me suis jetée sur lui. Le coup est parti et on aurait dit qu'il ne pouvait pas croire qu'il venait d'être touché. Il n'arrêtait pas de porter la main à son épaule et de regarder le sang couler. Pendant ce temps, je me suis emparée de son arme et je me suis postée sur le pont supérieur aussi loin de lui que possible. Je l'aurais tué s'il s'était approché.

— Tu es une brave fille, lui dit Nancy.

Kim se tourna vers sa mère, l'air angoissé, les joues baignées de larmes.

— Je lui ai tiré dessus, m'man. Cette histoire m'a tellement bouleversée que j'ai fini par détourner les yeux et c'est à cause de ça qu'on est rentrés dans l'*Amelia Celeste* et que neuf personnes ont trouvé la mort ! Je ne suis pas une brave fille et je ne crois pas que je le deviendrai jamais !

Kim pensait ce qu'elle disait. Voilà la raison de son silence depuis plus de deux semaines. Sa capacité à s'exprimer de nouveau ne signifiait pas qu'elle n'éprouvait plus de culpabilité. Ce genre de sentiments ne disparaissent jamais pour de bon, Julia le savait bien. Elle n'avait pas fait exprès de tomber enceinte. Depuis toute petite, elle pensait que les filles comme il faut évitent ce genre de surprises. L'impatience de Monte à se marier lui avait permis de considérer sa grossesse comme une simple anticipation d'un bonheur futur. Mais peu après, sans doute lors de sa première infidélité, elle s'était demandé s'il ne s'était pas senti piégé. Même s'il ne l'avait pas formulé, elle en avait eu l'impression. Et peut-être qu'il la trompait pour la punir. De son côté, elle s'en accommodait en espérant ainsi soulager sa propre culpabilité.

Noah reprit d'une voix apaisante :

— Ce qui est arrivé n'est pas ta faute. Vous étiez deux en cause.

Ses paroles s'appliquaient aussi bien à Julia qu'à Kim.

— Je lui ai tiré dessus.

— Avec son pistolet, embarqué dans l'intention de te tuer. Il s'agit de légitime défense, Kim.

— Tu ne t'es pas aperçue qu'il était grièvement blessé ? lui demanda John.

— Non, répondit Kim d'un air surpris. Je croyais la plaie superficielle, vu son insistance à piloter le bateau. Si j'avais pu prévoir que son cœur s'arrêterait de battre, j'aurais fait quelque chose.

— Tu n'as pas entendu de cris venant de l'*Amelia Celeste* ?

— Je n'entendais rien du tout ! s'écria-t-elle d'une voix rauque. J'étais assise au-dessus des moteurs et tellement hors de moi que je ne pensais plus à rien. Je me suis aperçue que quelque chose clochait quand on a heurté le bac. Aussitôt, je me suis retrouvée à l'eau. Pour tout vous dire, je croyais qu'il avait foncé sur un rocher exprès pour me tuer. De toute façon, il veut ma mort. Pensez à ce qui s'est passé tout à l'heure !

— Artie n'y est pour rien, reprit Noah. Il est mort.

Le regard de Kim passa de Noah à John, puis à sa mère avant de se poser sur Julia.

Comptant sur leur confiance mutuelle, Julia lui dit :

— Il est mort. Quelqu'un d'autre a posé la bombe.

— Qui ? lança Kim, interdite.

— J'espérais que tu nous l'apprendrais, déclara John. Tu sais qui se trouvait à l'autre bout du fil cet après-midi-là ?

Kim but une gorgée d'eau.

— Dave. Aucun nom de famille.

— L'un des suspects porte ce prénom. Personne d'autre ?

— Ils ont parlé des « chauffeurs » sans mentionner le moindre nom.

— Il s'agit sans doute des hommes qui pilotent les bateaux à bord desquels transite la cargaison.

— Cargaison ? s'écria Kim. Il s'agit d'êtres humains !

John s'adressa à Noah :

— Les services de l'immigration les soupçonnent d'utiliser de vieux chalutiers. Personne ne s'étonne de voir des bateaux pareils naviguer la nuit. Artie devait organiser les transferts. Le raffut du *Fauve* lui servait de couverture. Jamais il n'a tenté de se faire discret. Les gens d'ici le croyaient antipathique au possible, voilà tout.

— Le trafic a cessé depuis la mort d'Artie ? s'enquit Noah.

— Non. D'autres passeurs ont pris le relais.

— Si les autorités sont au courant, demanda Julia au comble de la frustration, pourquoi n'y a-t-il pas d'arrestations ?

— Il faudrait les prendre en flagrant délit, ce qui n'est pas facile. L'océan est vaste et le rivage, bien long.

— Et Kim ? ajouta Julia en s'adressant à John. Elle n'est pas responsable puisqu'elle ignorait tout de l'affaire ?

— Pas si elle décide de nous aider.

— Elle courra encore plus de risques en acceptant.

— Dorénavant, on la protège.

Julia désirait se retrouver seule avec Noah. Après cette preuve supplémentaire de la fragilité de l'existence, elle voulait discuter avec lui de la perte d'un proche et de l'estime de soi. Elle aurait aimé que Noah la prenne dans ses bras comme l'autre soir près de sa cabane. Jamais elle ne s'était sentie aussi vivante.

Noah devait en penser autant si le regard qu'il posait sur elle signifiait quelque chose. Mais Ian était là, tout comme Molly, et, pour finir, ils se retrouvèrent à quatre au grill. Le jeudi, c'était le soir du hachis. Attablés à l'intérieur à l'abri de la pluie, Noah et Ian commandèrent du hachis de bœuf ; Molly, de coquilles Saint-Jacques et Julia, de homard. Ils ne se parlèrent pas beaucoup car il y avait toujours quelqu'un pour s'installer sur une chaise auprès d'eux et leur toucher un mot de l'explosion ou de Kim. Quand ce n'était pas un pêcheur ami de Noah, c'était le garagiste de l'île, le gérant du port de plaisance ou Alden Foss de la poissonnerie Foss. Plusieurs amis de Zoe vinrent même les voir. Julia les considérait désormais comme ses propres amis. D'ailleurs, Zoe aussi passa leur dire bonsoir.

Alex Brier se joignit à eux. Il se demandait si Julia avait pris des photos de la voiture incendiée puis en profita pour leur montrer trois de ses clichés sur la dernière édition de *La Gazette* de l'île. Tous figuraient à la une, accompagnés de la légende : *Photo de Julia Bechtel*. Elle sourit d'un air embarrassé. Il ne s'agissait que d'instantanés pris sur le vif ! Mais Molly se pencha pour les observer et les déclara fabuleux. Ian abonda dans son sens. Noah, fidèle lecteur du journal, quitta un instant Joe Brady pour jeter un coup d'œil au dernier numéro. Il prétendit qu'il s'agissait des meilleures photos parues dans la gazette depuis des siècles et il espérait bien qu'Alex rémunérerait Julia à sa juste valeur.

Matthew Crane s'approcha de leur groupe et prêta l'oreille à la conversation. Il avait meilleure mine qu'auparavant, il semblait moins fatigué, plus intéressé par ce qui se passait. Julia s'en réjouit. Il n'était pas si vieux, il débordait encore de vitalité.

Julia désirait plus que jamais se retrouver seule avec Noah et discuter avec lui des événements de la journée. L'accident lui avait révélé la nécessité d'avoir un but dans l'existence ; nécessité qu'elle ressentait avec encore plus de force à présent. À un moment, elle retrouva chez Molly une expression de Monte ; elle eut envie de l'appeler mais repoussa aussitôt cette idée. Monte ne comprendrait pas. Il n'avait pas assez de patience pour prêter attention aux problèmes de Julia. Il avait toujours une réponse toute prête au moindre souci.

Elle ne voulait pas de Monte, mais de Noah.

Il la regardait souvent. Elle dut en prendre son parti. Ils s'attardèrent face à leur tasse de café bien après la fin du repas. La présence d'un groupe d'amis auprès d'eux leur procura un sentiment de sécurité réconfortant. Les amis finirent par partir mais même ainsi Julia ne put rester un moment seule à seul avec Noah. Molly voulut à tout prix qu'elle retourne chez Zoe, ne serait-ce qu'un instant.

Julia lui obéit. Elle trouva son père plongé dans un livre qui l'ennuyait et engagea une conversation avec lui. Surtout, elle resta auprès de Molly qui voulait discuter de ce que Kim ferait de sa vie, de ce que Molly elle-même devrait faire, et de la décision qu'aurait prise Julia si jamais Molly était morte dans l'explosion.

— Tu ne devrais même pas penser à une chose pareille ! la réprimanda sa mère.

Molly ne lâcha pas prise :

— Si je mourais, tu quitterais papa ?

— Quelle question !

— Maman, réponds-moi.

Julia ne voulait pas discuter de ça avec Molly. Pourtant, mère et fille venaient d'atteindre une certaine maturité dans leur relation ces deux derniers jours, même si Molly resterait à jamais son enfant, entre adultes il est important d'être sincère. Molly saurait affronter la vérité. Elle aussi avait mûri depuis son arrivée sur l'île.

— Quand tu étais plus jeune, j'aurais fait n'importe quoi pour sauver mon couple. Depuis, mes sentiments ont changé. Tu as grandi, tu sais te débrouiller seule. J'ai l'impression que tu comprendras ma décision, quelle qu'elle soit. Elle ne te réjouira pas forcément, mais tu l'accepteras. C'est pourquoi ta présence à mes côtés ou non n'est plus au cœur du problème.

— Alors, quel est le problème ?

Telle fut la grande question de la soirée. Julia y réfléchit lorsqu'elle rentra à la maison sur la colline, lorsqu'elle posa son alliance sur l'étagère de la salle de bains, lorsqu'elle prit une douche, lorsqu'elle se glissa sous les couvertures. Et elle y réfléchit encore, allongée dans l'obscurité.

Le problème n'était pas Monte. Elle avait passé vingt ans à tenter de le satisfaire – des tentatives sans cesse renouvelées suivies d'autant d'échecs. Ce qu'il voulait ne lui importait plus, à une telle distance de lui. Une seule chose comptait désormais : ce qu'elle voulait, elle.

Qui suis-je ? Qui ai-je envie de devenir ?

En cet instant, une seule réponse se présenta, peut-être parce que Julia se trouvait dans le lit de Noah, pourtant ce détail n'avait pu jouer lorsqu'elle l'avait d'abord vu laver son bateau. Il l'attirait depuis ce jour et l'avait séduite pour de bon l'autre soir, près de la cabane, puis quand elle l'avait aperçu en mer en compagnie de Ian. Toute la soirée, elle s'était sentie poussée vers lui par une force irrésistible, peut-être à cause du danger affronté cet après-midi. Le danger bouleverse les sens. Il fait songer à la mort qui souligne par contraste la brièveté de la vie, qui donne à son tour envie de satisfaire ses moindres caprices.

Son désir pour Noah ne ressemblait pourtant pas à un caprice mais à une nécessité. Elle n'éprouvait pas l'envie de parler, plutôt de se blottir dans ses bras. Elle voulait savoir que quelqu'un la regretterait si jamais elle mourait. Elle voulait être aimée.

Le téléphone raccordé à la ligne fixe sonna. Le combiné se trouvait sur la table de chevet, à quelques centimètres de Julia. Celle-ci se sentit soudain revivre.

— Allô ?

— Je viens de m'engager sur la route qui mène à la maison, déclara-t-il d'une voix rauque. Dites-moi de m'arrêter.

Impossible. Même si elle était mariée à Monte. En cet instant, son assujettissement l'étouffa d'autant plus que ni sa fidélité ni ses besoins ne comptaient. Pourtant Julia aussi éprouvait des désirs. Oh oui !

Son cœur battant la chamade ne l'empêcha pas d'entendre Noah raccrocher. Elle sortit du lit en un éclair avant de grimper quatre à quatre l'escalier puis ouvrit la porte au moment où les phares surgis de la nuit éclairèrent sa chemise de nuit en mousseline achetée en toute innocence à Camden. Elle attendit pieds nus sur le seuil que s'arrête le moteur de la camionnette. Les phares s'éteignirent. Julia n'hésita pas. Elle avait passé sa vie à attendre que les autres prennent les devants. *Quel genre de femme voulait-elle devenir ?* À elle de se charger des initiatives !

Elle rejoignit Noah quand il sortit de sa camionnette. Le temps d'un battement de cœur, les bras de Julia se refermèrent autour de son cou pendant qu'il enserrait sa taille. Le réconfort que ce simple geste lui procura lui donna envie de crier. C'est alors que sa bouche rencontra celle de Noah. Lui non plus n'hésita pas à l'embrasser avec une fougue indiquant qu'il le désirait autant qu'elle.

Enveloppés d'une nappe de brume, ils firent l'amour contre la portière de la camionnette. Julia n'avait encore rien connu de comparable, un désir aussi mûr, un besoin aussi irrépressible. Pas une seule fois elle ne songea à Monte, il n'y avait pas de place pour lui dans ce monde embaumant la résine des pins et l'air marin. L'obscurité lui permit de passer d'une vie à une autre comme lors de l'explosion de l'*Amelia Celeste*. Ses sensations aiguisées par la pénombre absorbèrent tant Julia qu'elle ne prêta attention à aucun détail, ni à l'ardeur de Noah ni à son souffle brûlant entre leurs baisers. Seul comptait leur désir mutuel. Adossée au véhicule, Julia entourait de ses jambes la taille de Noah. À peine le sentit-elle entrer en elle qu'une onde de plaisir l'envahit. La jouissance de Noah ne fit d'ailleurs que l'accroître.

Même à ce moment-là, elle ne voulut pas encore se détacher de lui. Il ne parut pas s'en soucier. Julia blottit sa tête dans le creux de son cou en enserrant sa taille de ses jambes. Noah la porta à l'intérieur de la maison sans le moindre effort apparent. Elle n'en attendait pas moins d'un homme aussi habile à relever des nasses en pleine mer. Il la déposa sur le lit au pied de l'escalier avant d'allumer une petite lampe diffusant une chaude lumière tamisée puis il lui ôta sa chemise de nuit. Julia crut alors mourir. Il explora son corps de ses yeux aussi brûlants que ses mains ou sa bouche. Elle entreprit de le déshabiller à son tour. Bien vite, ses efforts reçurent une exquise récompense : son corps aux muscles fermes vibrait d'excitation.

Tout recommença, différemment cependant. Elle put l'observer à loisir, ce qui ne fit qu'ajouter à son bonheur. Elle distinguait les lèvres de Noah sur ses seins, ses propres mains sur le ventre de Noah. Leurs corps ne formaient plus qu'un. Il lui murmurait des choses charmantes attisant sa flamme. Ils épousèrent le rythme qui leur convenait à une vitesse croissante. Julia ne détacha pas son regard du sien jusqu'à ce qu'un déluge de sensations les submerge tous deux.

Allongée à côté de lui peu après, la joue posée contre son torse, elle pensa à Monte. Ce qu'elle vivait avec Noah ne ressemblait en rien à sa relation conjugale. Monte ne lui soufflait jamais de choses charmantes à l'oreille. Il lui donnait des ordres : *bouge les hanches, ouvre la bouche.* Son obéissance semblait toujours aller de soi. Jamais il ne prononçait son nom. Elle le soupçonnait de s'imaginer en compagnie d'une autre femme car ils faisaient d'ordinaire l'amour dans le noir.

Qui suis-je ?

Monte lui aurait répondu : *mon épouse.*

Qui suis-je ?

Julia. Impossible de l'oublier : Noah avait si souvent prononcé son nom ! Il venait de faire l'amour à Julia sans la quitter des yeux une seule fois.

Qui suis-je ?

Une femme. Impossible de l'oublier ; car, avec sa bouche et ses mains, il caressait tout ce qui la différenciait de lui : seins, ventre, sexe. Son épanouissement la rendit plus téméraire. Elle réagit à l'intrépidité de Noah par une audace qu'elle ne se connaissait pas. La culpabilité n'avait aucune part à ce qu'elle ressentait, seule comptait la joie d'être en vie.

Qui suis-je ?

Une femme séduisante. Monte avait laissé Julia l'oublier, sans doute dans l'espoir de justifier ses aventures. Noah, quant à lui, ne permit pas à Julia de l'ignorer une seule minute. Tout dans son attitude témoignait de la séduction qu'elle exerçait sur lui, depuis le frémissement de ses mains jusqu'aux battements de son cœur. Sans parler de ses gémissements. Au bout du quatrième ou du cinquième, il ne put s'empêcher de rire.

— Qu'est-ce qu'il y a ? lui demanda-t-elle en l'observant.

— Je n'y crois pas, tu es incroyablement sexy !

Lui aussi. Et elle n'hésita pas à le lui dire. Puis ils parlèrent d'autres choses, toujours sous le charme l'un de l'autre. Ils rendaient hommage à la vie par leur ardeur passionnée. Certains gestes que Julia considérait comme autant de répits dans sa relation à Monte lui procurèrent une intense satisfaction en présence de Noah. Il n'avait pas à la presser d'écarter les jambes, cela lui venait naturellement parce qu'elle en avait envie, parce qu'elle éprouvait le besoin de se rapprocher de lui, encore et toujours. Avant le point du jour, elle comprenait déjà mieux son partenaire et ses désirs – elle se connaissait mieux – qu'après vingt ans de mariage avec Monte.

— Il faut que j'y aille, murmura-t-il, blotti contre elle. Ian doit être en train de se réveiller.

Julia acquiesça. Ian, le monde, elle-même, ils étaient tous en train de se réveiller.

Il l'embrassa une fois, deux fois... Enfin, il se dégagea en grognant, d'un air qui signifiait *Je ne veux pas partir* puis s'assit sur le bord du lit, le temps d'enfiler son pantalon. Julia lui passa un bras autour des épaules en promenant les doigts sur son tatouage. Ses muscles jouaient sous sa peau tandis qu'il mettait ses habits.

— Il représente un cordage en chanvre. Tu sais pourquoi ? lui demanda-t-il d'une voix douce.

— Non.

— Parce que nous autres, pêcheurs, sommes attachés à l'île. On est nés ici et c'est ici qu'on a grandi. Il arrive qu'on parte. Jamais longtemps.

Il s'agissait d'un avertissement. Noah ne la regarda pas en prononçant ces paroles, il finissait de s'habiller à la lueur des premiers rayons du soleil.

Elle l'observa sans bouger. La réalité ne tarderait pas à resurgir, même si la culpabilité ne l'étouffait plus. Elle ne regrettait pas ce qui venait de se passer car elle se sentait désormais plus forte, comme après les autres événements de l'été. Sa nuit en compagnie de Noah faisait d'elle une personne différente. Voilà la réalité qu'elle devrait dorénavant affronter.

Noah s'arrêta à la porte pour revenir la prendre dans ses bras un long moment avant de la reposer doucement sur le lit. Il lui caressa la joue. Son regard exprimait un désir si intense de la revoir que Julia en eut le souffle coupé.

— Je t'aime, souffla-t-il.

Par ces simples mots, il s'empara de son cœur – c'était injuste. Elle n'était pas libre. Le moment était mal choisi ! Elle l'aurait sans doute avoué si ses yeux ne s'étaient pas remplis de larmes à l'instant même. Il lui donna un dernier baiser fougueux puis s'éloigna.

Elle s'enveloppa dans le drap avant de se lancer à sa poursuite. Lorsqu'elle atteignit la porte d'entrée, il tournait déjà la clé de contact de sa camionnette. Cela valait sans doute mieux ainsi. Elle dut se contenter de l'observer à travers ses larmes sous la pluie.

Elle ne bougea pas avant de voir son véhicule disparaître puis referma la porte. De retour dans son lit, elle se pelotonna contre l'oreiller de Noah, encore imprégné de son odeur, mais ne parvint pas à s'endormir. Son corps entier le réclamait. Son esprit poursuivait quant à lui son propre cheminement dans la voie qu'elle devait maintenant suivre.

Elle se leva, se doucha, enfila ses plus beaux habits puis se maquilla. S'il lui fut difficile de mettre son alliance, elle n'y renonça pas pour autant. Elle était encore mariée à Monte.

Elle rangea la chambre et fit ses bagages. Du sac en cuir repêché dans l'océan, elle sortit son jeu de clés ainsi que deux enveloppes. L'une contenait les photos prises des années auparavant ; l'autre, les documents rassemblés par ses soins avec beaucoup de peine ces derniers temps. Elle fourra le tout dans son nouveau sac et s'installa dans la cuisine, une tasse de café à la main, en attendant le moment opportun de partir chez Zoe.

À son arrivée, les lapins s'éveillaient à peine. Julia gratta les oreilles de Ned avant de s'engager entre les rangées de cages. Les nébulisateurs laissaient échapper quelques bouffées de parfum. Un silence absolu régnait dans l'écurie, troublé seulement de temps à autre par le chant d'un roitelet dans la prairie ou le cri lointain d'une mouette. Julia se rendit d'abord auprès de Gretchen mais ne tarda pas à s'occuper des nouveau-nés. Elle les prit entre ses mains chacun à leur tour, en s'étonnant de leur croissance rapide : ces petites choses tout en jambes s'étaient aujourd'hui changées en boules de fourrure chaude. La vie suivait son cours et, dans quelques semaines, les lapereaux se retrouveraient loin de leur mère.

— À Big Sawyer, on ne s'habille jamais aussi tôt le matin, à moins de passer la journée sur le continent, déclara depuis le seuil Zoe, vêtue d'une robe de chambre ; le bruit de la voiture avait dû la tirer du lit. Tu t'en vas ?

— Il faut que je parle à Monte. Ça ne peut plus attendre, expliqua Julia en reposant délicatement le lapereau dans son nichoir puis elle prit la main de Zoe. Je ne veux voir personne d'autre. Tu leur diras que je suis partie ?

— Molly va me poser des questions. Que dois-je répondre ?

— Simplement... qu'une discussion entre Monte et moi s'avérait indispensable.

Zoe la fixa d'un regard compréhensif. Elle caressa la joue de Julia puis la prit dans ses bras avant de la laisser s'en aller.

18.

Julia emprunta le premier ferry de la matinée. Elle conduisit sa voiture à bord, les yeux noyés de larmes, puis regarda l'île disparaître dans le brouillard depuis la rambarde. La capuche relevée en prévision des gerbes d'écume lancées par le vent, elle sentit à peine le navire tanguer. La houle était plus forte qu'au cours des précédentes traversées, pourtant Julia ne craignait plus rien. Elle avait conclu une sorte de trêve avec la mer depuis le naufrage de l'*Amelia Celeste*. L'océan ne l'emporterait pas aujourd'hui.

Arrivée à Rockland, elle remonta en voiture. Direction le sud. L'avion allait plus vite mais elle avait besoin d'être rassurée par sa voiture qu'elle connaissait si bien – par la présence de son sac sur le siège passager, de sa carte routière dans la boîte à gants et de ses bagages dans le coffre. Il lui fallait aussi du temps. Le brouillard ne tarda pas à se lever ni ses projets à revêtir leur forme définitive. À Portland, elle parvint à penser à Noah sans être submergée par l'émotion, en partie parce que la circulation réclamait toute son attention. Le trafic devint ensuite plus fluide, mais ce court instant de tension suffit à lui rappeler ce qui l'attendait. À compter de ce moment, elle refusa de songer à autre chose qu'à l'avenir.

Elle passa plusieurs coups de fil dans le New Hampshire puis s'arrêta pour déjeuner dans le Massachusetts avant de reprendre la route en direction de New York. Pas un accident ni le moindre chantier ne ralentit la circulation. Julia conduisit avec assurance d'une main ferme, ce qui lui parut de bon augure.

Noah était d'humeur aussi maussade que le temps. Il savait qu'il jouait avec le feu. L'alliance de Julia ne quittait jamais son champ de vision quand il se trouvait en sa compagnie. Jamais elle n'avait parlé de divorce. Ce matin, elle était partie à bord du premier ferry – information relayée par Leslie Crane sur sa radio. Noah se sentait dans la peau d'un homme mis à nu puis flagellé.

Disparue pour de bon ? Comment savoir ! Pourtant la décision de Julia comptait au plus haut point à ses yeux, ce qui rendait son incertitude d'autant plus pénible.

La pluie se mit à tomber en milieu de journée. Le *Leila Sue* tanguait sur des vagues de quatre pieds de haut. Compte tenu des prévisions météo plutôt mauvaises et du petit nombre de homards dans les casiers qu'il relevait, il lui restait peu de motifs de se réjouir. Les choses empirèrent encore à l'approche des récifs au nord de Big Sawyer, où il aperçut des dizaines de balises citron, prune, citron à côté de ses propres filières.

— Bon sang de bonsoir ! marmonna-t-il en tenant le gouvernail d'une main ferme contre le roulis. Ils ne comprendront donc jamais !

Ian vint le rejoindre.

— Ce sont les balises que tu as coupées ?

— Non. Celles-là auront été se perdre entre les rochers. Il s'agit d'autres balises toutes neuves.

— Qu'est-ce que tu vas faire ?

Noah voulait en discuter avec ses collègues, puis il eut une autre idée. Il avait les nerfs assez à vif pour la concrétiser. Il ralentit avant de mettre le cap du *Leila Sue* sur la première des balises de Haber et Welk.

— On va relever leurs casiers, déclara-t-il entre ses dents. Attrape la balise avec une gaffe.

Ian lui obéit. Noah accrocha la ligne à un treuil, qu'il mit en marche. Le premier casier sorti des profondeurs contenait deux bêtes de taille raisonnable.

— On relève leurs prises ? lança Ian, sceptique.

— Nan !

Noah ouvrit la nasse mais, au lieu de jeter son contenu sur le pont de son bateau, il le lança à la mer. Il en fit autant avec le second casier qu'il balança ensuite par-dessus bord à la suite du premier. Il attendit que la balise flotte de nouveau sur l'eau pour se diriger vers la prochaine.

Il ne parvenait pas à comprendre les femmes, par contre il était doué pour ce genre de choses.

En fin d'après-midi, Julia arriva à Manhattan. L'envie de pleurer la submergea de nouveau, elle se l'expliqua surtout par son appréhension. Elle laissa sa voiture dans un parc de stationnement avant de continuer à pied sous le soleil déclinant jusqu'à Madison Avenue et la boutique de Charlotte. Elle eut beau apercevoir son amie à l'intérieur, elle ne s'arrêta pas. Impossible de lui parler maintenant.

Les employés sortis des bureaux encombraient les trottoirs. La foule garantirait l'anonymat de Julia : elle y avait moins l'impression de sortir du lot. Malgré son énervement, elle s'arrêta pour boire un café. En le sirotant elle feuilleta le dernier numéro d'un magazine féminin sans cesser de jeter des coups d'œil à sa montre. Au moment convenu, elle se présenta à l'adresse notée en cours de route. L'heure suivante passa dans une sorte de brouillard. Lorsqu'elle ressortit dans la rue, un nœud lui contractait l'estomac mais elle disposait au moins de plus amples informations.

Comme il lui restait encore pas mal de temps, elle dîna dans un petit restaurant assez loin de ceux où elle avait ses habitudes afin de ne pas croiser par hasard quelqu'un de sa connaissance. Elle choisit une table à l'écart et garda les yeux baissés sur sa lecture.

Un homme s'approcha d'elle. Habillé avec élégance, grand et bien bâti, il semblait du même âge que Julia.

— Je vous demande pardon, dit-il d'un air confus, ne seriez-vous pas Susan Paine ?

— Non, désolée, répondit-elle en souriant avant de replonger dans son magazine.

— Vous ne sauriez pas à quoi elle ressemble, par hasard ?

— Non, je le regrette.

— Eh bien moi non plus, reprit-il d'un ton moins confus que hautain.

Comprenant qu'il la draguait, Julia lui fit signe de la laisser tranquille et retourna à son journal, flattée mais si peu intéressée qu'elle faillit prendre en pitié l'homme en question.

Il partit. Elle reprit du café. Après avoir lu son magazine deux fois en entier – la seconde, l'esprit ailleurs –, elle demanda l'addition puis s'en alla. Il lui restait encore du temps à tuer. Elle se promena sur les trottoirs au milieu des passants entre les voitures et leurs bruits de klaxon en refusant de songer au calme de Big Sawyer.

Elle observa un moment les allées et venues sur la Plaza, puis autour du Rockfeller Center, comme au tout début de son installation à New York, avant que la routine ne la rende indifférente aux beautés de la ville. Ce soir-là, elle y prêta de nouveau attention, en les appréciant bien plus que depuis longtemps.

Toutes les cinq minutes, elle consulta sa montre. Elle se sentait de plus en plus compromise à mesure que l'heure approchait.

À 23 heures, Julia s'agita. À 23 h 30, elle rejoignit les quartiers résidentiels en s'efforçant de conserver son sang-froid. Peu avant minuit, elle arriva à l'adresse qu'elle considérait comme son domicile depuis quatorze ans. Le concierge veillait sur l'entrée principale mais elle ne voulait pas qu'il la voie. À l'aide de sa clé, elle se glissa dans l'immeuble par l'entrée de service et prit l'ascenseur jusqu'au dernier étage. Elle longea le couloir pour s'arrêter face à la porte en pressant d'une main son cœur qui battait la chamade. Elle ne cessait de se répéter que ses manigances ne serviraient à rien si jamais il ne se trouvait pas à la maison.

Elle entra sans bruit. Le porte-documents de Monte se trouvait au pied du buffet à l'endroit où il le déposait d'habitude en entrant le soir. Une lumière éclairait le couloir menant à la chambre d'où provenait une musique d'ambiance. L'espace d'une seconde, Julia éprouva comme un vertige.

Qui suis-je ? Une fouineuse ingrate et malhonnête, songea-t-elle.

Non. Non ! C'est ici chez moi. J'ai le droit de venir quand je veux dans cet appartement.

Elle s'avança vers la chambre sur le parquet qu'elle connaissait suffisamment pour éviter les lattes grinçantes. Son cœur, loin de rester aussi silencieux, battait à tout rompre lorsque, arrivée sur le seuil, elle jeta un coup d'œil dans la pièce.

Monte dormait sous un drap froissé, le bras passé autour d'une jeune femme aux cheveux noirs. Le peu de tissu qui les couvrait laissait apercevoir leur nudité.

Julia le savait depuis toujours. Le voir de ses propres yeux, surprendre son mari au lit avec une autre, lui fit tout de même l'effet d'un coup de poing dans le ventre. Elle eut peur de vomir. Elle déglutit, puis la colère succéda au malaise et lui donna de l'audace.

La chaîne stéréo diffusait une musique douce. Monte ronflait en sourdine. Julia n'aperçut pas d'habits jetés un peu partout comme lors d'une première étreinte passionnée. Les affaires de son mari reposaient en ordre sur la causeuse ; celles de sa partenaire, sur une chaise. Ce détail suggérait qu'ils ne passaient pas la nuit ensemble pour la première fois.

Sous le coup d'une impulsion subite, Julia ramassa par terre un escarpin à haut talon qu'elle glissa dans son sac. Aussitôt, elle se le reprocha, sans remettre la chaussure à sa place pour autant. Elle lui servirait de preuve au cas où Monte tenterait par la suite de nier les faits en prétendant qu'elle se faisait des idées ou, comme dans le cas de Molly, qu'elle « avait pris quelque chose ».

Julia s'approcha du lit. Elle en voulut à Monte de la pousser à réagir de cette manière. La colère lui donnait du recul sur les événements. C'est avec une curieuse indifférence qu'elle observa les deux corps enlacés. Elle n'avait pas dormi dans les bras de Monte depuis... elle ne s'en rappelait même plus ! Il ne le lui demandait pas, elle ne le proposait pas non plus. Sans doute s'agissait-il encore d'un de ses besoins insatisfaits.

Il cessa soudain de ronfler puis cligna des paupières avant de se redresser. Il posa sur elle son regard de myope qu'elle connaissait si bien mais il ne parvint pas à l'identifier au premier abord. Il avait enlevé ses lentilles.

Il finit par la reconnaître et bondit en écarquillant les yeux. L'enchaînement de ses idées parut à Julia presque comique : il s'aperçut de sa présence, puis que sa maîtresse se trouvait à ses côtés. Il tira le drap comme pour la dissimuler, mine de rien, mais se découvrit ainsi lui-même. Sa nudité le condamnait. En tirant de son côté un bout de tissu, il réveilla la femme qui jeta un coup d'œil à Julia avant de se cacher sous le drap.

Monte s'enveloppa d'une couverture et sortit du lit avant de passer à l'offensive.

— Tu es partie depuis deux semaines et demie. C'est à peine si tu m'as passé un coup de fil ! Tu ne semblais pas vouloir revenir un jour. Qu'est-ce que tu fiches ici, Julia ?

Julia avait imaginé leur discussion une bonne centaine de fois sur la route depuis le Maine. Si furieuse qu'elle soit, elle maîtrisait la situation.

— Je suis ici chez moi.

— Comment es-tu entrée ? Pourquoi n'as-tu pas appelé ? Si j'avais su...

— Tu ne l'aurais pas amenée ici ? Voilà pourquoi je n'ai pas téléphoné.

Écœurée, elle regarda la silhouette dissimulée sous les draps.

— Quel spectacle lamentable ! Je t'attends dans le salon, déclara-t-elle, et elle tourna les talons.

Une minute s'écoula avant qu'il ne la rejoigne. Il devait croire qu'il s'en tirerait mieux habillé car il apparut en pantalon. Il portait aussi des lunettes à monture d'écaille qui lui donnaient un aspect sévère.

— Je ne m'attendais pas à ce que tu fermes les yeux sur mes infidélités mais tu viens d'agir de façon malhonnête. Tu cherchais à me tendre un piège ou quoi ?

— Monte ! s'écria Julia. Tu étais nu au lit avec une femme.

— Il ne s'agit pas de ce que tu crois, affirma-t-il avec aplomb.

— Oh, je t'en prie ! Ne me traite pas comme une idiote. Je t'ai pris sur le fait. Molly aussi, d'ailleurs.

— Qu'est-ce qu'elle a dit ? demanda-t-il en plissant les yeux.

— Que tu passais la nuit avec une vieille amie dans une mauvaise passe. Elle l'a peut-être cru. Pas moi. Je veux divorcer.

Un court silence lui répondit, masqué par la musique d'ambiance.

— Divorcer ? répéta-t-il d'un air abasourdi. D'où sors-tu une idée pareille ?

— D'années passées à supporter tes infidélités et tes mesquineries. J'en ai plus qu'assez, Monte.

Il se passa une main dans les cheveux en balayant la pièce d'un regard perplexe.

— Pourquoi le concierge ne m'a-t-il pas prévenu de ta visite ?

— Je suis entrée par la porte de service.

— Comment ? Je ne t'ai pas envoyé de clés de chez nous.

— J'avais remarqué ! Les plongeurs ont récupéré le sac qui contenait mes clés au fond de l'océan.

— Alors tu voulais débarquer ici sans prévenir dans l'unique intention de me surprendre ?

Elle se sentit assez remontée contre lui pour s'en amuser.

— Eh bien j'ai réussi ! Je t'ai pris la main dans le sac.

Elle réfréna sa colère en tentant d'adopter un ton détaché, plus assuré. Monte devait comprendre qu'elle ne reviendrait pas sur ses paroles.

— J'ai consulté un avocat à propos du divorce.

— Tu ne parles pas sérieusement !

— Si.

— Pour quels motifs ?

— Je n'ai que l'embarras du choix : incompatibilité de caractère ou adultère.

— Jamais tu ne pourrais le prouver.

— Si. Je possède des copies de relevés de compte de ces dernières années.

Sans parler de la chaussure dans son sac. Monte s'empourpra.

— Tu n'avais pas à mettre le nez dans mes affaires !

— Nos affaires, Monte. Le compte est aussi à mon nom. J'ai le droit de consulter nos relevés.

Il la dévisagea une bonne minute.

— Julia, ça ne te ressemble pas.

Elle se contenta de lui renvoyer son regard.

— Si tu crois pouvoir emporter tout ce qui se trouve ici, réfléchis bien ! Tu m'as laissé pour t'en aller dans le Maine : il s'agit d'un abandon du domicile conjugal.

— Mon avocat prétend le contraire.

— Qui est ton avocat ?

— Mark Tompkins.

— Ah ! lâcha-t-il d'un ton persifleur. Le défenseur de toutes les épouses insatisfaites de New York. C'est lui qui t'a convaincue de demander le divorce ? Ça fait partie de son travail, tu sais.

— Ma décision était prise avant même de le contacter, répliqua Julia, bien décidée à lui tenir tête.

— Zoe a dû t'influencer ? T'endoctriner ? Elle déteste les hommes.

— C'est faux ! En plus, je n'ai pas passé assez de temps en sa compagnie pour subir son influence. Elle ignore tout de mes intentions.

— Mais je ne veux pas divorcer ! protesta-t-il, la mine penaude.

Julia y réfléchit un instant. Et moi ? se dit-elle. Qui suis-je ? Une femme qui en a plus qu'assez de se laisser écraser. Une femme qui a mieux à faire que de s'investir dans un couple qui bat de l'aile depuis des années.

— Bien sûr que tu ne veux pas divorcer, reprit-elle d'un ton compréhensif. C'est tellement mieux de pouvoir compter sur quelqu'un pour satisfaire tes moindres besoins, ça te laisse du temps pour fréquenter en douce des femmes comme celle qui se cache dans le lit. Je sais que tu ne veux pas divorcer ; moi, si.

— Je m'y opposerai, déclara-t-il en se raidissant.

— Je peux produire des factures téléphoniques détaillées.

Sans compter la chaussure. Le voilà pris sur le fait !

— Tu as réclamé le détail des factures de téléphone ?

— Oui. Je m'attendais à ce que tu tentes de t'en tirer par de belles paroles en l'absence de preuves.

— Et Molly ? Tu as pensé à elle ?

— Pardon ! explosa Julia sur le point de perdre son calme. Sans Molly, j'aurais pu demander le divorce des années plus tôt. Aujourd'hui, c'est une adulte. Elle sait ce qu'elle a vu le soir de son retour mais, comme tu restes son père, elle préfère sans doute croire à ta version des faits. Si tu te soucies vraiment d'elle, tu t'arrangeras pour que tout se passe de la manière la plus courtoise possible entre nous.

Il posa ses mains sur ses hanches en fronçant les sourcils. D'une voix douce, il lui demanda, comme s'il s'y intéressait pour la toute première fois :

— Que s'est-il passé là-bas ? Tu as rencontré quelqu'un ?

— Oui : moi.

— Je ne plaisante pas, ajouta-t-il d'un air irrité.

Julia non plus. Elle ne lui parla pas de Noah car, même s'il comptait dans sa vie, ce n'était pas le principal.

— J'ai découvert l'importance de ce que je pense, de ce que je ressens. Il y a longtemps que j'aurais dû m'en apercevoir.

— Donne-moi cinq minutes et c'est de l'histoire ancienne, reprit-il à voix basse en désignant la chambre à coucher. Elle ne signifie rien pour moi.

— Désolée pour toi ! Peut-être que tu rencontreras un jour quelqu'un qui compte à tes yeux.

Il posa sur elle un regard neuf comme s'il la voyait pour la première fois. D'un ton plus curieux qu'accusateur, il poursuivit :

— C'est pour cette raison que tu es partie ? Tu as dû rassembler les relevés et les factures bien avant ton départ.

— Je n'étais pas certaine de m'en servir un jour.

— C'est l'accident qui a tout déclenché ?

— Je crois, répondit-elle d'une voix aussi posée que celle de Monte. En fait, j'en suis même convaincue. Les accidents de ce genre chamboulent tout.

— Il te faudrait sans doute une séance ou deux de thérapie.

Elle sourit. Elle n'était plus vraiment en colère, plutôt soulagée. Pendant des années, la panique s'emparait d'elle chaque fois qu'elle imaginait cette conversation. Le pire venait de passer. Elle se sentit sereine, presque triste.

— Une thérapie ne résoudrait pas mes problèmes. Tu as des besoins, Monte, or tu n'es pas le seul. Tu sais ce qu'éprouve une femme trompée ? Beaucoup de peine et de colère. Elle se sent dégradée, abusée.

— Si je te promettais...

Il s'interrompit net en la voyant lever la main. Le regard de Julia exprimait ce qu'elle refusait de dire tout haut. Ses promesses ne valaient rien. Au bout d'un certain temps, la confiance finit par disparaître.

— Je me sens mal aimée depuis trop longtemps, lâcha-t-elle en guise de conclusion.

— Pourtant je t'aime.

— À ta façon, mais ça ne suffit pas.

— Tu lui as dit ça ? s'exclama son amie Donna peu de temps après.

— Oui, confirma Julia en s'enfonçant dans le canapé, les jambes étendues dans une posture peu gracieuse qu'elle n'avait pourtant pas la volonté de rectifier.

Dans les rues désertes qui la séparaient de chez son amie, Julia s'était mise à trembler. Elle remercia Donna de l'avoir attendue, de l'accueillir à bras ouverts et de l'héberger pour la nuit. Ce qu'elle venait de faire l'effrayait. Elle se sentit soudain à bout de forces.

Donna portait une robe de chambre et des bigoudis. Son visage luisait de propreté. Difficile de reconnaître en elle une avocate à succès. Pour l'instant, c'était juste une jeune femme que Julia avait bien de la chance de compter parmi ses amies.

— Merci encore, lui dit Julia. Mark n'aurait sans doute pas accepté de me recevoir sans ton coup de fil.

— Les avocats s'entraident. Il saura défendre au mieux tes intérêts.

— Lesquels ? Je ne suis pas certaine de vouloir ce que possède Monte.

— Non, répondit Donna en l'observant attentivement. Tu n'en as jamais voulu.

Julia bâilla. Elle prêta l'oreille aux bruits de la ville au-dehors.

— Vous étiez toutes au courant ?

— De ses aventures ? Disons qu'on les soupçonnait.

— Tu crois que j'étais une imbécile de ne rien voir ?

— Julia ! la chapitra Donna. Personne ne t'a jamais prise pour une imbécile. Les femmes ont un comportement pragmatique. Elles font ce qu'il faut, au moment nécessaire. Leur champ d'action évolue selon les circonstances. Toutes n'ont pas le courage de se prendre en main. Toi, si. Les autres t'admireront autant que moi quand elles apprendront la nouvelle.

Julia aimait Donna tout comme Charlotte ou Jane. Ce qu'elle appréciait le plus chez ces femmes remarquables, c'était l'affection qu'elles lui témoignaient.

Elle prit la main de son amie.

— Si jamais je quittais New York ?

— Quoi ?! s'écria Donna. Personne ne quitte jamais New York pour de bon. Et même si tu partais, tu crois qu'on te laisserait tranquille ? Tu rêves, ma puce !

Julia dormit d'un profond sommeil jusqu'à ce que Donna la réveille à l'heure convenue. Elle se doucha, enfila ses habits et prit son alliance. Des pierres précieuses étincelaient sur le dessus, l'autre côté en platine était usé, poli à l'extérieur mais abrasé à l'intérieur.

L'heure avait sonné. Julia enfouit la bague dans son sac. Elle dégusta un café accompagné d'un croissant auprès de Donna, sans s'attarder. Il lui restait une longue route à parcourir.

Peu de véhicules circulaient ce samedi matin-là. Le trajet jusqu'à Baltimore lui prendrait trois heures et demie, le temps de décompresser puis de mettre de l'ordre dans ses idées. À la lumière du jour, le sens de ses actes lui apparut plus décisif que jamais. Un grand changement l'attendait, sans parler des démarches judiciaires. Elle ne prenait pas le divorce à la légère. Chaque fois que son regard se posait sur son annulaire nu, elle tressaillait.

La voix de Noah l'aurait sans doute apaisée. Pourtant, elle ne voulait pas l'appeler. Elle ne divorçait pas pour Noah mais dans son propre intérêt.

Elle longea la 9e avenue en songeant à sa vie passée à New York. À la sortie du Lincoln Tunnel, elle se concentra sur Janet ou, plutôt, elle se prépara à renoncer au comportement qui était le sien depuis quarante ans.

Qui suis-je ? s'interrogea-t-elle à plusieurs reprises dans l'espoir de se donner du courage. *Je suis une femme forte et pleine de ressources, aussi raisonnable que responsable, au caractère entier et indépendant. Je me suis forgée mes propres convictions que je n'hésiterai pas à mettre en pratique.*

Ces paroles se changèrent en formule magique. Julia savait que tout se déciderait au premier coup d'œil. Janet devrait s'apercevoir de sa métamorphose dès qu'elle poserait le regard sur sa fille.

Elle prit une profonde inspiration en arrivant à Baltimore et répéta son incantation le long de la route qu'elle connaissait si bien. *J'ai survécu à l'accident,* ajouta-t-elle. *Il est de mon devoir en tant que rescapée d'exprimer ce que j'estime juste. Je ne me laisserai plus jamais déprécier.*

La rue bordée d'arbres, où vivaient ses parents, lui parut plus élégante que jamais avec ses grandes demeures de brique aux pelouses verdoyantes. Elle s'engagea dans leur allée puis s'arrêta derrière le garage. L'humidité l'atteignit dès sa sortie de voiture. L'atmosphère si particulière de Baltimore lui rappela soudain le passé plus qu'elle ne l'oppressa mais cela suffit à la déstabiliser. En approchant de la porte, elle se demanda si ses cheveux n'étaient pas trop courts, son pantalon trop froissé ou ses chaussures pas assez habillées. Ces appréhensions provenaient d'un vieux réflexe. Sa mère ne craignait jamais d'exprimer ses opinions tranchées.

J'ai une responsabilité envers moi-même, se rabâcha Julia avant de sonner à la porte. Elle possédait une clé de la maison dont elle se servait enfant, sans parler des innombrables fois où elle était revenue en toute hâte de New York remplacer Janet absente. Cette clé pendait d'ailleurs au trousseau repêché en mer. Son instinct lui souffla qu'il valait mieux ne pas ouvrir elle-même la porte aujourd'hui.

Le rideau s'écarta. Le visage ébahi de sa mère apparut à la fenêtre. La porte s'ouvrit aussitôt. Julia renonça à son agressivité. Jamais encore elle n'avait vu Janet dans cet état : mince mais voûtée, elle semblait vieillie ; oui, vieillie. Elle portait un short délavé d'où sortait son chemisier et n'était pas maquillée. Ses cheveux argentés manquaient d'un coup de peigne. Elle ne ressemblait en rien à une femme de pouvoir. Julia ne se rappelait pas la dernière fois qu'elle avait vu sa mère aussi négligée. Dans ses souvenirs, sa mère était toujours apprêtée avec le plus grand soin. Déstabilisée – il s'agissait tout de même de sa mère ! –, Julia perdit toute envie de lutter.

— Ton père va bien ? s'enquit Janet d'un air affolé.

— Oui.

— Molly aussi ?

— Mais oui !

— Et toi ?

Julia réussit à sourire.

— Je me porte comme un charme. Je peux entrer ?

Janet s'écarta, surprise par sa question.

— J'étais sur la terrasse. Je n'attendais personne. Je lisais le journal. Je viens de passer une semaine infernale. Je trouve à peine le temps de souffler ce matin.

Elle s'engagea dans la fraîcheur du couloir puis se retourna pour inspecter Julia d'un air embarrassé.

— Il t'a dit de venir ?

L'identité du « il » ne faisait aucun doute.

— Non. Il ne sait pas que je suis ici.

Janet s'arrêta de nouveau quelques pas plus loin. Son regard semblait cette fois plus sombre.

— J'espère que tu ne viens pas plaider sa cause ! C'est à lui de le faire, pas à toi.

Elle regagna la terrasse où elle prit place sur une chaise longue avec plus de précautions que si elle avait eu vingt ans de moins. Le journal qui traînait sur une table basse ne semblait pas ouvert.

Le cœur de Julia se brisa. Sa mère n'était visiblement pas très heureuse.

— Je ne viens pas plaider sa cause, maman. Je veux juste que tu saches qu'il n'y a rien entre Zoe et lui. Il ne s'est rien passé depuis des années. Il est parti chez elle parce qu'il souhaitait me rejoindre et qu'il t'en voulait, or il savait très bien que sa visite te causerait beaucoup de peine.

— C'était puéril de sa part.

— Oui.

Janet ferma les yeux. Julia craignait que c'en soit fini de leur conversation lorsque sa mère reprit :

— Comment sais-tu qu'il ne se passe rien ?

— Je les ai vus ensemble. Ils ne s'attirent plus.

— Tu t'apercevrais du contraire ?

— Je crois que oui.

— Tu n'as rien remarqué, la fois précédente.

— J'avais quinze ans !

Janet ne répondit rien. Elle croisa les doigts sous le soleil. Hormis ses ongles polis – elle se faisait manucurer tous les jeudis –, ses mains trahissaient son épuisement nerveux.

— Il ne se passe rien, insista Julia. Fais-moi confiance. Vingt-cinq années se sont écoulées. Ils ont changé. Papa s'ennuie. Zoe lui donne du travail dans l'écurie mais elle ne veut pas s'approcher de lui, alors il traîne comme une âme en peine. Il passe pas mal de temps au grill où il attend que Molly s'échappe un instant des cuisines pour lui dire bonjour. Il se promène sur les quais où il discute avec les passants qu'il croise.

— Il vit sous le même toit qu'elle, rétorqua Janet d'un ton las.

— À cause de moi ! Ni lui ni Zoe ne voulaient de cette situation mais j'ai accaparé le seul autre logement libre.

Janet soupira puis offrit son visage au soleil.

— Tu as mis de la crème solaire ? s'enquit Julia.

— Non.

— Tu ne devrais pas ?

Quelques taches suspectes sur son visage avaient nécessité un traitement au cours des dernières années.

Janet entrouvrit les yeux avant de répondre d'un ton pince-sans-rire :

— J'aime vivre dangereusement. Si tu loges ailleurs, qui te dit qu'il ne va pas la retrouver la nuit ?

— Zoe affirme que non.

— Tu la crois ?

— Pourquoi mentirait-elle ? Si la situation la réjouissait, toute son attitude l'indiquerait. Mais elle ne paraît pas très gaie. Jamais elle ne s'est pardonnée ce qui s'est passé, elle est fermement décidée à ce que ça ne se reproduise pas.

Après un bref silence, Janet lança :

— Pourquoi ne revient-il pas s'il s'ennuie ?

— Parce que tu ne l'as pas appelé.

— Lui non plus n'a pas tenté de me joindre. Si je tombais au bas des escaliers et que j'avais besoin d'aide ? Si je mourais dans mon sommeil ? Il s'en fiche ou quoi ?

— J'ai réchappé de justesse à un accident qui aurait pu me tuer mais tu n'as jamais appelé. Toi aussi tu t'en fichais ?

— Je savais que tu n'avais rien. Tu nous l'as annoncé par téléphone.

— En ajoutant que j'étais hors de moi !

— Certes. Pourrait-on aborder ce sujet plus tard ? Pour l'heure il est question de ton père.

Une telle attitude ressemblait bien à Janet ! Julia ne put retenir un soupir exaspéré.

— Bien sûr qu'il se soucie de toi !

— J'ai raconté à tes frères que je l'avais envoyé là-bas auprès de toi. Je ne savais pas quoi dire d'autre. Il compte revenir ?

— Oui.

— Quand ?

— Après la fête nationale.

— Mardi ? Mercredi ?

— Je n'en sais rien, maman. Pourquoi ne lui poses-tu pas toi-même la question ?

Janet lui décocha un regard narquois.

Julia ne réagit pas. Elle avait besoin de marquer une pause. Elle avait oublié la chaleur moite des étés à Baltimore. Sur l'île, il faisait parfois chaud mais un petit vent soufflait toujours. Ici, rien ne bougeait. Ce week-end, la moitié du quartier devait être partie à la mer où il faisait plus frais. En vérité, Julia ne se souciait pas plus de la chaleur que de l'absence des voisins. Ce n'étaient que de simples souvenirs d'enfance. Le fait d'y songer au seuil d'un bouleversement dans sa vie lui procura un étonnant réconfort.

— Quel magnifique parterre de fleurs ! Tu emploies toujours le même jardinier ?

— Oui. Il m'est fidèle au moins, lui.

— Papa aussi ! soupira Julia.

— J'aimerais m'en convaincre mais ce n'est pas simple ! Tu ne t'imagines pas ce que c'est que de craindre une infidélité pendant tant d'années.

Julia retint son souffle. Le moment semblait bien choisi. Si Janet comptait la battre sur ce terrain, autant en finir tout de suite. D'un ton prudent, elle déclara :

— Je sais ce que c'est, maman. J'ai vécu la même chose.

Janet ouvrit un œil. Elle vit que Julia ne plaisantait pas, et ouvrit le second. Pour la première fois face à sa mère si vulnérable, Julia renonça à sa méfiance alors qu'elle se promettait le contraire depuis New York.

19.

— Je reviens de New York, annonça Julia en prenant son courage à deux mains. Je vais divorcer.

— Ah bon ?

— Ça ne marche plus entre nous depuis un petit moment. Monte a eu une kyrielle d'aventures. En rentrant hier soir, je l'ai surpris au lit avec sa dernière conquête.

Elle s'attendait tellement à une remarque du type « je te l'avais bien dit » à propos de son séjour dans le Maine que lorsque Janet réagit par un simple « Oh, Julia ! », elle passa aussitôt au point suivant.

— Molly aussi l'a pris sur le fait à son retour de Paris à l'improviste.

Janet semblait n'en pas revenir et même compatir au sort de sa fille, mais Julia ne s'arrêta pas en si bon chemin. Janet prenait plaisir à tout analyser. Elle se plaisait à énoncer des statistiques à n'importe quel propos, or Julia voulait conserver son avantage.

— Tout le laissait prévoir : son soulagement en apprenant que je ne rentrerais pas après l'accident et Molly non plus. Il voulait aussi qu'elle passe l'été à Paris plutôt qu'à New York. Il savait que je comptais partir deux semaines dans le Maine. Il espérait en profiter et s'amuser de son côté.

— Tu as bien dit « une kyrielle d'aventures » ? l'interrogea Janet d'un ton agressif. Depuis combien de temps ?

Julia se tint aussitôt sur la défensive. Comme il est difficile de renoncer à ses vieilles habitudes !

— Je n'en sais rien, maman ! En tout cas, je ne m'y attendais pas dès ma lune de miel. Peut-être que tout a commencé à ce moment-là. Je ne piste pas ses allées et venues. Ce n'est pas mon genre.

— Je sais !

— Je le soupçonnais parce qu'il semblait se désintéresser de moi sur certains plans...

— Sexuellement.

— ... surtout je ne voulais pas y croire. Quelle femme le voudrait ? Je n'ai cherché des preuves qu'au cours des trois dernières années... mais oui j'en ai pris mon parti, se dépêcha-t-elle d'ajouter avant que Janet ne la réprimande. C'est quand même de plus en plus difficile de ne pas en tenir compte.

— Sans parler de la crainte, enchaîna Janet, d'une voix douce.

— Oh oui ! acquiesça Julia d'un air indigné ; elle s'apprêtait à rétorquer à Janet qu'elle connaissait parfaitement ce sentiment lorsqu'elle s'aperçut que sa mère compatissait à ce qu'elle éprouvait ; son agressivité visait Monte, non Julia. Tu as déjà éprouvé cette crainte ?

— Oui.

Julia se détendit un peu, soulagée. C'est alors que sa douleur refit surface.

— Le pire, c'est encore la première fois où je m'en suis aperçue. Je croyais dur comme fer qu'il était tombé amoureux d'une autre femme et qu'il voudrait divorcer. J'ai appris à vivre avec cette peur mais de nouveaux doutes surgissaient sans cesse. Ai-je encore l'air assez jeune ? Est-ce que je m'habille assez bien ? Suis-je assez flatteuse, assez facile à vivre, assez captivante ? Assez complaisante ? Est-ce que j'en fais suffisamment pour lui ? Suffisamment pour qu'il ait besoin de moi ?

Janet se redressa sur son siège.

— De ce point de vue, tu t'en sortais bien mieux que moi.

— J'en doute ! Je ne t'arrive pas à la cheville. Papa ne ressemble pas à Monte. Il est fier de ta réussite, il se contente de passer au second plan. Pas Monte. Il aime se croire sur un piédestal. Il veut toujours qu'on lui prête attention, qu'on l'admire, qu'on le désire. Alors je me suis efforcée de le flatter, de le captiver et de lui plaire toujours un peu plus. Je savais que si jamais je cessais de lui rendre service, il chercherait à se débarrasser de moi.

— Ou plutôt à acheter ton silence, corrigea Janet.

— Tant de pression au quotidien, c'est terrible à supporter. Ça m'a paru trop destructeur après l'accident.

— Que vas-tu faire ? Où vas-tu t'installer ?

Julia ne s'était pas posé autant de questions. Elle savait seulement qu'il lui fallait mettre un terme à son mariage après sa nuit dans les bras de Noah.

— Pour l'instant, je reste à Big Sawyer.

— Il te faut un avocat.

— J'en ai déjà un. On a discuté hier.

— Comment Monte a-t-il réagi ?

— Il a tenté de me convaincre de mes torts mais je l'ai pris la main dans le sac. Honnêtement, je crois bien que c'est la première fois que je sors gagnante d'une dispute contre lui. À la fin, il semblait presque triste.

— Presque ?

— Je dirais bien « sincèrement affligé » si je ne connaissais pas ses talents de comédien. Voilà le plus triste !

— Le manque de confiance.

— Tout à fait.

Janet se carra dans sa chaise longue en contemplant deux chênes immenses au fond du jardin.

— On se croit au-dessus de tout ça. L'organisation que je dirige s'occupe de nécessiteux, d'exclus, de gens dans le besoin. C'est si facile de se croire supérieur quand on ne se trouve pas dans le même cas qu'eux, reprit-elle en posant sur sa fille un regard malheureux. L'arrogance nous détruit. Soudain, on s'aperçoit qu'on ne vaut pas mieux que n'importe qui : chez soi tout n'est pas si rose.

— Oh si ! rétorqua Julia.

Voilà ce dont elle avait pris conscience après le naufrage de l'*Amelia Celeste*.

— On est bien vivantes, en parfaite santé. Quelle chance !

Janet observa d'un air pensif les cornouillers. Ils avaient perdu leurs fleurs et leur feuillage luxuriant était d'un vert magnifique. Sous l'un d'eux se trouvait un banc en fer forgé. Julia y avait passé bien des journées d'été, bien des heures paisibles. Sa présence ici au côté de sa mère amortirait le choc des nombreux changements qui l'attendaient.

Au bout d'un moment, Janet se tourna vers elle :

— Tu as eu de bonnes raisons de songer à la mort.

Effectivement. La simple évocation des faits raviva la douleur de Julia. Dans ce cadre réconfortant, elle trouva la force de répondre :

— J'avais besoin de toi, maman. Tu n'étais pas obligée de venir me rendre visite. Un coup de fil aurait suffi.

— Je sais.

— Tu as pris Big Sawyer en horreur mais il s'agissait de moi, pas de Zoe. Je suis ta fille.

— Je sais. Je le regrette.

Julia comprit que sa mère s'excusait. Elle ne pouvait tout de même pas la faire ramper ! Elle poursuivit d'un ton songeur :

— Cette expérience m'a fait mûrir. Je me suis débrouillée sans l'aide de personne et je ne m'en porte pas plus mal, bien au contraire. Pour ne rien te cacher, maman...

Il lui restait encore bien des choses à dire mais il valait mieux marquer une pause au préalable.

— ... je meurs de faim ! Si on déjeunait ?

— Il ne reste pas grand-chose à la maison, répondit Janet d'un air embarrassé. Ton père et moi sommes tout seuls, et maintenant qu'il est parti...

Elle ne voulait pas avouer que George se chargeait des courses : le réfrigérateur devait être vide puisque son départ remontait à une semaine.

— Je vais faire un tour au supermarché, proposa Julia. Tu as envie de quelque chose en particulier ?

Janet voulut à tout prix l'accompagner – une grande première ! Julia ne se rappelait pas avoir parcouru les allées du magasin en compagnie de sa mère. À voir la manière dont Janet examinait les étalages, Julia se demanda quand sa mère était venue ici pour la dernière fois. Débarbouillée, vêtue d'une jupe et d'un chemisier assortis, elle ressemblait plus à la Janet toujours impeccable que Julia avait l'habitude de côtoyer.

Elle se dit que sans la présence de sa fille à ses côtés, Janet aurait sans doute continué à se laisser aller et elle se félicita de son influence positive sur sa mère. Le rôle de Julia consistait depuis toujours à s'occuper de tout le monde. Certes, ses efforts n'avaient pas forcément reçu de récompense et elle s'était négligée pendant ce temps. Il fallait que les choses évoluent ! D'un autre côté, elle ne voyait pas pourquoi elle devrait renoncer à prendre soin des autres dans la mesure où cela lui procurait du plaisir.

Elle se détendit donc en présence de Janet. Celle-ci poussait le chariot en désignant les produits qu'elle désirait acheter.

— Il y a un supermarché là-bas ? s'enquit Janet après avoir choisi une laitue et des fruits.

— Pas vraiment. Il faut se contenter de l'épicerie mais on y trouve des produits d'excellente qualité.

— Zoe n'a jamais fait la difficile, de toute façon. Prends donc des raisins secs, Julia. Elle est toujours aussi mince ?

— Oh oui ! répondit Julia en déposant le sachet de fruits dans le caddie avant que Janet ne s'engage dans l'allée suivante.

— Un peu trop maigre, peut-être ?

— Non. Juste ce qu'il faut.

— Hum... Ce paquet de céréales... Ton père n'en achète jamais mais je les trouve délicieuses. Elle n'a sans doute pas encore de cheveux gris ?

— Si, mais elle les teint. Sa couleur lui va à ravir. Elle aime la vie qu'elle mène.

— Zoe et les lapins.

Une remarque teintée de mépris ? Julia n'aurait su le dire. Accordant à Janet le bénéfice du doute, elle poursuivit :

— Les lapins ne l'intéressent que dans la mesure où ils la rattachent à d'autres personnes. Certains lui achètent des lapereaux ; d'autres, de la laine.

— Il nous faut aussi un pack d'eau minérale, déclara Janet.

Elle rangea avec soin au fond de son chariot les bouteilles que lui tendit Julia.

— Est-ce qu'elle garde sur elle l'odeur des lapins ?

— Non. Les angoras ne sentent pas.

Janet désigna un paquet de café moulu puis un pot de compote de pommes avant de s'engager dans le rayon pâtes où elle choisit une boîte de tortellini dont elle lut les instructions de cuisson.

— Tu en as déjà préparé ?

— Pas de cette marque-là.

Janet replaça la boîte sur l'étagère puis elle poussa son chariot plus loin. Arrivée au rayon produits d'entretien, elle demanda :

— Et les hommes ?

— Quoi, les hommes ?

— De l'adoucissant, s'il te plaît. Oui, celui-là. Elle ne s'intéresse pas du tout à eux ?

— Elle a beaucoup d'amis du sexe opposé.

L'adoucissant rejoignit la compote au fond du chariot.

— Ce n'est pas ce que je voulais savoir.

— Elle a eu plusieurs liaisons dont deux assez longues.

— Que s'est-il passé ?

— Elle aimait trop son indépendance pour y renoncer. Elle ne peut pas se plaindre de sa vie, maman.

Janet étudia les différents flacons de liquide vaisselle.

— Elle n'a pas de famille.

— Ses amis lui en tiennent lieu.

Elles tournèrent au coin de l'allée pour se retrouver face aux épices.

— Il me manque de la moutarde. Choisis celle que tu préfères. Elle n'a jamais voulu d'enfants ?

Julia plaça un pot de sa marque favorite au fond du chariot.

— Elle attendait de trouver un mari. De ce point de vue, elle est restée très attachée aux traditions. Lorsqu'elle a compris qu'elle n'épouserait personne, elle aurait pu songer à un don de sperme, mais la ménopause la guettait déjà. Ça lui est arrivé jeune.

— Moi aussi. Ce sera sans doute ton cas d'ici quelques années.

Julia songea à ce qu'elle avait fait avec Noah, sans protection. Tous deux avaient quand même quarante ans et des enfants presque adultes. Les mères de jeunes filles de vingt ans ne tombent pas enceintes. Du moins, Julia l'espérait. Le moment serait on ne peut plus mal choisi.

— On dirait qu'en parler te gêne ? l'interrogea Janet d'un air intrigué.

— Oh non, répondit Julia en détournant les yeux.

— Tu rougis !

— Mais non, voyons. Quel type de pain veux-tu ?

— Du pain de seigle. Ton père n'aime pas ça.

— Moi, si, la rassura Julia.

Elles arrivèrent au rayon charcuterie où il leur fallut attendre leur tour au comptoir. Elles se tenaient à deux pas l'une de l'autre et se ressemblaient beaucoup malgré leur différence d'âge.

— Je ne m'attendais pas à ce que Zoe reste sur l'île. Avant, elle aimait tant partir à l'aventure !

— Elle n'avait que vingt ans.

— Elle n'avait peur de rien à l'époque. À quoi ressemble sa maison ?

— Pas à la tienne, en tout cas.

— J'imagine ! Tu veux des sandwiches à quoi ? J'aime beaucoup leur salade de fruits de mer.

Par réflexe, Julia songea d'abord à s'en contenter. Les vieilles habitudes s'avèrent parfois tenaces. Mais la salade de fruits de mer du supermarché ne soutiendrait pas la comparaison avec celle du grill. Or la nouvelle Julia n'hésitait plus à exprimer ses opinions.

— Je préfère le blanc de dinde. On n'a qu'à en acheter un peu de chaque.

Ce qu'elles firent.

Au rayon crémerie, Janet choisit une bouteille de lait.

— Alors, à quoi elle ressemble ?

— La maison de Zoe ?

Julia lui décrivit sa ferme pendant qu'elles se dirigeaient vers la sortie.

— Il te faut encore autre chose ?

— Oui. De l'essuie-tout. Prends-en un paquet de huit. Ton père n'achète qu'un rouleau à la fois, tu te rends compte ? Non seulement ça revient plus cher mais il doit y penser chaque semaine au lieu d'une fois tous les deux mois. Il fait vraiment les courses comme un homme !

— Tu pourrais lui donner des conseils si tu l'accompagnais.

— Il faudrait que je passe au supermarché et je n'ai pas le temps.

Julia y réfléchit sur le chemin du retour. Sur la terrasse, face à une assiette de sandwiches, elle se sentit assez à l'aise pour oser dire à sa mère :

— Papa en est malheureux, tu sais.

— De quoi parles-tu ?

— De ton emploi du temps surchargé. Voilà pourquoi il est parti dans le Maine.

— Il m'en voulait de ne pas t'avoir appelée.

— Non ! T'entendre dire que tu n'avais pas le temps de le faire l'a mis en colère parce qu'il te reprochait d'être trop occupée. Il veut que tu lui accordes plus de temps, maman. Il a l'âge de s'investir un peu moins dans son travail. Il voudrait que tu en fasses autant.

— Partir à la retraite ? Quelle perspective terrifiante ! Je ne me sens pas prête.

— Personne ne te demande d'arrêter ton travail. Tu ne pourrais pas y consacrer un peu moins de temps, tout simplement ?

À sa décharge, Janet ne repoussa pas l'idée tout de suite.

— Je ne suis pas sûre d'en avoir envie. Réduire mes horaires représenterait déjà une nouvelle étape. Certaines de mes amies ont beaucoup de mal à s'y faire, dit-elle en décochant à Julia un regard embarrassé. Tu sais, passer tout ce temps en compagnie de leurs maris...

— Tu aimes papa ?

— Évidemment !

— Alors, où est le problème ?

— On n'est pas habitués à cette situation. Je me demande comment on réagirait. Il pourrait en avoir assez de me voir toute la journée.

— Mais non, enfin ! Il t'adore. Il prendrait comme un honneur le fait que tu lui consacres plus de temps.

Janet en doutait visiblement.

— C'est à lui de me le dire, déclara-t-elle d'un ton arrogant.

— Il en a peur. Tu l'intimides.

— C'est quand même mon mari ! Il peut me dire ce qu'il veut.

— Pas forcément.

Les paroles de Julia produisirent leur effet. Elle le devina au silence de sa mère. Elle craignit même d'y être allée un peu fort. Janet ne lui avait pas demandé son avis. Janet avait des opinions sur tout. D'ordinaire, c'est Julia qui obéissait à sa mère et non l'inverse.

Le statu quo ne convenait plus à Julia. Elle souhaitait enrichir sa relation avec sa mère. Il s'agissait à ses yeux d'un moyen parmi tant d'autres de profiter le plus possible de la vie après l'accident.

Un long moment s'écoula. Mère et fille ne dirent pas grand-chose. Julia craignit le pire. Heureusement, dès la fin du repas, Janet lui proposa d'un ton aussi prévenant que possible de faire du lèche-vitrines. Elle prétendit qu'elle avait besoin d'autres affaires. En réalité, elle comptait surtout acheter de nouveaux habits à sa fille. Lorsqu'elle lui suggéra d'essayer encore un autre pantalon qui lui irait sans doute à ravir, Julia ne put s'empêcher de réagir :

— Je croyais qu'on faisait les courses pour toi.

— Mes armoires sont pleines à craquer alors que tu as perdu tes vêtements dans le naufrage.

— Je n'en avais emporté qu'en prévision d'un séjour de deux semaines.

— Le reste se trouve à New York, chez ton mari, dont tu es séparée. Tu ne t'en souviens pas ?

Julia tressaillit. Sa séparation lui semblait encore une nouveauté.

— C'est bon ! Je ne pourrais pas les porter dans le Maine de toute façon.

— Ceux-là, si.

Janet lui proposa des tenues décontractées. Elle emmena même Julia au rayon sport où elle insista pour lui offrir des survêtements chauds qu'elle porterait à la maison.

— Je peux les payer moi-même, maman. Monte ne me laissera pas sans le sou.

— Je ne pense pas à Monte, mais à moi. Accorde-moi ce plaisir, tu veux bien ?

Noah et Ian ne regagnèrent le port qu'en fin de journée. Ils ne voulaient pourtant pas travailler plus tard que d'habitude. La mer était agitée, voilà tout. Ils eurent du mal à repérer les balises et à relever les casiers à bord du bateau. La houle enfla si fort que même le débarquement des caisses de homards à la poissonnerie Foss se révéla plus pénible qu'à l'ordinaire. De retour au mouillage, les commentaires des pêcheurs fusèrent d'un bateau à l'autre.

— Tu sors demain, Hayes ? cria Mickey Kling en passant au jet d'eau le *Mickey 'n Mike*.

— Faudra bien, si les prévisions ne changent pas ! Sinon je pourrai dire adieu à mes casiers, lui répondit Hayes depuis le pont du *Willa B*. Et toi ?

— Je compte en déplacer quelques-uns dans la matinée mais, si le temps se dégrade, je ferai demi-tour. Hé, Noah ! J'ai entendu dire que tu avais balancé à la mer un tas de fruits pourris !

Noah se contenta de hausser les épaules sans cesser de nettoyer son bateau. Il avait posé certains de ses casiers dans des eaux plus profondes après le pillage des prises de Haber et Welk, mais la tempête risquait d'en balayer de nombreux autres.

Ian voudrait se reposer dimanche. Ses muscles commençaient tout juste à s'adapter à la rigueur de la pêche au quotidien. Noah, compatissant, laisserait peut-être son fils se détendre à la maison mais lui-même n'hésiterait pas à sortir en mer. Pêcher le homard, c'était son métier. L'arrivée d'une femme dans sa vie ne changeait rien aux balises ni aux casiers. Son travail saurait le distraire de ses soucis. Il fallait aussi à tout prix qu'il déplace ses nasses posées dans les fonds rocheux. Il apprécierait d'autant plus sa journée sur l'eau que la mer risquait de devenir houleuse.

Julia et Janet traînèrent à la maison sans faire grand-chose mais ni l'une ni l'autre ne regretta ces quelques moments de paresse. La terrasse parut à Julia une véritable oasis. Elle se sentait plus proche de sa mère, même sans lui parler. Vint ensuite l'heure du dîner. Elles s'habillèrent pour aller au restaurant. Dans un décor de teck, de marbre et de cuivre, elles partagèrent une bouteille de vin et commandèrent chacune un chateaubriand. La soirée fut si agréable que Julia osa demander à sa mère :

— Que penses-tu de moi ?

— Quelle question ! s'exclama Janet en lui décochant un regard intrigué.

— Je me suis toujours sentie dans l'ombre, comme une intruse. C'est comme ça que tu me vois ?

— Seigneur, non ! Tu es ma fille.

— Est-ce que tu m'apprécies ?

— Tu es ma fille, répéta Janet comme si cela répondait à la question.

— Es-tu fière de moi ?

— Si l'on excepte l'état de tes ongles ?

En l'occurrence propres, mais dépourvus de vernis.

— Je ne plaisante pas.

— Oui, je suis fière de toi.

— Pourquoi ?

— Julia ! s'écria Janet d'un ton presque gêné.

— Je tiens à le savoir, insista Julia en s'apercevant qu'elle prenait exemple sur sa fille, ce qui ne lui parut pas plus mal.

Molly n'hésitait pas à exprimer clairement ses désirs. Julia devait en prendre de la graine.

— Tu te rappelles ce que je t'ai dit au téléphone ? Je n'ai rien fait de comparable à ce que tu as toi-même accompli. Es-tu déçue ? Nourrissais-tu de plus grands espoirs à mon égard ? Aimerais-tu me compter au nombre de tes amies ?

— Comment pourrais-tu me décevoir ? Tu sais faire tant de choses dont je suis incapable !

— Tu y arriverais aussi si tu le voulais.

— Non. Je n'ai ni ta patience ni ton tempérament. Je ne suis pas aussi sympathique que toi.

— Ce n'est pas forcément une bonne chose.

— Pardon ? Si tout le monde avait un caractère aussi, disons difficile que le mien ? Comment aboutir à quoi que ce soit ? Toi, Julia, tu joues le rôle de l'huile dans les rouages. Sans toi, rien ne serait possible. Je ne me charge que d'une infime partie du travail.

— Ce que tu fais est très important.

Malgré son aversion pour ce terme, Julia devait reconnaître qu'aucun autre ne convenait mieux.

— Pas autant que je voudrais le croire, soupira Janet.

Tu joues le rôle de l'huile dans les rouages. Sans toi, rien ne serait possible.

Julia s'endormit sur ces pensées. Lorsqu'elle se réveilla en pleine nuit en comprenant que c'en était fini de son mariage, ces paroles firent renaître en elle l'espoir. Si sa mère disait vrai, elle saurait se débrouiller seule. Voilà ce qu'il lui fallait faire.

Noah dormit d'un sommeil agité. Il laissa son téléphone cellulaire à portée de main afin de pouvoir décrocher tout de suite, si jamais elle appelait. Ce ne fut pas le cas. Il se leva sans cesse afin de consulter les prévisions météo sur sa radio. Le brouillard restait épais mais le vent se calmait. La pluie ne tomberait pas encore tout de suite. Les bulletins annonçaient une tempête en provenance du sud-est, peut-être passagère, en tout cas pas avant midi. Il se dit qu'il pourrait bien avancer d'ici là, puis rentrer au port profiter de son temps libre.

À 4 heures du matin, il prépara le petit déjeuner. Son portable ne le quitta pas, au cas où elle chercherait à le joindre dès son réveil, peu importe où, en se rappelant ce qu'ils avaient vécu deux nuits plus tôt. Elle n'en fit rien. Ce n'était pas plus mal : le bacon rissolait tout juste lorsque

Ian apparut, vêtu d'un jean et d'un pull, bien résolu à accompagner son père.

— Rien ne t'obligeait à te lever.

— Tu ne peux pas y aller seul, répondit Ian en s'adossant au chambranle.

— Je suis parti plus d'une fois en mer sans personne d'autre à bord.

— Aucun pêcheur ne travaille aujourd'hui. Ce n'est pas prudent.

— La tempête n'éclatera pas avant midi. Je serai déjà de retour à ce moment-là.

— Je viens avec toi.

Il semblait décidé et, toute discussion mise à part, Noah s'en réjouit. Voilà au moins un rayon de soleil dans ce qui s'annonçait une journée maussade. Il se crut tout de même obligé de lui demander :

— Tu es certain de le vouloir ?

— Je crois que tu ferais mieux de ne pas t'aventurer seul en mer, or tu ne peux emmener personne d'autre.

— Donc tu m'accompagnes, faute d'autre équipier ?

— Ça m'en a tout l'air, répliqua le jeune garçon en croisant les bras sur sa poitrine.

À cet instant précis, tout en lui, son allure, sa carrure, son air entêté, rappela à Noah son propre père que Ian avait pourtant à peine connu.

Un vrai rayon de soleil ! Ragaillardi, Noah ajouta d'autres tranches de bacon et des œufs dans la poêle.

— Prépare des sandwiches, d'accord ? Tu as toujours faim en milieu de matinée.

Trente minutes plus tard, ils partirent. Plein d'entrain, au point de vouloir tenter le sort, Noah laissa son portable dans la cuisine. Elle ne risquait pas plus de l'appeler ce matin que les jours précédents et il en avait assez d'attendre. Il lui restait d'autres choses plus importantes à faire. Il tenta d'enfermer Lucas à l'intérieur mais le chien lui échappa pour se précipiter dans la camionnette. Noah se demanda si son fidèle compagnon partageait son humeur intrépide. Lucas aussi adorait Julia.

Le brouillard lui parut encore plus épais au port. Rick leur apporta des muffins à l'entrée de service du grill.

— La pluie ne va pas tarder. Tu te sens prêt à affronter le déluge à bord de ton arche ?

Noah ricana puis tendit à Ian son thermos.

— Si tu ne me vois pas revenir à midi, préviens les secours.

Une fois à bord du *Leila Sue*, il démarra le moteur et alluma les instruments de navigation électroniques. Il se disait qu'il aurait besoin de toute l'aide possible dès la sortie du port. Le soleil se levait à peine. L'obscurité se teintait de gris. Ian et Lucas formaient deux ombres fantomatiques à la poupe. Noah sortit le bateau de son mouillage avec précaution. La plupart des homardiers flottaient à l'ancre. Les pêcheurs ne quitteraient pas la terre ferme aujourd'hui, à moins qu'il ne les ait simplement devancés. La radio demeurait silencieuse.

Il tira sur la manette des gaz avant de mettre le cap sur ses casiers les plus éloignés. Ils reposaient à quarante minutes du port dans une zone rocheuse qui émergeait peut-être de l'océan à l'époque de l'Atlantide mais qui aujourd'hui ne formait pas une île à proprement parler. Les homards y muaient en grand nombre. Les bas-fonds regorgeaient de bêtes depuis quelques semaines déjà.

La mer clapotait à peine. Il releva un petit groupe de filières en chemin avant de poursuivre sa route. Le monde se résumait à une masse grise informe. L'humidité du brouillard se déposait sur les vitres. Il fit fonctionner ses essuie-glaces. Guidé par ses instruments, il atteignit la première de ses balises bleu, orange, orange et mit le moteur au point mort. Ian hissa la balise à bord à l'aide d'une gaffe. Noah accrocha la filière au treuil. Aussitôt apparut le premier casier, puis le second. Père et fils en prirent chacun un. Ils rejetèrent à la mer des algues, une morue, deux homards trop petits et une poignée d'étoiles de mer pour conserver trois homards adultes. Une fois les nasses empilées à la poupe, Noah se dirigea vers la balise suivante. Il y releva des casiers ne contenant rien d'intéressant, qui rejoignirent la pile, une fois vidés.

Noah regagnait la barre en direction de la prochaine balise lorsque le moteur eut soudain des ratés. Il actionna la manette des gaz. Le moteur se contenta de hoqueter avant de s'éteindre. Si l'on exceptait le bris des vagues contre la coque et les essuie-glaces raclant la vitre, un épais silence régnait à bord.

— Zut ! marmonna-t-il entre ses dents.

— Tu ne peux pas être à court de carburant. On a fait le plein il y a deux jours, s'étonna Ian.

— Il ne s'agit pas d'un problème de carburant, expliqua Noah en se dirigeant vers la poupe, bientôt suivi par son fils.

— La batterie est morte ?

— Non. Les essuie-glaces fonctionnent, dit-il en écartant les nasses du moteur. Donne-moi un coup de main.

Il ouvrit le compartiment où se trouvait le moteur. Il vérifia le réservoir à essence puis chercha une cause à son dysfonctionnement. Sans succès. Sous le coup d'une prémonition soudaine, il contourna les casiers et se pencha par-dessus bord pour jeter un coup d'œil au pot d'échappement. Il jura dans sa barbe.

— Qu'est-ce qu'il y a ? l'interrogea Ian en se penchant à son tour.

— De la vapeur, répondit Noah d'un air abattu.

— Ce qui signifie ?

— Qu'il y a de l'eau dans le réservoir. On n'ira plus nulle part.

— Comment de l'eau a-t-elle pu arriver là-dedans ?

— De la même façon que mes balises se sont retrouvées peintes en gris.

— Haber et Welk ?

— Ou quelqu'un d'autre.

— Peut-être que tu as acheté de l'essence frelatée.

Noah aussi y avait songé, mais c'était impossible.

— Je m'en serais aperçu bien avant.

— Pourquoi s'en prennent-ils à toi ?

— Qui sait ?

Ian ne voulut pas s'avouer vaincu :

— S'il y a de l'eau dans le réservoir, comment a-t-on pu arriver jusqu'ici ?

— L'eau est plus lourde que l'essence. Elle s'est retrouvée dans le fond du réservoir, là où aboutissent les tuyaux qui le relient au moteur. Il y reste toujours un peu d'essence, comme dans le filtre et le carburateur.

Hélas, ils n'iraient nulle part sans aide. Noah tenta de faire fonctionner sa radio mais elle ne produisit aucun son. Il tripota les fils. En général, un simple réglage résolvait le problème. Cette fois, ils lui restèrent entre les doigts. Les fils avaient été coupés. Il aurait dû s'en apercevoir s'il n'avait pas fait preuve d'une telle négligence au port !

Il ne put retenir un juron.

— Pas de radio ? demanda Ian.

— Non.

— Et le téléphone portable ?

— Je l'ai laissé à la maison.

— Comment fait-on pour sortir l'eau du réservoir ?

— Il faudrait pomper.

Noah savait que c'était impossible. De toute façon, leurs efforts ne serviraient à rien tant qu'ils ne disposeraient pas de carburant en réserve.

— Comment va-t-on appeler à l'aide ?

Noah disparut un instant dans la cabine pour en ressortir avec des fusées de détresse. De retour sur le pont, il en tira une en direction de Big Sawyer. Ian la regarda partir à ses côtés.

— Je ne vois rien, déclara-t-il.

— Elle a dû éclater dans le brouillard.

— Si on ne la distingue même pas, qui pourra l'apercevoir ?

— Peut-être pas grand-monde mais il faudra s'en contenter. Il nous reste six fusées. On en lancera une de temps en temps. Quelqu'un finira par la voir ou par nous repérer sur l'écran du radar. Sinon, midi sonnera et on nous enverra des secours.

— Comment découvriront-ils notre position ?

— Ne t'en fais pas. Mes amis savent dans quel coin je pêche.

Ils le trouveraient sans peine, à condition que le *Leila Sue* ne parte pas à la dérive. Jeter l'ancre résoudrait le problème pour l'instant. Une ancre de trente-cinq livres suffirait à un bateau de trente-quatre pieds, sauf si la houle se levait et que le vent s'en mêlait. Rester à l'ancre à si peu de distance des rochers présentait un danger. L'eau amortissait les chocs infligés aux casiers. Un bateau projeté contre un amas rocheux encourait un risque bien plus terrible. Sans parler des passagers à bord !

Il ne pouvait se résoudre à y songer.

— Le radar fonctionne encore, souligna Ian, plein d'espoir.

— Les instruments épuisent la batterie ! s'inquiéta Noah avant de les éteindre aussitôt, non sans avoir au préalable noté la position du *Leila Sue* dans son carnet de bord. La batterie ne peut pas se recharger sans le moteur.

— Au bout de combien de temps va-t-elle se décharger ?

— Une heure à peu près. Le radar consomme beaucoup d'énergie ; la corne de brume, un peu moins. On l'actionnera. Si quelqu'un s'approche de nous, il l'entendra.

— Dans le cas contraire ?

— Quelqu'un viendra nous chercher dès qu'on aura été portés disparus.

— Si le temps se dégrade au point d'empêcher les secours de venir ?

— On essuiera la tempête. Quelqu'un finira bien par arriver.

— Tu crois que le bateau résistera ?

Noah comprit que Ian avait peur. Lui-même ne se sentait pas rassuré. Il ne pouvait pas savoir qu'on trafiquerait son moteur mais il aurait dû s'assurer que la radio fonctionnait. Aucun pêcheur digne de ce nom ne quitte le port sans radio. Et sans portable ? À l'heure actuelle, plus un seul pêcheur ne saurait s'en passer.

Imbécile ! bougonna Noah d'un air dégoûté. Partir ainsi en emmenant son fils ! *Imbécile et irresponsable !*

Il avait déjà navigué à bord du *Leila Sue* pendant une tempête. Le bateau pouvait résister à des vagues de huit à neuf pieds mais il y aurait du souci à se faire si jamais la houle enflait encore. La dernière fois, le moteur fonctionnait. Noah avait pu guider son embarcation entre les vagues. Aujourd'hui, il ne pouvait compter sur la batterie. Il ne lui restait aucun moyen de s'assurer de sa position. Le roulis et le tangage étaient une chose, mais si jamais le *Leila Sue* déviait de sa position au point de heurter les vagues de plein fouet, il risquait de chavirer sous une grosse vague et, une fois sous l'eau, de ne plus jamais refaire surface.

— Je vais te dire, déclara-t-il à Ian en s'efforçant de ne pas se laisser déborder par ses propres craintes. On va prendre exemple sur Lucas. Tu vois comme il reste calme ?

Assis dans un coin de la cabine, la langue pendante, Lucas posait sur son maître un regard dévoué.

— Il ne comprend rien à ce qui se passe !

— Nous non plus. La mer ne me paraît pas menaçante pour le moment. Attendons au moins une heure avant de céder à la panique.

Il ne fallut pas même une heure au temps pour se dégrader. Vingt minutes de roulis à l'ancre suivirent le lancement toujours aussi infructueux d'une fusée de détresse, puis le *Leila Sue* se mit à tanguer sous la houle croissante. Une autre fusée et vingt autres minutes plus tard, les mouvements du bateau gagnèrent en violence. Noah résista à la tentation de lever l'ancre. Il aimait mieux connaître sa position. L'idée de se laisser ballotter dans l'Atlantique Nord ne lui plaisait pas beaucoup.

Après vingt minutes supplémentaires, il ne lui resta pourtant plus d'autre choix. Les vagues étaient trop hautes et le vent trop fort pour que le bateau aux mouvements désordonnés reste attaché. Le *Leila Sue* risquait de couler si jamais il subissait des dégâts irrémédiables. Au cours des quelques minutes suivantes, Noah s'agrippa au plat-bord afin de ne pas perdre l'équilibre au milieu des secousses du bateau et retint son souffle. Impossible de voir s'ils s'apprêtaient ou non à heurter des rochers : le brouillard ne se levait pas. Au bout d'un certain laps de temps, il consulta son sondeur. Constatant qu'ils se trouvaient dans des eaux plus profondes, il se détendit enfin.

Bien sûr, toute médaille a son revers : les rochers risquaient d'endommager la coque du *Leila Sue*. On pouvait du moins s'y accrocher en cas de naufrage.

Luttant contre le roulis, Noah s'avança jusqu'à la proue où il sortit des gilets de sauvetage d'un coffre. Il en lança un à Ian qui l'enfila.

— Et Lucas ? demanda-t-il

— C'est un bon nageur.

— Comme moi, commenta Ian, alors que le bateau s'enfonçait entre deux vagues ; il faillit perdre l'équilibre et dut se rattraper au bord de la cabine.

Lucas resta dans son coin. Quand il n'enfouissait pas la tête entre ses pattes dans l'espoir de s'endormir, il posait sur Noah des regards inquiets.

— Ça ne peut plus vraiment empirer, si ? s'enquit Ian comme s'il lisait dans les pensées du chien.

— Bien sûr que si.

— Ah bon ?

Noah haussa les épaules en attachant son gilet de sauvetage, puis se prépara à lancer une énième fusée.

— Tu crois que c'est ce qui va se passer ? demanda le jeune garçon d'un ton impatient, ou alors impérieux.

Aucune des deux interprétations ne plut à Noah, en train de se débattre dans des reproches stériles : « J'aurais dû vérifier la radio », « J'aurais dû emporter mon portable », « J'aurais dû rester au mouillage. Au diable mes casiers ! ».

— J'ai l'air d'un présentateur météo ? rétorqua-t-il, puis il alluma la fusée en se demandant si ses efforts serviraient à quelque chose.

Ils se trouvaient à dix milles du rivage. Dans un brouillard pareil, la lueur de la fusée ne porterait pas plus d'une minute à plus d'un mille ou deux. Même si quelqu'un naviguait dans les parages, il serait trop occupé à piloter son bateau pour lever les yeux au ciel.

Ian posa sur son père un regard farouche en serrant les mâchoires.

— Tu ne peux rien me dire ? Jamais encore je n'ai traversé une telle épreuve. Toi, si. Explique-moi ce qui nous attend. Peu importe si tu n'en sais rien, en tout cas je serais content de te l'entendre dire. Je ne lis pas dans tes pensées. Quand tu ne parles pas, je m'imagine le pire. Par exemple, que tu détestes ma façon de m'habiller, mon lycée, ma manière de m'exprimer...

— De quoi est-ce que tu parles ?

— Tu ne parles pas. Je ne devine pas ce que tu penses. Tu ne me lances jamais de compliments. Je ne me rappelle pas t'avoir entendu une seule fois dire que je faisais quelque chose de bien. M'apprécies-tu seulement ?

Noah en demeura stupéfait. Voilà qui s'annonçait encore pire que le roulis sous ses pieds.

— Tu fais des tas de choses bien.

— Comme quoi ? Donne-moi un exemple.

— Ce n'est pas le moment, Ian.

— Tu vois ? J'ai dit ce qu'il ne fallait pas. Pourquoi ce n'est pas le moment ? Qu'est-ce qu'on est censés faire ?

— Nous assurer que le fond de cale ne se remplit pas d'eau. La pompe ne va pas fonctionner toute seule. Si l'eau s'infiltre en trop grande quantité, on va sombrer. Pendant que je m'en charge, tu restes à l'abri, ordonna Noah en conduisant son fils par le coude dans la cabine. Accroche-toi à quelque chose. La houle ne cesse pas d'enfler. Je ne veux pas te voir passer par-dessus bord.

— Et Lucas ?

— À l'intérieur de la cabine, décréta Noah en attrapant le chien par son collier.

Lucas ne voulait pas lui obéir. Noah ne savait que faire : si jamais le bateau coulait, son chien périrait à coup sûr dans la cabine mais, en restant sur le pont, il risquait de se retrouver projeté en mer. Le chien savait nager mais il n'était pas de taille à lutter contre une montagne d'eau déplacée par un vent furieux.

Une heure s'écoula, puis une autre. Une bruine se mit à tomber. Rien ne venait rompre la monotonie de la grisaille ambiante. Le *Leila Sue* continuait à tanguer. Au moins, l'eau qui pénétrait à bord s'évacuait par les dalots, et le fond de cale restait à peu près sec. Noah jetait un coup d'œil au radar de temps à autre à la recherche de bateaux dans les environs mais il n'apercevait rien à moins d'une poignée de milles. Il lança la cinquième puis la sixième fusée. Il décida d'utiliser la corne de brume dont le son se perdit dans le bruit des vagues s'écrasant l'une contre l'autre.

Bientôt la pluie se mit à tomber pour de bon. Père et fils portaient des combinaisons imperméables aux capuches relevées. Même sous le toit de la timonerie, leurs visages ruisselaient. Ian était livide.

— À ton avis, le pire reste encore à venir ? demanda-t-il à son père d'un ton angoissé.

— Je ne saurais le dire, répliqua Noah, gêné.

Les accusations de Ian avaient fait mouche. Elles semblaient à Noah d'autant plus affligeantes qu'il s'était montré hostile envers son garçon. Sans parler de sa culpabilité. Il avait forcé Ian à venir dans le Maine. Sa propre négligence les avait mis dans le pétrin et voilà qu'il s'enfermait de nouveau dans son mutisme.

Son fils méritait mieux. Lui-même méritait mieux ! Bon sang ! Il devait plus que ce silence aux victimes de l'*Amelia Celeste*. S'il avait réchappé à la mort afin de profiter au mieux de sa vie, pour l'instant il fichait tout en l'air.

Il s'agrippa au toit de la timonerie en prévision du roulis puis s'exprima d'une voix assez forte pour couvrir la tempête :

— Laisse-moi t'expliquer, Ian. J'ai grandi auprès de mon père sur un bateau comme celui-ci. Il n'aimait pas bavarder, j'ai suivi son exemple. Sur la radio, on entendait les amis s'échanger des commentaires, parfois on leur parlait mais on était surtout occupés à relever les casiers. On aimait entendre le bruit des treuils, le bruit de la pêche. On a essuyé des tas de tempêtes. Les prévisions météo n'étaient pas aussi fiables qu'aujourd'hui. On n'en parlait pas. On savait qu'on ne pouvait pas prévoir ce qui se passerait. La mer fait ce qui lui chante. Peu importe ce que montrent les images par satellite, ici c'est différent. Je dirais bien qu'on en a encore pour huit heures. Peut-être plus, peut-être moins.

— Qu'est-ce qu'on fait en attendant ?

— Si on prend l'eau, on écope. Si on capote, on se met à prier.

— Si on quoi ?

— Si on chavire.

— Tu crois que les secours viendront ?

— Difficile à dire. Une bonne heure s'écoulera encore avant que quelqu'un s'inquiète de notre sort. Si le temps reste aussi menaçant, mes amis n'oseront pas s'aventurer en mer. Pareil pour un hélicoptère. Jamais il ne pourrait nous approcher dans ce brouillard. Par contre, un bateau des gardes-côtes, peut-être que si. C'est notre principal espoir.

— De survivre ?

— D'être secourus dans les heures qui viennent. On s'en sortira, Ian, promit Noah. Je n'ai pas survécu à la mort de mon père il y a trois semaines pour le rejoindre aujourd'hui au fond de l'océan.

20.

Julia fit la grasse matinée dans la chambre de son enfance. La décoration n'était plus la même depuis que Janet avait eu l'idée de la transformer en petit salon. Elle voulait au départ que Julia dorme dans la chambre d'amis qu'occupaient jadis ses frères mais Julia lui préféra le canapé convertible.

Des tas de souvenirs s'attachaient à cette pièce. Peu importe les nouveaux meubles, le soleil filtrait toujours à travers les volets et les mêmes bruits qu'autrefois parvenaient à ses oreilles : la machine à laver dans la buanderie, le souffle de l'air frais à travers les conduits d'aération. Julia savoura cette impression de familiarité au milieu des bouleversements qui l'attendaient. En un sens, elle venait de boucler la boucle et s'apprêtait une nouvelle fois à prendre son envol.

Elle se demanda s'il faisait beau dans le Maine, si Noah allait relever ses casiers, s'il pensait à elle, s'il se demandait à son tour pourquoi elle était partie et quand elle reviendrait. Elle commença d'ailleurs à se poser elle-même la question.

En descendant les escaliers, elle découvrit Janet sur la terrasse en bien meilleure forme que la veille. Aujourd'hui, elle avait déplié son journal. Elle sourit en apercevant une tasse dans la main de Julia.

— Tu as bien fait de te servir. Je prépare toujours du café très fort.

Julia y trempa ses lèvres. Il était en effet plus serré que celui qu'elle buvait d'habitude mais il lui parut délicieux.

— Pourquoi le café a-t-il toujours meilleur goût quand quelqu'un d'autre le prépare ?

— N'est-ce pas que c'est vrai ? Je peux t'apporter ton petit déjeuner ?

— Pas maintenant, répondit Julia, même si l'idée la tentait.

À l'instar du café, le petit déjeuner préparé par quelqu'un d'autre semble toujours un régal. En ce moment, Janet se comportait comme une véritable mère ; voilà ce dont Julia avait besoin, bien plus que de nourriture. Elle se laissa glisser sur un siège.

— Tu veux jeter un coup d'œil au journal ? lui proposa Janet, pleine de sollicitude.

— Non, merci.

— Qu'est-ce qu'on fait aujourd'hui ?

Julia perçut dans sa voix l'enthousiasme d'une femme ravie de ne plus se retrouver seule, ce qui les ramenait au problème de George. Il faudrait aborder le sujet. Plus tard. Julia ne voulait pas entamer de discussion avec sa mère dans une ambiance aussi détendue. Une partie de leurs soucis se trouvait résolue. Elle voulait savourer sa satisfaction avant de s'attaquer au reste.

— J'aimerais bien rester un peu sur la terrasse.

— Tu ne veux pas faire de la pâtisserie ? Ou couper des fleurs ? Ou peindre ? Tu te lançais toujours dans une activité, du coup je me sentais nulle.

— Non ? Je ne te crois pas !

— Je ne mens pourtant pas !

— Je suis désolée.

— Pourquoi ? releva Janet, un étrange petit sourire aux lèvres. J'ai de nombreuses lacunes dans ce domaine. Tu te rappelles quand tu as peint le cellier ? Chacun de nous a choisi la couleur d'un mur. Tu as décidé de la couleur du plafond.

Julia n'aurait jamais cru que Janet puisse s'avouer des insuffisances. Elle ne se réjouissait pas tant de le découvrir que de la capacité de sa mère à le reconnaître. Leur relation prenait un tour plus sincère, comme le désirait Julia. Voilà d'ailleurs pourquoi elle avait osé dire ce qu'elle avait sur le cœur, la veille au dîner.

— J'ai choisi du bleu, se rappela-t-elle en songeant de nouveau au cellier.

Un bleu clair couleur de ciel par beau temps, tel qu'on n'en avait plus vu à Big Sawyer depuis des jours. Son petit doigt lui souffla que le brouillard ne se lèverait pas non plus aujourd'hui. Elle s'efforça de chasser un curieux sentiment de malaise.

— Je ne vais pas bouger d'ici. Le jardin est magnifique. Tout le monde n'a pas notre chance, tu sais ?

Noah n'était pas content. La pluie qui tambourinait contre le *Leila Sue* chassait parfois à l'horizontale. De temps à autre, une vague se brisait sur le pont. L'eau s'écoulait sans peine mais ils avaient déjà perdu plusieurs casiers et la tempête se déchaînait. Noah se servait le moins possible de la batterie. Il consultait en hâte le sondeur afin de s'assurer qu'ils n'allaient pas percuter des rochers ou guettait à la dérobée d'autres bateaux sur le radar. Ian restait posté à la corne de brume. Le brouillard demeurait impénétrable.

Un vent de sud-est les emportait dans la direction opposée. Le *Leila Sue* n'arrêtait pas de tanguer. Voilà le plus effrayant ! Il ne pouvait contrôler leur position sans gouvernail en état de marche. Au moins, ils n'avaient pas encore chaviré.

Vu la vitesse du vent, ils se retrouveraient au nord de Hull dans cinq ou six heures. Hull était l'île la plus septentrionale des environs de Big Sawyer, et des tas de rochers la cernaient. Cela ne présageait rien de bon. Pas plus que l'absence de bateaux dans les parages. Des caseyeurs résolus à pêcher pouvaient passer outre la menace d'un vent modéré mais pas d'une véritable bourrasque comme celle qui soufflait en cet instant. Même un loup de mer téméraire reste chez lui par un temps pareil.

— Quelle heure est-il ? lui demanda Ian.

Ils se tenaient côte à côte devant le tableau de bord, s'efforçant de se soutenir l'un l'autre en se disant qu'il valait mieux faire face au bateau qu'au néant du brouillard. Même ainsi, le bruit de la pluie, du vent et des vagues couvrait presque leurs voix. Lucas s'était mis à japper dans la cabine mais les éléments déchaînés noyaient ses cris.

— Presque midi. On ne tardera pas à être portés disparus.

Il aurait aimé distinguer quelque chose. De vagues nausées le gagnaient, provoquées davantage par leur effroyable situation que par un quelconque mal de mer. Dieu merci, le teint pâle de Ian ne virait pas encore au vert.

— Tu vas bien ?

Le jeune garçon acquiesça.

— Tu ne t'attendais pas à ça, pas vrai ? reprit Noah dans l'intention de détendre l'atmosphère avant d'ajouter, par simple curiosité : Dis-moi ce que tu espérais.

— Attraper des homards.

— Tu te débrouilles bien de ce côté-là.

Il avait beau le penser depuis un certain temps, il ne l'avait pas encore avoué à son fils.

Ian lui décocha un regard étonné. Aussitôt, il changea de position afin de ne pas perdre son équilibre.

— Le bateau peut couler ? s'enquit-il d'un air inquiet.

— Comme n'importe quelle embarcation !

— Qu'est-ce qu'on fera dans ce cas ?

— Il nous reste le canot de sauvetage.

Ian posa sur lui un regard incrédule : *Parce que tu crois qu'on s'en tirerait dans un canot de sauvetage plutôt que dans ton bateau ?*

Noah lui sut gré de ne pas avoir posé la question à voix haute, vu qu'il ignorait la réponse. Un silence s'installa, empli de peur.

Julia prit un repas sur la terrasse, un brunch plus qu'un petit déjeuner, compte tenu de l'heure tardive. Puis elle s'endormit sur la chaise longue de sa mère.

En rouvrant les yeux, elle aperçut le soleil dans sa course descendante. C'est alors que Janet lui fit observer :

— Tu n'en pouvais plus. Ta confrontation avec Monte a dû t'épuiser.

Ce n'était pas tout. Julia avait à peine dormi la veille de son départ de Big Sawyer. Soudain, l'envie lui prit de parler à Noah. Elle voulait s'assurer qu'il allait bien. Surtout, elle voulait qu'il sache combien elle pensait à lui.

— Je reviens tout de suite, dit-elle à Janet avant de récupérer son téléphone portable dans la cuisine.

Elle composa le numéro du portable de Noah, puis de sa ligne fixe, mais personne ne lui répondit. Elle commençait à trouver ce silence inquiétant, en espérant que le temps s'améliorait là-bas, lorsque son propre téléphone sonna.

— Maman, c'est moi, commença Molly. Où es-tu ?

— Chez Mamie.

— À Baltimore ? Oh là là !

— Qu'est-ce qu'il se passe ?

— La tempête fait rage ici. Noah et Ian ne sont toujours pas rentrés au port. Personne n'a reçu de leurs nouvelles depuis leur départ à l'aube ce matin.

L'estomac de Julia se noua. Elle pressentait que quelque chose allait de travers avant même d'appeler. Le cœur battant, elle voulut savoir :

— Personne n'est parti à leur recherche ?

— Impossible ! Il fait vraiment un temps atroce. Le vent ne faiblira pas avant ce soir. Les gardes-côtes vont tenter de les retrouver. John Mather les accompagne. Il sait où Noah pose ses casiers, mais l'océan est vaste.

Julia se serait jadis représentée l'océan en deux dimensions. Aujourd'hui, elle avait aussi conscience de ses profondeurs. Périr en mer était une réalité pour elle.

Sous le coup d'une horrible angoisse, elle serra le téléphone contre sa poitrine. Sa mère la rejoignit. Un simple coup d'œil à sa fille suffit à la faire pâlir. Sa première pensée dut aller à George.

— C'était Molly. Papa va bien, se hâta de préciser Julia. Il fait un temps terrible là-bas. Deux très bons amis sont perdus en mer.

— Perdus... tu veux dire morts ?

— Personne ne sait où ils se trouvent, répondit Julia dont les yeux se noyaient de larmes. Les gardes-côtes partent à leur recherche. Il faut que j'y aille, maman. Il s'agit d'un dénommé Noah et de son fils. Noah compte beaucoup pour moi. Je dois les rejoindre.

Janet ouvrit la bouche comme pour l'interroger. *Comment ça ? Qui est cet homme ? Qu'est-ce qu'il représente à tes yeux ?* Elle se reprit aussitôt et lui suggéra d'un ton compréhensif :

— Tu préfères prendre l'avion et laisser la voiture ici ?

L'idée semblait bonne jusqu'à ce qu'un coup de fil à l'aéroport lui apprenne que le mauvais temps dans le Maine perturbait le trafic aérien. Prendre l'avion risquait de se révéler plus long. Elle ne s'imaginait pas rester coincée à patienter dans un aéroport. Mieux valait encore partir en voiture.

— La route est longue, la mit en garde sa mère.

— Dix heures. Molly m'appellera pour me tenir au courant. J'en suis capable, maman. Voilà pourquoi je me suis tant reposée ici.

Elle partit à l'étage boucler ses valises. À son retour, elle trouva sa mère dans le couloir auprès de ses propres sacs. Sa décision était prise. Elle venait aussi.

La mer déchaînée s'élevait à six, huit, voire dix pieds au-dessus du *Leila Sue*. Le bateau à la merci des vagues se retrouvait ballotté en tous sens, soulevé sur une crête avant de plonger dans un creux avec une force capable de le briser au cas où il toucherait le fond. Noah estimait les eaux où il naviguait assez profondes pour éviter ce péril. Restait encore le risque de chavirer. Les lames se brisaient sur le pont avec une force croissante chaque fois que le *Leila Sue* tanguait. Bonne nouvelle : le bateau ne se retournait pas encore. Mauvaise nouvelle : le fond de cale commençait à prendre l'eau.

Noah se mit à pomper à la main puisque le moteur ne pouvait plus alimenter la pompe. Peu importe s'il prenait l'eau, de toute façon l'essence frelatée ne les mènerait nulle part. Noah se préoccupait surtout du niveau d'eau accumulée dans le fond de cale. Le *Leila Sue* sombrerait au-delà d'un certain volume.

Père et fils pompèrent chacun leur tour en s'attachant à la taille l'un de l'autre par un cordage. La plupart des casiers avaient été balayés par-dessus bord depuis déjà un bon moment. Noah ne voulait pas que lui ou son fils suive le même chemin.

Ses muscles commençaient à l'élancer. Il s'activait deux fois plus que son fils mais il supposait que le garçon aussi devait frôler l'épuisement. Il décida de lui accorder une pause et l'envoya dans la cabine rassurer Lucas. Ian en ressortit attaché au collier du chien.

— Je ne peux pas le laisser là, se justifia-t-il. C'est encore pire que sur le pont !

Noah se réjouit de constater qu'au moins une décision lui serait épargnée. À vrai dire, ce n'était pas la seule : la batterie épuisée par l'action de la corne de brume venait de rendre l'âme.

— Parfait. Tiens-le bien.

Le bateau emporté sur la crête d'une lame plongea l'instant d'après dans un creux entre deux vagues sous une pluie battante que soutenait un vent violent. Jamais encore Noah ne s'était retrouvé dans une posture aussi fâcheuse. Il faut dire aussi que jamais encore il n'avait été victime d'un sabotage.

En rage contre les auteurs du délit, quelle que soit leur identité, Noah se sentait trahi par Julia et maudit des dieux. Il se remit à pomper l'eau dans le fond de cale avec une énergie redoublée. Faute d'un coupable sur qui déverser sa hargne, il s'adressa à son fils :

— Je ne te critique pas, hurla-t-il par-dessus le rugissement de la mer. Je ne sais pas ce qui t'a mis cette idée en tête.

— Tu ne me dis jamais rien d'encourageant, répondit Ian en hurlant à son tour.

— Je ne t'adresse pas non plus de remarques désobligeantes.

— Tu ne viens pas à Washington. Tu ne m'appelles pas souvent. Tu ne veux pas que je vienne vivre chez toi, tu te contentes de me laisser auprès de maman.

— Là-bas, des tas d'occasions s'offrent à toi. Ta mère ne me contredira pas.

— Sans parler des étés ! Jamais tu ne me demandes de venir.

— Tu as toujours mieux à faire.

Ni le vent ni la pluie ne lui dérobèrent le regard incrédule de son fils.

— Mieux que passer du temps avec mon père ?

— Mieux que pêcher des homards ou se retrouver en mer.

— Je croyais que ça te plaisait. Tu as choisi de revenir ici, non ?

— Seulement après avoir vécu d'autres choses. J'ai eu le choix. Je veux que ce soit le cas pour toi aussi. D'où l'intérêt d'aller à l'université.

Julia reçut un premier coup de fil de Molly, dans le Delaware, suivi d'un second, dans le New Jersey. Tous deux lui parurent aussi décourageants que les nuages amoncelés au-dessus de sa tête. Un troisième appel lui parvint peu avant 17 heures aux abords du Connecticut.

Julia transmit les nouvelles à sa mère, le cœur brisé.

— Toujours aucun signe d'eux. Un bateau des gardes-côtes est parti à leur recherche mais ils ignorent où ils ont pu passer. Ils pensent qu'il leur est arrivé quelque chose en début de journée : les casiers de Noah n'ont pas bougé pour la plupart.

— Peut-être qu'ils fuient la tempête ?

— Dans ce cas, Noah aurait prévenu quelqu'un à terre.

— Et les fusées de détresse ?

— Les gardes-côtes n'ont rien vu. Forcément ! Avec une telle purée de pois !

— Le radar ne fonctionne pas dans le brouillard ?

Si. Mais le radar ne repérerait pas l'épave d'un bateau embouti contre des hauts-fonds. Même problème dans le cas d'une explosion.

Julia ravala ses larmes. Sans la déflagration dans la voiture de Kim, jamais elle n'aurait envisagé une telle hypothèse. Pourtant ce risque était aussi réel que celui d'une mort par noyade. Et si quelqu'un avait plastiqué le bateau de Noah en s'arrangeant pour que la bombe n'explose qu'à bonne distance du rivage ? Personne ne s'en apercevrait...

— Julia ?

La voix de sa mère la ramena soudain à la réalité.

— À quoi penses-tu ?

— J'aimerais mieux ne plus y songer ! avoua-t-elle en conduisant sous un ciel menaçant.

Les sandwiches de Ian au beurre de cacahuète n'étaient déjà plus qu'un lointain souvenir. Pelotonné dans la cabine entre son fils et son chien, épuisé et inquiet, à moins de deux heures du crépuscule, Noah donna à Ian l'une des barres de céréales à haute valeur énergétique qu'il conservait dans la cabine en cas d'urgences comme celle-ci – ce qui lui parut d'ailleurs lamentable. Il pensait à emporter des barres de céréales mais pas de radiophare ni de balise marine. Il ne partait jamais sans fusées de détresse ainsi que l'exigeait le règlement mais il ne lui en restait plus une seule. Encore confronté à une nouvelle litanie de regrets inutiles, il pouvait toujours se flageller jusqu'à la fin des temps mais à quoi bon ?

Il tenta de se raisonner : Julia ne l'avait pas trahi. Aucun motif valable ne le poussait à le croire. Elle était partie mettre un terme aux démarches entreprises et elle ne tarderait sans doute pas à revenir.

La tempête finirait bien par se calmer. Ensuite, ils pourraient dériver à bord du *Leila Sue* jusqu'à ce qu'on les retrouve. Il leur fallait simplement tenir bon en attendant.

— Je vais chercher des seaux, annonça-t-il à Ian en se relevant.

Il en attrapa deux à l'intérieur de la cabine, en tendit un à son fils puis, en prenant appui sur le bord du bateau, se dirigea vers la trappe menant au fond de cale où il se mit à écoper.

Ian le rejoignit. Un cordage rattachait encore Lucas à sa ceinture. Tous deux dégouttaient d'eau de mer. Lucas semblait même d'une maigreur effrayante avec sa fourrure plaquée contre son corps. On ne pouvait rien y faire. Tout était trempé. Noah sentait l'humidité percer son ciré, ses bottes, son jean, sa chemise et même sa peau. En se laissant aller au pessimisme, il aurait pu se dire qu'il se transformait déjà à moitié en créature des abysses.

— Je n'irai pas à l'université, déclara Ian d'une voix forte en lançant par-dessus bord un seau plein d'eau.

— Ce serait idiot de ta part

— Ça y est : tu me traites d'idiot !

— J'ai dit que ce serait idiot de renoncer à tes études, voilà tout.

Noah avait le pressentiment qu'écoper à l'aide de seaux ne donnerait pas plus de résultats qu'avec la pompe mais il fallait bien prendre une initiative. Mieux valait encore se retrouver les pieds dans la cale à encaisser le tangage que de glisser sur le plancher de la timonerie.

— Si tu veux qu'on discute, tu dois accepter les compliments comme les critiques.

Ian ne répondit rien.

— Voilà qui est sage ! s'écria Noah.

Soudain, une autre vague se brisa sur le pont avec un grand fracas. Lucas se retrouva balayé dans un coin de la poupe avant que le cordage attaché à Ian ne le freine dans sa course. Ian rampa sur le pont pour le rattraper.

— Pourquoi pas l'université ? insista Noah dès son retour.

— J'ai besoin d'un temps de réflexion, répondit Ian en reprenant un seau. C'est le cas de tas de jeunes de nos jours.

— Que ferais-tu de tes journées ?

— Je ne sais pas, avoua-t-il en plongeant le seau dans l'eau. À quoi ça sert d'aller à la fac tant que je ne sais pas ce que je veux faire de ma vie ?

Il lança par-dessus bord le contenu du seau.

Noah en fit autant une, deux, cinq, dix fois. Le bateau tanguait de plus en plus. La pluie se confondait avec l'écume. Le fond de cale se remplissait plus vite qu'ils n'écopaient. Soudain, sa conversation avec son fils lui parut primordiale.

— C'est à ça que servent les études !

— Les facs que j'ai visitées me dégoûtent : des classes énormes, des dortoirs qui craignent et des beuveries tous les week-ends. Tu ne voudrais quand même pas que je suive un exemple pareil ?

— Va plutôt voir de petites universités, suggéra Noah en écopant de plus belle.

— Plus elles sont petites, plus il est difficile d'y entrer. J'ai de sales notes en classe.

Nous y voilà ! se dit Noah en se redressant de toute sa hauteur :

— Tu crains de ne pas être accepté là où tu le souhaites.

Ian s'arrêta d'écoper à son tour.

— Tu te rends compte à quel point maman en serait gênée ? Elle occupe un poste important dans mon école et, même avec l'appui du conseiller pédagogique, son fils n'arriverait pas à entrer à l'université ?

— Personne ne te demande de t'inscrire dans une fac de prestige, rétorqua Noah, tandis qu'une vague énorme se profilait à l'horizon.

— Toi, tu y es bien allé, répondit Ian en se préparant à affronter la houle.

— Tu n'es pas moi.

— Pas aussi brillant.

Le *Leila Sue* se souleva sur la crête de la lame.

— Aussi brillant que moi, si ce n'est plus ! Les temps ont changé depuis, voilà tout.

Ils atteignirent le creux de la vague. La proue s'enfonça sous les flots et de l'eau gicla contre les vitres de la timonerie jusqu'au toit en menaçant de submerger le bateau. On aurait dit que le *Leila Sue* voguait à l'aventure depuis une éternité. Enfin, la coque émergea de nouveau.

C'est alors que Noah entendit un cri étranglé. Il se retourna vers la poupe à temps pour voir une vague emporter par-dessus bord Ian, et le chien à sa suite. Noah fit volte-face afin de rattraper l'extrémité du cordage qui les attachait. Il glissa sur plusieurs centimètres d'eau jusqu'à l'autre bout de la coque avant de reprendre pied puis tira sur la corde de toutes ses forces. Sans cela, Ian se retrouverait happé par la prochaine lame, à dix pieds du *Leila Sue*.

La mer le submergerait. Les poumons d'un homme ne sont pas de taille à lutter contre une tempête. Même si Noah parvenait à lui lancer une bouée de sauvetage, ce dont il doutait, Ian risquait de se retrouver sous l'eau assez longtemps pour ne plus pouvoir tirer parti de son gilet.

Sans perdre des yeux le garçon, Noah tira sur le cordage. L'océan ou alors le poids de son fils contrecarrait ses efforts mais il tint bon. Il tira plus fort, plus vite, vit Ian s'approcher puis, au même instant, le bateau se souleva. Il ne cria pas et se contenta de tirer de plus belle sur la corde et tendit la main à son fils, l'attrapa par le poignet et le hissa à bord comme s'il n'était encore qu'un petit enfant malgré son mètre quatre-vingts et ses soixante-quinze kilos. Lucas le suivit de près. Noah venait de les repêcher lorsqu'une muraille d'eau heurta le pont de plein fouet.

Il se mit à pleuvoir au sud de Boston. Julia actionna les essuie-glaces sans ralentir pour autant. En pensée, dans le fond de son cœur, elle se trouvait à Big Sawyer à côté des autres personnes attendant au grill des nouvelles du *Leila Sue* – ou sinon en pleine tempête. Julia sentait peser sur elle la menace de l'océan comme le soir de l'accident. La force des vagues, le risque de noyade, la peur panique, tout lui revint en mémoire. Ses souvenirs dépassaient son entendement : des visages et des cris, la proue rouge foncé du *Fauve* surgirent sous ses yeux, l'espace d'un éclair.

— Il doit beaucoup compter pour toi, commenta sa mère d'un ton grave.

Julia revint à la réalité et décocha à Janet un regard interdit.

— Noah, expliqua celle-ci. Depuis notre départ de Baltimore, tu ne m'as pas une seule fois demandé ce que cela me faisait de retourner là-bas. Ce ne sera pourtant pas facile, Julia. Retrouver ton père ne représente qu'un premier pas. Revoir ma sœur me coûtera beaucoup plus. Vingt-cinq années se sont écoulées. Pourtant je me rappelle encore tout. Tu ne m'as pas interrogée à ce propos.

En effet. Julia ne comptait d'ailleurs pas le faire. Voilà l'une des choses qu'elle avait apprises, ces dernières semaines. Parfois, ses propres besoins passaient en premier.

— Je te demande pardon, maman. Soudain, un tas de choses se sont accumulées. Je ne peux pas m'en occuper maintenant.

— D'où mon impression qu'il doit beaucoup compter pour toi. Je me trompe ?

Julia jeta un coup d'œil dans son rétroviseur, puis elle actionna son clignotant gauche avant de se déporter.

— Non. Tu as raison.

— C'est à cause de lui que tu divorces ?

— Non. Mon mariage ne signifie plus rien. Monte m'a trompée, je n'attends plus grand-chose de lui. Je mérite mieux.

— Et Noah, dans tout ça ?

Julia dépassa une, puis deux voitures. Enfin, elle se rabattit.

— Je le considère comme... une bouffée d'air frais.

— Ce qui peut vouloir dire tout et son contraire. Qu'est-ce que tu lui trouves de si rafraîchissant ?

— Sa façon de me regarder, répondit spontanément Julia. Sa façon de parler, de sourire. Il respire la sincérité. Même son silence est rafraîchissant. On n'est pas toujours obligés de parler. Il se dégage de lui quelque chose de plus fort que les mots. En sa présence, tout devient sensible.

— Ou plutôt sensuel, non ? suggéra sa mère à juste titre. Voilà pourquoi Zoe apprécie tant l'île ?

— Je ne sais pas. On n'en a jamais parlé mais j'imagine que oui. Les gens là-bas mènent une vie riche de ce point de vue. Je ne sais pas si tu comprends où je veux en venir ?

Janet ne répondit pas, mais poursuivit :

— Cet endroit te fascine depuis toute petite. C'est une des raisons pour lesquelles je t'y envoyais avec tes frères. Eux avaient d'autres choses à faire, mais tu étais toujours ravie d'y retourner. Tu saurais y vivre ?

— Je crois, oui.

En vérité, elle en doutait de moins en moins à mesure qu'ils approchaient. Elle retournait là où elle voulait être. Cela lui semblait une évidence, malgré ses craintes pour Noah qui occupait l'essentiel de ses pensées.

— Si Noah n'était plus là ?

— S'il était mort, tu veux dire ?

— Tu resterais quand même ?

Julia n'avait pas réfléchi aussi loin. Elle savait que ses sentiments envers Big Sawyer ne se dissociaient pas vraiment de ce qu'elle éprouvait à l'égard de Noah.

— Tout ira bien, affirma-t-elle en écrasant une larme sur sa joue. Il ne mourra pas. Il va s'en sortir.

L'obscurité s'insinua à travers le brouillard. Aucune vague aussi énorme que la précédente ne s'était formée depuis. Même si le bateau continuait de bondir en tous sens, Noah se sentait trop épuisé pour faire quoi que ce soit d'autre que rester assis dans la timonerie à côté de Ian. Ils s'adossaient au tableau de bord côte à côte. Ian avait perdu ses bottes en mer mais il était bien vivant. Lucas aussi. Il se pelotonnait entre leurs jambes. Chacun posait une main sur le chien. C'était lui qui les reliait l'un à l'autre, lui qu'ils touchaient plutôt que de se toucher directement.

La situation semblait irréelle à Noah, qui reprit le fil de leur conversation interrompue d'une voix calme, faute d'énergie.

— Les universités de prestige ? C'est très bien ! À peine un tiers de ma classe au lycée est allé à la fac et aucun autre élève n'a postulé au même endroit que moi. Ça m'a facilité les choses, avoua-t-il en inspirant une bouffée d'air saturé d'eau salée. Je sais que la compétition fait rage dans ta classe. Mais ce serait encore pire d'y renoncer.

Ian semblait à bout de forces. Il s'exprima d'une voix faible :

— Qu'est-ce que je suis censé faire ?

— Te présenter à d'autres facs que celles où tenteront d'entrer tes camarades. Choisis celles qui te plaisent. Ne te laisse influencer par personne, ni moi ni ta mère, ni le conseiller pédagogique ni surtout tes amis. Une chance unique s'offre à toi de faire ce que tu souhaites. Profites-en !

— Il faudrait d'abord qu'on sorte d'ici vivants !

— Ce sera le cas, crois-moi, lui assura Noah en sentant ses forces revenir. On s'en est tirés jusqu'ici, pas vrai ? Si tu n'es pas mort dans l'océan, alors tu ne mourras plus maintenant.

Moi non plus, comprit soudain Noah. Avoir réchappé au naufrage de l'*Amelia Celeste* lui avait permis de changer ce qui clochait dans sa relation avec son fils. Ils pourraient faire ensemble des tas d'autres choses que pêcher le homard. Sans compter Julia. Un court moment, assis là près de Ian dont le séparait Lucas, il se mit à songer à elle. Il commença par évoquer des souvenirs de leur nuit ensemble, suivis d'autres images plus innocentes. Le travail, les loisirs, les voyages, la famille ; il pourrait tout partager avec elle, ce qu'il comprit en l'espace d'un battement de cœur. Il avait laissé son couple s'étioler par lassitude. Julia représentait à ses yeux sa seconde chance. N'était-ce pas une des raisons pour laquelle il n'avait pas suivi son père dans la tombe ?

Profites-en, venait-il de dire à son fils. Le conseil valait aussi pour lui et cela l'apaisa.

Il s'aperçut presque aussitôt que le calme ne régnait pas seulement dans ses pensées. Les vagues continuaient de ballotter le *Leila Sue* mais elles n'étaient plus si grosses ni la pluie si drue. Pas de doute : la tempête se calmait maintenant que la nuit tombait.

21.

Trente minutes avant d'arriver à Rockland, Julia apprit par Molly que le temps s'améliorait. Lorsqu'elle gara sa voiture sur la jetée, la pluie avait cessé. Le brouillard s'était suffisamment levé pour que, en dépit de l'obscurité, elle reconnaisse Matthew Crane à bord du *Cobalt* de son neveu. Il attendait de la conduire à Big Sawyer.

Matthew aida Janet à monter à bord, ainsi que Julia qui lui donna l'accolade. En s'écartant de lui, elle demanda :

— Des nouvelles ?

— Pas encore.

— Vous arriverez à nous amener sur l'île malgré le peu de visibilité ?

— J'ai réussi à venir ici, non ? lança Matthew d'un ton léger. Personne ne connaît ces eaux mieux que moi. Vous savez combien de fois j'ai fait la traversée ? Ce n'est pas par hasard qu'on m'a envoyé à votre rencontre. En plus, les autres sont partis à la recherche de Noah.

Julia ne lui demanda pas de lui faire part de ses hypothèses concernant le sort du *Leila Sue*. Elle se contenta de le laisser piloter le *Cobalt*. La capote relevée à l'arrière du bateau les protégeait tous trois de la brume et de l'écume. Le bateau fendait les vagues pourtant grosses et le brouillard se levait peu à peu. Julia distinguait les phares des autres bateaux, des homardiers qui ne seraient pas partis en mer à une heure aussi tardive si l'un des leurs ne se trouvait pas en danger.

En moins de quinze minutes, Matthew entra dans le port ; là aussi la houle était forte. Julia osait à peine se figurer l'état de la mer au gros de la tempête. Difficile d'imaginer comment se passerait un débarquement confié à des mains moins expertes que celles de Matthew. Sa parfaite connaissance du vent et des vagues lui permit de guider le bateau sans encombres jusqu'à son mouillage. Du groupe de gens massés sur les quais, vêtus de jeans et de cirés, se détachèrent Molly et George.

Julia observa sa mère à la dérobée. Elle aussi venait de les apercevoir. Elle ne semblait pas sûre d'elle. Cela lui ressemblait si peu que Julia s'approcha pour lui glisser :

— Il t'attend. Il t'aime.

Janet ne répondit pas. Ses yeux se noyèrent de larmes.

Matthew venait d'attacher les amarres. Tant de mains se tendaient pour les aider à débarquer que Julia n'en distinguait même plus les propriétaires mais elle reconnut aussitôt Molly à son étreinte pleine de chaleur. Il lui faudrait la mettre au courant de ce qui se passait entre elle et Monte mais pas maintenant alors que tant de choses restaient encore en jeu.

Julia promena les yeux autour d'elle. George serrait dans ses bras Janet, qui répondait à son étreinte avec autant d'ardeur.

— Où est Zoe ? chuchota Julia à l'oreille de sa fille.

— Au bout du quai. Elle ne sait pas quoi faire. Jamais je ne l'avais vue dans cet état.

En s'écartant un peu, Julia l'aperçut en retrait de la foule. Elle se tenait seule, les bras croisés sur sa poitrine, plus par souci de se protéger que par entêtement. Julia voulut la rejoindre mais ce n'était pas elle que Zoe attendait.

Soudain, Janet s'éloigna de George.

Zoe écarta les bras en voyant approcher sa sœur aînée.

Jamais Julia ne saurait ce qu'elles s'étaient dit. Cela ne la regardait pas. Elle vit simplement Janet s'arrêter à quelques pas de Zoe puis hésiter une bonne minute avant de caresser la joue de sa sœur.

Julia détourna les yeux. Pour l'instant, il lui importait surtout de connaître le sort de Noah.

Ils voguèrent à la dérive, épuisés par le contrecoup de leur frayeur autant que par la difficulté de maintenir à flot le *Leila Sue*. Quelques accès d'énergie leur permirent d'écoper assez pour ne pas sombrer. Ils demeurèrent assis, l'essentiel du temps, dans la timonerie, bercés par la houle, les yeux rivés au brouillard, en espérant apercevoir les phares qui leur signifieraient leur délivrance.

Noah s'était plus d'une fois demandé quoi dire à son fils. En cet instant, la question ne se posait plus. Pas besoin de parler pour comprendre ce qu'ils partageaient. Jamais Noah n'aurait demandé à vivre une pareille aventure, d'ailleurs ils attendaient encore les secours. Mais les épreuves qu'ils venaient de subir demeureraient à tout jamais présentes dans leur esprit. Un lien s'était créé entre son fils et lui. Il n'avait pas besoin de mots pour l'exprimer. Il sentait que Ian aussi en avait conscience. Son fils ne s'opposait plus à lui désormais. Ian avait accompli son baptême du feu, comme un rituel d'initiation dans la tribu des caseyeurs. Noah était fier de lui.

À 22 heures, après dix-sept heures en mer, les premières lumières percèrent le brouillard. Ils poussèrent un soupir de soulagement et se dressèrent en criant et en riant, soudain revigorés malgré leur fatigue extrême. Ian, au comble de la joie, passa les bras au cou de son père. Noah se sentit délivré pour de bon.

Julia ne put retenir ses larmes en songeant à la matinée de l'avant-veille qui lui semblait remonter à plus d'un siècle. À ce moment-là, elle s'était sentie partagée entre la peine de quitter Noah et la peur d'affronter Monte. Soudain, elle prit peur : et si les sentiments de Noah avaient changé à son égard ? Une grande joie tempérait sa crainte. Peu importe ce qui se passait entre elle et Noah, il suffisait qu'il soit sain et sauf.

Le bateau des gardes-côtes entra au port en tête d'un cortège de homardiers, peu avant 23 heures. Les phares des embarcations et les torches éclairaient l'océan dans la nuit. Noah et Ian descendirent dès que le bateau accosta, suivis de Lucas ! Julia ignorait que le chien se trouvait à bord du *Leila Sue*. Il semblait transi mais heureux de retrouver la terre ferme à en juger par sa course folle le long du débarcadère. Noah et Ian n'eurent pas le loisir de l'imiter : des amis les encerclèrent aussitôt en les gratifiant de tapes dans le dos ou d'accolades.

Julia se tenait quant à elle à l'extrémité du quai. Demain, 4 juillet, jour de fête nationale, il y aurait beaucoup à célébrer, surtout après le drame survenu trois semaines plus tôt. Cette fois, la vie triomphait.

Noah n'avait rien d'un héros. Cela le gênait d'entendre Ian raconter à la foule des curieux comment son père avait lutté contre les vagues pour le sauver de la noyade. Il n'avait tout de même pas eu le choix !

Soudain, il se sentit de nouveau incapable de tenir en place. Il voulut rejoindre Julia, mais c'était impossible pour l'instant. En attendant, il pouvait toujours s'en prendre à Haber et Welk.

Il rompit le cercle de ses amis pour se retrouver nez à nez avec John Roman qui lui demanda :

— Tu es certain qu'il y avait de l'eau dans ton réservoir ?

— Oui. Tout l'indiquait.

— Et les fils de la radio ont été coupés.

— Affirmatif.

— Un coup de Haber et Welk ?

— Tu soupçonnes quelqu'un d'autre ?

— Non, admit John. On n'a qu'à leur rendre une petite visite. Quand tu veux...

— Pourquoi pas maintenant ?

— Il se fait tard.

— Trop tard pour toi ?

— Ça non ! Pour Charlie Andress non plus. On n'attend que ça, nous autres : un petit changement de routine. Je pensais plutôt à toi, tu es levé depuis 4, 5 heures ?

— En tout cas, je ne suis pas près de m'endormir. À cette heure-ci, on a toutes nos chances de les trouver chez eux. La mer s'est calmée depuis la fin de la tempête. Donne-moi le temps de changer de vêtements et je t'accompagne à West Rock.

— D'accord.

Noah se sentit ragaillardi par ce projet.

Soudain, les battements de son cœur redoublèrent. Julia se dressait à moins de dix pas de lui. Ses cheveux brillaient dans l'obscurité, elle était d'une beauté à couper le souffle. Son pantalon blanc, sa veste citron et ses sandales à semelles compensées lui donnaient une allure plus époustouflante encore que le soir de leur rencontre à bord de l'*Amelia Celeste*. Elle pressait une main contre sa bouche. Des larmes de regret ruisselaient le long de ses joues. Mais elle n'esquissa pas le moindre geste dans sa direction.

Je l'ai perdue, songea-t-il. *Elle est venue me dire adieu.*

Puis, un détail insolite lui fit comprendre qu'elle ne pleurait pas sous le coup de regrets mais à cause de son anxiété. Un déclic se produisit. Il la rejoignit en quelques enjambées sous le feu de son regard empli d'un désir farouche.

Il lui prit la main, pas encore habitué à la voir sans alliance. Leurs doigts s'enlacèrent. Noah plaça la main de Julia contre son cœur battant la chamade. Elle lui sourit à travers ses larmes.

Ce simple sourire le bouleversa. Il suffoqua, l'espace d'une minute, tant l'émotion lui comprimait la poitrine.

— Papa ? l'interpella Ian dans son dos. John nous attend.

Noah s'éclaircit la gorge.

— On part à West Rock, expliqua-t-il d'une voix douce. Dans l'antre du lion.

— Je vous accompagne, déclara-t-elle.

Elle soutenait son regard comme si elle était résolue à ne jamais le laisser partir.

— Oh non ! Lui non plus, répliqua-t-il en se tournant vers Ian.

— Ils ont failli me tuer, rétorqua ce dernier. J'ai le droit de t'accompagner.

— Il s'agit de criminels ! rétorqua Noah à l'intention de son fils mais aussi de Julia. Je pars avec John et Charlie. Ils possèdent chacun une arme.

— Mais...

— Je ne me suis pas montré à la hauteur. Ma négligence idiote a failli nous coûter la vie. Je ne veux pas me retrouver une fois de plus en position délicate. Je vais te dire : il nous faut des habits secs. Tu resteras à la maison en compagnie de Julia. Comme ça, je vous retrouverai tous les deux dès mon retour.

En fin de compte, Ian vint aussi. Ce jeune homme encore taciturne moins d'une semaine plus tôt était intarissable. Il redoublait même d'éloquence. *Ce combat me concerne autant que toi. Il vaut mieux lutter à quatre qu'à trois.* Sans oublier l'argument massue : *Ne me dis pas qu'à ma place, à mon âge, tu n'aurais pas accompagné ton père !*

Comme de juste, une fois que Ian eut obtenu le consentement de Noah, Julia parut sur le point de se rebeller à son tour. *J'ai passé ma vie à regarder les autres agir* semblait-elle protester en posant sur lui ses magnifiques yeux noisette. Noah dut lui accorder quelques instants de répit au cours desquels il lui révéla ses sentiments avant qu'elle ne se rende à la raison.

Le bateau de John rejoignit West Rock en sept minutes. Charlie Andress les attendait sur le débarcadère. Il mena toute l'équipe à la petite maison de pêcheur délabrée qu'occupaient Haber et Welk. La Porsche noire qui stationnait devant ne cadrait pas vraiment avec l'état de ruine de la maison. Les phares de Charlie s'arrêtèrent sur la voiture.

— Waouh ! s'écria Ian. Chouette bagnole !

— Un peu incongrue chez un pêcheur, remarqua John.

— La voiture est immatriculée en Floride. Ils ont dû s'accommoder de leur taudis mais ils n'ont pas pu se passer de la voiture.

— Tout s'explique, commenta Noah en se carrant sur la banquette arrière. Ils tentent de se fondre dans la masse des caseyeurs, ils obtiennent un permis de pêche et posent leurs nasses. Puis ils se lancent dans une guerre des balises au mépris des lois de l'île, comme s'ils ne pouvaient résister à la tentation.

— Ce sont de véritables bandits, expliqua Charlie en se garant face à la maison.

— Pas de lumière à l'intérieur, fit observer John. Ils doivent dormir.

— Tant mieux, déclara Noah en ouvrant la portière.

Plus sa visite les dérangerait, mieux ce serait.

Charlie prit la tête de leur cortège puisqu'ils se trouvaient ici dans sa juridiction. Il frappa fort à la porte, bien décidé à les tirer du lit. Lui non plus n'appréciait pas Haber et Welk.

Une lumière apparut, puis la porte s'ouvrit sur un homme bientôt rejoint par son compagnon. Ni l'un ni l'autre ne dormaient : tous deux étaient vêtus de cirés. De taille et de corpulence moyennes, ils portaient la barbe, à l'instar de nombreux pêcheurs. L'un avait le crâne rasé.

— Vous me connaissez, commença Charlie d'un ton nonchalant. Voici John Roman, de Big Sawyer. Il faut qu'on parle.

Même à la faible lueur de la lampe dans leur dos, leur inquiétude ne faisait pas de doute.

— Le moment est mal choisi, dit le chauve ; sans doute Welk, songea Noah en se rappelant la photo sur l'ordinateur de John. Il est tard.

— Vous n'avez pourtant par l'air de sortir de sous la couette, remarqua Charlie.

— On vient de rentrer.

— Oh ? Où étiez-vous passés ?

Noah était curieux d'entendre leur réponse. Sur l'île de West Rock, deux fois plus petite que Big Sawyer, il n'y avait qu'une brasserie ; et encore, elle fermait à 20 heures. De toute façon, ils devaient avoir dîné chez eux car de vagues odeurs de cuisine filtraient par la porte – de l'ail, des oignons et de la viande de bœuf braisée. Des bandits ? De vrais criminels plutôt ! D'où pouvaient-ils bien revenir ? Vu la tempête cet après-midi, ils n'avaient pas dû aller se promener.

— Ici ou là, répondit Welk en haussant les épaules sans trop y croire.

— Vous n'avez pas pris la voiture, grommela Charlie. Je viens de poser la main sur le capot : le moteur est froid.

Welk décocha un regard furtif à Haber, qui déclara :

— On est partis se balader. Aucune loi ne l'interdit, quand même !

— Non, mais, à mon avis, vous n'êtes pas très mouillés pour des gens qui viennent de rentrer. Je dirais plutôt que vous étiez sur le point de sortir. Où allez-vous ?

— Au lit, dès que vous lèverez le camp.

— J'espère que vous n'êtes pas pressés, reprit Charlie d'un ton détaché. Comme je viens de vous le dire, il faut qu'on parle. Si on entrait ?

— Si vous nous ameniez plutôt un mandat de perquisition ? répliqua Welk.

Haber lui fit signe de ne pas s'énerver.

— Je ne cherche rien du tout, poursuivit Charlie d'un ton détaché qui les agaça particulièrement. Je veux juste vous parler. On peut discuter ici, ou alors dans mon bureau.

— Demain matin, ça vous va ? suggéra Welk sur le qui-vive.

— À vrai dire non. Je connais des gens qui ont une dent contre vous. Ils sont venus jusqu'ici pour vous voir. Mon ami M. Roman, tout comme M. Prine, pense que vous avez saboté le bateau de M. Prine. Il compte bien porter plainte. J'aimerais entendre ce que vous avez à me dire.

Welk consulta sa montre, puis se redressa d'un mouvement qui trahit sa nervosité.

— Il a tiré sous notre ligne de flottaison.

Noah s'apprêtait à le nier lorsque Charlie les mit en garde :

— À votre place, je ne l'accuserais pas. Certains témoins prétendent que vous avez vous-mêmes tiré ce coup de feu.

— Ils mentent.

— Vous ne seriez pas les premiers, remarqua Charlie en haussant les épaules. D'autres ont même tenté pire encore dans l'espoir de justifier une guerre de balises.

Il semblait beaucoup s'amuser, donnant ainsi à Noah une idée des tracas que causaient Haber et Welk à West Rock.

— Mes témoins racontent que vous sortez en bateau la nuit et je me demande bien pourquoi. Vous relevez des casiers dans le noir ? Ou vous repeignez des balises ? Ou vous frelatez l'essence dans le bateau du citoyen le plus respecté de Big Sawyer ?

— Ils ont aussi coupé les fils de la radio, les accusa Ian en découvrant ainsi sa présence.

Voilà pourquoi Noah ne voulait pas qu'il vienne. Haber et Welk disposeraient désormais d'une nouvelle arme contre lui. En laissant libre cours à sa colère, il attira leur attention sur lui :

— Vous avez frelaté l'essence en me privant de ma radio alors qu'une tempête se préparait. Résultat : je me suis retrouvé en mer dans un bateau en panne en plein cœur de la bourrasque. Vous êtes coupables d'une tentative de meurtre !

— Pourquoi vous nous accusez ? l'interrogea Haber. On pêche le homard l'été, voilà tout ! Ici, on dirait qu'on n'aime pas les étrangers. C'est votre problème, pas le mien.

— Faux, reprit Noah. Vous avez pénétré sur mon bateau dans l'intention de le saboter. La destruction de la propriété d'autrui constitue un délit puni par les lois fédérales.

— Et les casiers qu'on a perdus quand nos filières ont été coupées ? releva Haber, un mauvais sourire aux lèvres.

Noah s'apprêtait à renchérir en évoquant les balises repeintes lorsque Charlie l'arrêta d'un geste.

— Ça arrive tout le temps, qu'on retrouve des lignes tranchées. Vous ne trouverez personne pour en témoigner.

Haber se mit à se dandiner en arborant encore son sourire qu'on aurait cru collé sur son visage.

— J'exige un avocat.

— Demain, peut-être ? suggéra Charlie en souriant à son tour.

— D'accord, se hâta de conclure Welk, apparemment pressé de refermer la porte. Viens, Curt.

— Vous êtes sûrs que vous n'allez plus sortir ce soir ? les interrogea Charlie, piqué par la curiosité.

— À minuit vingt ? Il est tard. Si vous voulez nous inculper, dépêchez-vous. Sinon, fichez le camp de chez nous.

— Je pourrais vous rappeler, commença Charlie d'un ton léger, que vous n'êtes pas vraiment ici chez vous. La maison appartient à l'un de mes vieux amis qui n'y habite plus depuis six ans parce que son épouse souffrante a préféré rejoindre sa famille dans l'Indiana. Alors il loue. C'est dommage mais la plupart du temps il ne trouve aucun client. Peu de gens viennent à West Rock. Votre proposition lui a semblé une vraie bénédiction, vous n'avez même pas discuté le prix du loyer, plutôt cher à mon avis. De toute façon, mon ami saura quoi faire de l'argent. Je ne crois pas qu'il se réjouira d'apprendre vos infractions à la loi de l'île.

Haber décocha à Welk un regard insistant. Welk avait tellement l'air d'un homme qui tente d'ignorer le serpent qui lui rampe dans le dos – tous deux semblaient à deux doigts de paniquer – qu'une idée vint à Noah. Il s'apprêtait à apostropher John lorsque celui-ci déclara :

— Allez, Charlie. Je crois qu'on a suffisamment embêté ces messieurs. On ferait mieux de les laisser se coucher. Nous serons tous en meilleure forme demain.

Les deux hommes plantés sur le pas de la porte se détendirent soudain.

— Oh ! Je n'en étais qu'à la mise en train, protesta Charlie.

Mais John lui fit signe de regagner la voiture. Une fois tous les quatre à l'intérieur, John ordonna :

— Tourne au coin de la rue, Charlie, comme si tu t'en allais, puis gare-toi et éteins les phares. Je veux voir ce qu'ils vont faire.

Il sortit de sa poche un petit carnet qu'il se mit à compulser à la faible lueur du tableau de bord.

— Vous pensez ce que je pense ? s'enquit Noah.

— Je parie que Welk ne consultait pas sa montre et que Haber ne connaissait pas l'heure exacte par hasard.

Il trouva l'information qu'il cherchait, puis composa un numéro sur son portable.

Charlie arrêta son véhicule à l'écart avant d'éteindre les phares.

— Qu'est-ce qui se passe ? demanda Ian à son père.

Noah se rappela la réunion des pêcheurs le jour des funérailles de Hutch. À entendre Mike Kling, ils feraient d'une pierre deux coups en prouvant que les fruitiers coupables d'empiéter sur leur territoire avaient aussi tiré sur Artie. Pas de chance : Kim était l'auteur du coup de feu. N'empêche...

— Si Haber et Welk étaient partis faire leur trafic ?

— En plein milieu de la nuit ? s'interrogea Ian, sceptique.

— C'est à ce moment-là que les clandestins débarquent.

Les bribes qui leur parvinrent de la conversation téléphonique de John indiquaient qu'il s'entretenait avec les services de l'immigration.

— S'ils s'occupaient du transport d'immigrés, insista Ian, pourquoi se comportaient-ils comme ils le faisaient le reste du temps ?

— Par bêtise ? suggéra Noah d'un air écœuré.

— Sérieusement ? Ils ne préféreraient pas se rendre invisibles ?

— Ils pensaient peut-être y arriver en pêchant des homards. Artie laissait croire à tout le monde qu'il couchait avec Kimmie. Haber et Welk, eux, se servaient sans doute de la pêche comme couverture. Ils ont obtenu leur permis, loué une maison, ils ont fait ce qu'ils avaient à faire. Ils n'ont pas consulté la loi de l'île car elle ne figure sur aucun registre. Voilà pourquoi ils ont posé leurs nasses où il ne fallait pas. Quand on le leur a fait comprendre en nouant leurs filières, ils ont contre-attaqué. Ils n'ont pas eu assez de bon sens pour placer leurs casiers ailleurs. Il voulaient nous avoir.

— Pourquoi ?

— Parce qu'ils ne connaissent pas d'autre solution à un problème que la violence.

— Voilà leur Porsche, annonça Charlie en apercevant une voiture noire qui filait le long de la route.

John raccrocha.

— Suis-les, Charlie. Il faudra qu'on puisse témoigner de leurs agissements. Les services de l'immigration viennent d'aborder le plus gros bateau. L'équipage est en garde à vue. Ils attendent d'attraper les pilotes des autres embarcations.

— Ils transportent des clandestins sur un homardier ? s'écria Ian.

— Leur bateau mesure près de quarante-cinq pieds, il peut facilement contenir trente à quarante personnes. S'ils font le trajet une fois tous les trois jours, ils doivent transporter une centaine de passagers et Dieu sait combien de kilos d'héroïne.

— De l'héroïne ? reprit Ian, abasourdi. Waouh !

— Tu crois qu'ils ont plastiqué la voiture de Kimmie ? demanda Noah à John.

— En tout cas, ils en sont bien capables. Ce ne sont pas des enfants de chœur ! Je suppose qu'on trouvera des traces d'explosif quand Charlie reviendra avec un mandat de perquisition. Pas vrai, Charlie ?

Ils virent Haber et Welk se garer sur la jetée puis s'en aller en mer à bord de leur homardier, tous phares éteints. Une fois l'information transmise au contact de John aux services de l'immigration, il ne leur resta plus aucun motif de s'attarder à West Rock. John mit le cap de son propre bateau dans la direction opposée, juste à temps. La fatigue venait de rattraper Ian qui piqua du nez au cours du bref trajet jusqu'à Big Sawyer. Noah ne valait pas beaucoup mieux. Tous deux, levés depuis près de vingt-deux heures, venaient de passer une journée particulièrement éprouvante.

Noah devait encore s'occuper d'une chose. Lorsqu'il entra dans la maison de ses parents, il la découvrit en plein sommeil sur le canapé. La couverture couleur lilas tricotée au crochet par sa mère, des années plus tôt, couvrait son corps. Lucas, la fourrure enfin sèche, lui réchauffait les pieds, et dormait aussi d'un sommeil de plomb.

— Elle a fait de la pâtisserie, chuchota Ian en humant les odeurs provenant de la cuisine.

Pas de parfum d'ail, ici. Cela sentait le chocolat, les biscuits, le gâteau au café, confectionnés avec de la farine, du sucre, du beurre, des plaques de chocolat, de l'extrait de vanille ou de la cannelle, ou des restes d'une autre époque, faute de trouver mieux dans la maison.

— Va voir.

Ian se rendit dans la cuisine, soudain revigoré.

Noah s'accroupit au pied du canapé où il observa Julia. Il songea qu'il pourrait passer des heures à la regarder, d'autant plus qu'il tombait de fatigue en ce moment. Il pourrait rester là à contempler ses traits sans jamais se lasser. L'attirance physique qu'il éprouvait pour elle n'était pas la seule raison de sa fascination. La beauté de Julia dépassait de loin les apparences. C'était quelqu'un de serein, d'équilibré, de raisonnable et de compatissant. Elle aimait donner de son temps comme de sa personne, ce qui représentait un avantage autant qu'un défi. Puis elle débordait d'une extrême générosité.

Surtout, elle était en train de lui sourire.

Il lui rendit son sourire.

— Bonjour ! murmura-t-il sans savoir quoi dire d'autre.

Une main sortie de sous la couverture se posa sur son menton couvert d'une barbe naissante puis s'attarda sur ses lèvres.

— Vous les avez eus ?

Noah acquiesça.

— Aucun blessé ?

— Aucun.

Elle laissa échapper un soupir de contentement.

— Pardon de m'être endormie.

— Je vous en prie ! Vous deviez tomber de fatigue après une si longue route, sans compter la pâtisserie. Rien ne vous obligeait à le faire.

— Je sais, mais j'en avais envie. J'aime cuisiner.

Ian reparut la bouche pleine.

— Attends un peu de voir ce qu'il y a dans la cuisine ! déclara-t-il à Noah. C'est délicieux ! ajouta-t-il à l'intention de Julia.

— Tu n'as quand même pas tout mangé ! s'inquiéta Noah.

— Nan, tiens !

Il lui tendit un tas de biscuits et une part de gâteau sur une serviette en papier puis se rendit sans plus attendre dans sa chambre.

Soudain affamé, Noah engloutit un biscuit entier en souriant de toutes ses dents. Puis il s'attaqua au gâteau. En un rien de temps, il ne resta plus une miette sur la serviette.

— Je prendrais facilement le pli de me laisser choyer.

— Tout le monde a besoin de se faire dorloter de temps à autre.

— Même vous ?

— Oui ! Ma mère m'a préparé du café ce matin. Ça n'a l'air de rien mais j'étais ravie. Je me sentais chouchoutée.

Le sourire de Noah s'évanouit soudain.

— Jamais il ne prenait autant soin de vous ?

— Non.

— Moi je saurai ! déclara-t-il en lui saisissant la main.

— Je n'en doute pas.

— Mais vous préférez ne pas précipiter les événements.

— Il le faut bien. Je viens à peine d'entamer une procédure légale. Il reste encore des tas de détails pratiques à régler. Je ne veux surtout pas compliquer les choses pour Molly.

— En attendant, vous êtes revenue ici, insista-t-il en s'accrochant à cette pensée.

— Forcément ! dit-elle en lui serrant les mains.

— Vous sauriez vivre sur l'île ?

— Pourquoi pas ?

— L'hiver, ce n'est pas très drôle.

Sandi était jadis venue passer un Noël chez ses parents mais elle avait refusé tout net de renouveler l'expérience.

— Il fait un temps gris et froid. On se sent coupé du monde.

— Si vous essayez de me décourager, répliqua Julia en souriant, vous perdez votre temps. Je pourrais faire des tas d'autres choses quand l'été sera terminé.

— Quoi par exemple ?

— Vous accompagner à la pêche.

— Je ne pêche pas l'hiver.

— Alors que faites-vous ?

— Je vais skier.

— Je pourrais vous accompagner.

— Ça oui ; par contre, la pêche : sûrement pas. Quoi d'autre ?

— Je pourrais prendre des photos de vous sur le bateau.

— N'espérez pas me faire céder petit à petit !

— On verra, rétorqua-t-elle d'un air de défi amusé. Sinon je pourrais toujours m'occuper des lapins de Zoe. C'est tellement apaisant ! Puis j'aimerais apprendre à tisser.

Je sais tricoter, mais pour l'instant mes talents s'arrêtent là. Certains amis de Zoe ont un métier à tisser. Ils pourraient m'apprendre.

— Sans doute, approuva-t-il.

Julia possédait le coup d'œil d'une véritable artiste. Ses photos le prouvaient assez. L'idée qu'elle décide de créer quelque chose lui plaisait beaucoup.

— Mais encore ?

— Peu importe, reprit-elle, soudain sérieuse. Je ne veux pas me retrouver programmée. Il le fallait bien, avant. Maintenant c'est terminé. J'ai été à l'école, je me suis mariée, j'ai élevé ma fille, j'ai pris soin de mon mari.

— En lui servant de souffre-douleur.

— Parfois. L'accident a produit en moi un déclic. J'ai besoin d'air ! J'ai besoin de rester ouverte à ce qui compte à mes yeux. C'est sans doute égoïste de ma part ?

— Pas du tout, répondit-il d'un ton également sérieux car il en allait de son propre avenir. Nos propres désirs doivent passer en premier. Tout le monde a le droit de connaître le bonheur, Julia, le droit de se réaliser pleinement. Jamais je ne m'y opposerai.

Elle lui décocha un regard incrédule.

— Qui parle d'opposition ? Vous faites partie de ce que je désire !

— Vraiment ?

— Absolument. J'ai choisi de vivre ici, affirma-t-elle en lui saisissant le menton. L'autre soir, en attendant d'affronter Monte, j'ai pris une tasse de thé. Vous savez ce que j'ai lu sur le papier du biscuit ? Une citation : « L'intelligence ressemble à une rivière : plus elle est profonde, moins on l'entend. » Vous ne faites pas de bruit, pourtant vous ne manquez pas de profondeur. Pour l'instant, j'ai surtout connu l'inverse.

Noah crut son cœur sur le point d'éclater. Elle n'avait pas prononcé la phrase clé mais éprouvait-il vraiment le besoin de l'entendre ?

— Sans Ian, je viendrais vous rejoindre sur le canapé.

Julia rougit. Après leur nuit dans les bras l'un de l'autre le jeudi précédent, sa réaction le surprit. Mais elle témoignait de son honnêteté autant que de sa tendresse. Encore une bonne raison de l'aimer.

Épilogue

Julia s'accorda un an. Elle pensait bien ne pas avoir besoin de tout ce temps pour comprendre à quel point elle aimait Noah mais elle se méfiait. Elle aimait Monte aussi, au début. L'âge aidant, elle comprenait que se définir par rapport à un homme ne suffisait pas plus que de se définir comme la fille de ses parents ou la mère de Molly. Il lui fallait une identité bien à elle, qui lui apporterait de l'assurance. S'accorder un an pour y parvenir lui parut un projet prometteur.

Le mois de juillet fut consacré à la détente. Tout lui parut nouveau : depuis la liberté de fréquenter Noah jusqu'au plaisir de le voir en compagnie de son fils, de voir ses parents enfin réunis et Janet auprès de Zoe. Même le soleil semblait briller pour la première fois. Il reparut après la tempête en leur apportant des jours de beau temps, parfois chaud à l'excès, que rafraîchissait une petite brise la nuit.

Julia devint inséparable de son appareil photo. Il lui donnait accès à certains endroits de Big Sawyer où sans lui elle n'aurait sans doute pas osé s'aventurer. Elle flânait aux environs du port de plaisance, vers l'atelier de réparation des bateaux, près de la poissonnerie Foss où les pêcheurs apportaient leurs prises du jour, puis sur les quais à l'heure où les caseyeurs s'affairaient à leurs innombrables tâches quotidiennes.

Noah refusait toujours de la laisser relever des nasses mais, une fois le réservoir du *Leila Sue* vidangé puis rempli, la radio réparée, et Noah certain d'avoir pris toutes les précautions possibles, il accueillait avec plaisir Julia à bord. Elle passa plus d'une journée à photographier Ian et son père au travail. Sinon, elle consacrait beaucoup de temps à Molly que la réalité du divorce déstabilisait et qu'il fallait choyer un peu. Sans compter Kim. Si elle ne courait plus aucun danger maintenant que les complices d'Artie étaient sous les verrous, elle entendait bien prendre un nouveau départ après le tourbillon des récents événements. Elle voulait s'installer à New York, une ville que Julia connaissait bien. Ensemble, elles décidèrent que Kim travaillerait à la boutique de Charlotte, que Julia l'aiderait à dénicher un petit studio, qu'elle s'inscrirait à des cours du soir et qu'elle tenterait même d'entrer en contact avec son père.

Des démarches légales occupèrent l'essentiel du mois d'août : la signature d'un acte de séparation de fait suivie de discussions préalables à un accord entre les parties. L'avocat de Monte défendit bec et ongles les possessions de son client. Julia, qui comprenait que cela faisait partie du jeu, comptait bien lutter jusqu'au bout. Lorsque Monte osa nier ses aventures extraconjugales, elle exhiba la chaussure récupérée dans son appartement ce fameux soir, apportant ainsi la preuve de son infidélité. Il la contredit sur tous les autres points, à commencer par la valeur de leur logement ou de ses investissements personnels. La ligne téléphonique reliant Big Sawyer à New York sonna plus d'une fois occupé, cet été-là.

Julia ne désirait que peu de biens parmi ceux accumulés depuis son mariage. Elle ne voulait pas non plus d'une énorme pension alimentaire, simplement de quoi assurer ses arrières et vivre en parfaite indépendance. Elle voulait aussi pouvoir soutenir financièrement sa fille, même si elle n'avait aucune crainte de ce côté-là. Malgré ses nombreux défauts, Monte ne demandait pas mieux que de s'occuper de Molly. Une fois les procédures légales entamées, dès qu'il eut accepté l'idée que c'en était fini de son mariage, il tenta de rétablir le dialogue avec sa fille.

Noah noua une relation solide avec son fils. Ian accepta de visiter des universités avant la reprise des cours mais uniquement en compagnie de son père, qui, d'après lui, le comprenait mieux que sa mère. Qu'il ait raison ou pas, Noah se réjouit en tout cas de son nouveau rôle auprès de lui.

La pêche au homard se révéla plus fructueuse que jamais en septembre. Les homards avaient entre-temps consolidé leurs carapaces et pesaient bien plus qu'à l'époque de la mue. Après le départ de Ian, Noah songea à engager un autre coéquipier. En fin de compte, il préféra travailler en solo, même s'il n'était pas souvent seul à bord. La plupart du temps, Julia venait avec lui, à la fois pour lui tenir compagnie et le photographier. La gazette de l'île imprimait régulièrement ses clichés à la une, ce qui l'incitait à continuer d'en prendre. Elle en profitait aussi pour aider Noah lorsqu'il la laissait faire. Mieux elle s'en sortait et plus il lui donnait de responsabilités la fois suivante. Il refusait envers et contre tout de la considérer comme son coéquipier, ce qui lui était égal, de même que de ne pas être payée – un sujet de dispute entre eux. Julia était hébergée gratuitement dans la maison sur la colline. Certes, Monte rechignait à produire ses relevés de compte, mais l'accord conclu lors de leur séparation couvrait ses besoins quotidiens, faciles à satisfaire.

Noah la rémunérait quand même. Il comptait ses heures et déposait de l'argent chaque semaine sur le compte qu'elle venait d'ouvrir à la banque de l'île.

En octobre, Julia reçut un appel de l'auteur d'un ouvrage sur la pêche au homard qui, après avoir vu ses photos dans le journal, souhaitait illustrer son livre d'autres clichés dans la même veine.

— Un livre ? J'en suis incapable ! déclara Julia à Noah en laissant échapper un petit rire nerveux.

— Pourquoi pas ? Qu'est-ce que ça change, que tes photos apparaissent sur un journal ou dans un livre ?

— L'éditeur me propose déjà une avance. Il s'agit d'un travail autrement plus sérieux que pour la gazette de l'île.

— Voilà justement une bonne raison de l'accepter, insista Noah. Tes photos méritent mieux qu'un journal local. Elles sont excellentes, Julia. Cet homme ne te demanderait pas de participer à son livre s'il n'appréciait pas ton travail. En plus, tu as déjà pris la plupart des clichés dont il a besoin. Qu'est-ce qui te chiffonne là-dedans ?

Après quelques jours passés à combattre ses doutes, Julia accepta la proposition. Son nom figurerait sur le contrat de l'éditeur à la rubrique « photographe ». L'argent versé à la signature lui permit d'acheter un équipement informatique capable de produire de meilleurs tirages.

Molly vint lui rendre visite. Elle aimait beaucoup revoir Julia, Noah et Zoe et était ravie de retrouver ses amis du grill. Elle convainquit Rick Greene de servir des crêpes au yaourt couvertes de lamelles de kiwi en guise de brunch le dimanche.

Monte tergiversait de plus belle. Il prétendait que l'un de ses principaux investissements n'avait rien donné. L'avocat de Julia confia l'affaire à un officier de la brigade financière.

En novembre, le temps devint maussade. La tombée de la nuit de plus en plus tôt contraignait les pêcheurs à écourter leurs journées de travail. À la fin du mois, Noah remisa ses casiers jusqu'à la saison suivante. Relever les nasses, les empiler sur le pont, rentrer au mouillage, décharger le bateau, ranger les casiers dans la cabane en prévision de leur nettoyage – c'était une activité pénible. Julia, qui ne se sentait pas assez robuste pour l'aider, restait à la maison. Noah avait raison : elle réunit rapidement les photos destinées à l'ouvrage, ce qui la rendit fière en lui laissant pas mal de temps libre.

Julia se mit à passer de plus en plus de temps dans la maison des parents de Noah. Elle travaillait sur la colline mais en avait assez de dormir seule. Surtout, elle éprouvait une envie croissante de passer ses nuits dans les bras de Noah.

Une confortable routine s'installa : Julia se levait à l'aube et prenait son petit déjeuner en même temps que Noah. Après son départ, elle consultait le journal en ligne, répondait à ses e-mails puis allait aider Zoe à s'occuper des lapins, tisser chez l'un de ses amis ou rendre visite à ses connaissances. Les habitants de l'île ne manquaient pas de sujets de conversation. Ils lisaient beaucoup. Plus le soleil se couchait tôt, plus la température chutait, plus ils lisaient. Des romans, des essais, de la science-fiction, des polars, des biographies – leurs goûts étaient aussi éclectiques que la décoration de leurs intérieurs. Ils pouvaient parler de leurs lectures des heures durant auprès d'un bon feu de cheminée, dans un fauteuil confortable, une chope de cidre à la main.

De lectures et d'autres choses aussi. Dès qu'un petit groupe se réunissait, en particulier un groupe de femmes, la conversation déviait sur d'autres sujets. Julia aurait pu y participer des soirées entières sans se lasser si elle n'avait pas tenu à rentrer avant Noah. Il ne le lui demandait pas mais la joie qui se lisait sur son visage lorsqu'en ouvrant la porte il humait l'odeur d'un repas chaud lui fournissait une motivation suffisante.

Le mois de décembre fut consacré à la famille. Une fois les casiers nettoyés, réparés et empilés dans la cabane, et le *Leila Sue* en cale sèche, Noah se rendit à Washington. Il visita le lycée que fréquentait Ian, où travaillait Sandi. Il encouragea l'équipe de basket-ball où jouait son fils depuis les gradins de la salle d'entraînement. Il aida Ian à remplir les dossiers d'admission à l'université.

Pendant ce temps, Julia partit pour New York. Le spécialiste de la finance engagé par son avocat venait de découvrir le plus important investissement dissimulé par Monte, ce qui l'incita à baisser les armes. Julia préféra toutefois croire en un sursaut de bonne volonté à la saison des fêtes ou plus simplement à une soudaine maturité. Revoir Monte lui pesait moins depuis qu'elle commençait à se construire une nouvelle vie ailleurs.

Leur appartement fut mis en vente. Molly entreposerait ses affaires dans le nouveau logement de son père, mais pas Julia. Elle tria ce qui lui appartenait en décidant quoi garder et quoi jeter. La tâche lui aurait vite paru fastidieuse sans la foule d'autres distractions qui s'offrit à elle. Julia rendit visite à ses amis. Elle passa dire bonjour à Kim. Elle dîna dans ses restaurants préférés et fit ses emplettes de Noël. Pour couronner le tout, elle partit skier dans les Rocheuses au Canada en compagnie de Noah, Ian et Molly.

En janvier, Janet fêta ses soixante-cinq ans. George décida d'organiser une réception à cette occasion. Il ne s'agirait pas d'une surprise, Janet ne l'aurait jamais accepté. Elle se montrait plus détendue depuis son passage à Big Sawyer mais elle tenait tout de même à ce que l'on serve des canapés en quantité suffisante parce qu'on n'invite pas les gens à 19 heures pour un dîner à 21 heures sans rien leur donner à grignoter en attendant. Puis la nourriture devait être de qualité, insista-t-elle. Voilà pourquoi il fallait engager les meilleurs traiteurs de New York. Elle laissa à George le choix entre les deux plus renommés.

Elle demanda aussi à Zoe de venir.

Zoe appréhendait cette soirée. Il s'agirait d'une réunion de famille, or elle n'en faisait plus partie depuis des années. Elle craignait de trancher sur le reste des invités, de ne pas paraître à son avantage.

— Comment Zoe pourrait-elle paraître autrement qu'à son avantage ? s'exclama Noah, incrédule. Elle brille où qu'elle aille.

Julia s'éclaircit la gorge :

— Pardon ? Qui a passé des heures à se demander comment s'habiller avant de rendre visite à son fils dans son lycée ? Qui voulait être le plus distingué possible ?

— Je ne voulais pas lui faire honte.

— Jamais il n'aura honte de toi ! Je te l'ai déjà dit. Ian se sentait si fier de t'avoir à ses côtés. Je crois même que ta tenue l'a déçu par son élégance. Il aurait préféré que tu portes un vieux T-shirt pour que ses amis puissent voir ton tatouage !

Noah fit la grimace.

— Sa mère ne me l'a jamais pardonné.

— Ton tatouage ou celui de Ian ?

— Les deux ! Mais Ian l'a bien mérité. Après ce qu'il a enduré ce fameux jour de tempête, comment aurais-je pu le lui refuser ?

Julia passa un bras autour de sa taille en adressant un grand sourire à son visage radieux.

— Bien sûr ! D'autant que tu as essayé de le dissuader jusqu'à la boutique du tatoueur.

— Celui-là même chez qui j'étais allé à l'époque, conclut fièrement Noah.

Il fit un temps déplorable tout le mois de février. Un vent froid venu de l'océan secoua les branches des arbres. Noah avait prévenu Julia mais elle ne se plaignit pas car ils consacrèrent le mois de février à s'occuper d'eux seuls. Quelques amis passèrent les voir, sans s'attarder. Julia et Noah se blottirent bien au chaud dans la maison sur la colline. Ils y disposaient de livres, de placards regorgeant de nourriture et d'un feu de cheminée. Que demander de plus ?

C'est ainsi que s'écoulèrent les deux premières semaines du mois. Ils partirent ensuite en croisière dans les Caraïbes.

Deux grandes nouvelles attendaient Julia à son retour. Charlotte était si contente de Kim qu'elle l'emmenait en Europe acheter de quoi approvisionner sa boutique. Monte approuvait les termes du divorce. Les papiers seraient bientôt en règle.

Au mois de mars, le travail absorba toute leur attention. Noah s'occupa des casiers entassés dans sa cabane : il répara les goulottes et remplaça les garcettes abîmées. Puis il inspecta le *Leila Sue* afin de le conserver dans le meilleur état possible. Enfin, il se chargea de rassembler les documents nécessaires au renouvellement de son permis de pêche.

Julia aida les producteurs de laine de l'île à mettre sur pied une exposition de leurs travaux à Boston. Elle photographia leurs produits et réalisa un prospectus publicitaire. Elle se chargea d'organiser le voyage de la vingtaine d'artisans participant.

Au milieu du mois, Janet et Molly leur rendirent une visite surprise. Janet se plaignit du vent glacial mais elle semblait en excellente forme dans l'ensemble.

Puis vint le mois d'avril. Julia se demanda où était passé l'hiver. Les jours s'allongeaient. Le soleil réchauffait l'atmosphère. Noah partit à bord du *Leila Sue* remis à neuf poser ses premières filières de l'année, attachées à des balises repeintes de frais.

Julia l'accompagna en photographiant tout son soûl. Elle en profita pour lui donner un coup de main avec une parfaite aisance, tant elle avait appris à bien connaître son travail.

Alex Brier imprima quatre de ses photos à la une de la gazette en l'honneur de la nouvelle saison de pêche.

En mai, Julia fit ses débuts officiels de photographe lors de la parution du livre sur la pêche au homard. La presse de Portland ne manqua pas d'en parler car cet ouvrage devait particulièrement intéresser les habitants de la région. Un journaliste travaillait justement à la rédaction d'un livre sur la vie dans le Maine. Julia accepterait-elle de collaborer aux illustrations ? lui demanda-t-il par téléphone. Cette fois-ci, il s'agissait de bien autre chose que de la pêche au homard. Si Julia acceptait, elle devrait voyager dans tout l'État.

— Ça te pose problème ? l'interrogea gentiment Noah lorsqu'elle lui fit part de ses craintes.

— Je m'y connais en pêche, répondit-elle, intimidée par cet imposant projet, pas en culture de pommes de terre ou en récolte de myrtilles.

— En attendant, tu sais filer la laine, tisser et t'occuper d'un élevage de lapins. Tu es partie skier dans les Rocheuses puis en croisière dans les Caraïbes. Tu viens d'acheter un second appareil photo...

— Un tout petit appareil de poche.

— ... de quatre mégapixels avec lequel tu as réalisé de fabuleux essais. Sans parler de ton nouveau téléobjectif. Tu m'as l'air tout à fait prête à te charger de ce travail.

— Tu crois ? l'interrogea-t-elle, pas très rassurée.

Il se contenta de lui sourire en guise de réponse, puis ajouta :

— À moins que tu n'en aies pas envie.

— Oh si ! s'empressa d'affirmer Julia d'un ton enthousiaste.

Elle avait beau adorer prendre des photos, elle n'avait rien d'une professionnelle dans ce domaine. Elle restait avant tout mère de sa fille et fille de sa mère. Elle comptait aussi beaucoup pour Noah à qui elle servait parfois de coéquipier. Puis elle était toujours la première à prendre soin des amis souffrants en leur apportant une fournée de succulents biscuits tout chauds.

Julia se considérait aussi comme une survivante. Jamais elle ne l'oublierait. Même si elle ne se réveillait plus en pleine nuit à la vue d'une proue rouge foncé jaillissant du brouillard dans ses rêves, elle se levait rarement sans songer : Voici encore une nouvelle journée qui s'annonce. La vie ne tient qu'à un fil. Le bonheur, la réalisation de soi et même la réussite ne sauraient être remis à plus tard.

Gagnée par l'enthousiasme, elle saisit la main de Noah et déclara :

— Oui, je vais accepter cette proposition.

En juin, à l'approche du premier anniversaire de l'accident, Noah inversa les rôles : Julia n'arrêtait pas de répéter qu'il lui avait sauvé la vie, mais l'inverse n'était pas moins vrai. Depuis qu'il connaissait Julia, il se montrait plus ouvert et plus détendu. Il parvenait à mieux communiquer que par le passé. Sa relation avec son fils gagnait en solidité. Surtout, il aimait Julia plus que jamais.

Il attendit le jugement de divorce définitif, pas un jour de plus. L'année qui venait de s'écouler lui avait prouvé à quel point Julia s'intégrait parfaitement dans sa vie. Il n'en oubliait pas moins la fragilité de l'existence.

Le premier matin où Julia se retrouva officiellement libre, il partit pêcher au lieu de faire la grasse matinée en sa compagnie dans la maison sur la colline. Puis, à son retour, il lui servit son petit déjeuner sur la terrasse, en face des arbres, du ciel et de la mer. Il déposa dans le creux de sa main trois pierres précieuses : des diamants enchâssés dans une monture de platine pendant à une chaîne aussi délicatement élégante que Julia.

— Les deux plus petits proviennent d'une paire de boucles d'oreilles, cadeau de mon père à ma mère. Elle n'a pas vécu assez longtemps pour en profiter. Je voudrais que tu les portes à sa place. Quant à la plus grosse pierre, je l'ai choisie exprès pour toi. Si tu souhaites les sertir sur une alliance, pas de problème : je ne demande pas mieux. Mais une simple bague en or me conviendrait aussi. Comme tu le souhaites. Cette fois-ci, ce ne sera plus pareil. Ni pour toi ni pour moi. Tu me comprends ?

Oh oui. Elle le comprenait parfaitement.

Remerciements

En m'attelant à la rédaction de ce livre, j'ai pris le risque d'aborder deux sujets auxquels je ne connaissais absolument rien : l'élevage de lapins angoras et la pêche au homard. J'utilise l'imparfait parce que entre-temps j'ai appris pas mal de choses à ce propos. Il se peut que certaines erreurs subsistent encore dans mon texte, j'espère que la licence poétique me les fera pardonner. Je me serais retrouvée complètement noyée sans l'aide de Debbie Smith et de Betty Ann et Don Lockhart. Debbie élève des lapins angoras dans sa ferme de Sherborn dans le Massachusetts et les Lockhart, des habitants du Vermont qui connaissent une foule de détails sur la pêche au homard, m'avaient déjà aidée à collecter des informations sur la production de sirop d'érable dans *Les Fautes du passé*. J'adresse mes plus vifs remerciements à Jason Marceau pour ses précieux renseignements sur les bateaux pris dans une tempête. D'autres personnes encore m'ont fait découvrir la pêche au homard. Elles se reconnaîtront sans peine. Je les remercie de leur temps et de leur générosité.

Comme toujours, je remercie mes éditeurs, Michael Korda et Chuck Adams, ainsi que Susan Moldow et le personnel des éditions Scribner. Je remercie mon agent, Amy Berkower, dont les nombreuses qualités se font de jour en jour plus évidentes. Je remercie aussi mon assistante, Lucy Davis, qui me facilite la vie au quotidien.

J'adresse à ma famille mes remerciements, accompagnés de ma plus vive reconnaissance – à mon mari Steve pour sa patience face aux sautes d'humeur qui s'emparent de moi pendant la rédaction d'un livre, à mes fils Eric, Andrew et Jeremy pour leurs réponses immédiates aux questions qu'il m'arrive de leur poser, à mes belles-filles Jodi et Sherrie pour leurs idées lumineuses.

Mon respect pour les hommes et les femmes qui tentent de vivre de la pêche au homard a grandi au fur et à mesure que je découvrais la réalité quotidienne de leur métier. Je tenais à saluer ici les pêcheurs qui s'efforcent de s'en sortir le mieux possible malgré d'interminables journées de labeur à la merci des éléments.

Enfin, je dédie ce livre à Gabrielle et Jesse. Les mots me manquent pour leur exprimer tout mon amour.

Photocomposition Nord Compo

Impression réalisée sur CAMERON par
BRODARD ET TAUPIN
La Flèche
en avril 2007

Imprimé en France
Dépôt légal : mai 2007
N° d'édition : 96047/01 – N° d'impression : 41404